Edexcel A2 French

Anneli McLachlan

Speaking and writing exam sections
by Malcolm Johnson

A PEARSON COMPANY

Tableau des contenus

Module 1 • Histoire, arts et littérature

Module 2 • Questions de société, questions d'actualités

Module 3 • Questions mondiales

Module 4 • Traditions, croyances et convictions

Frise du XXème siècle

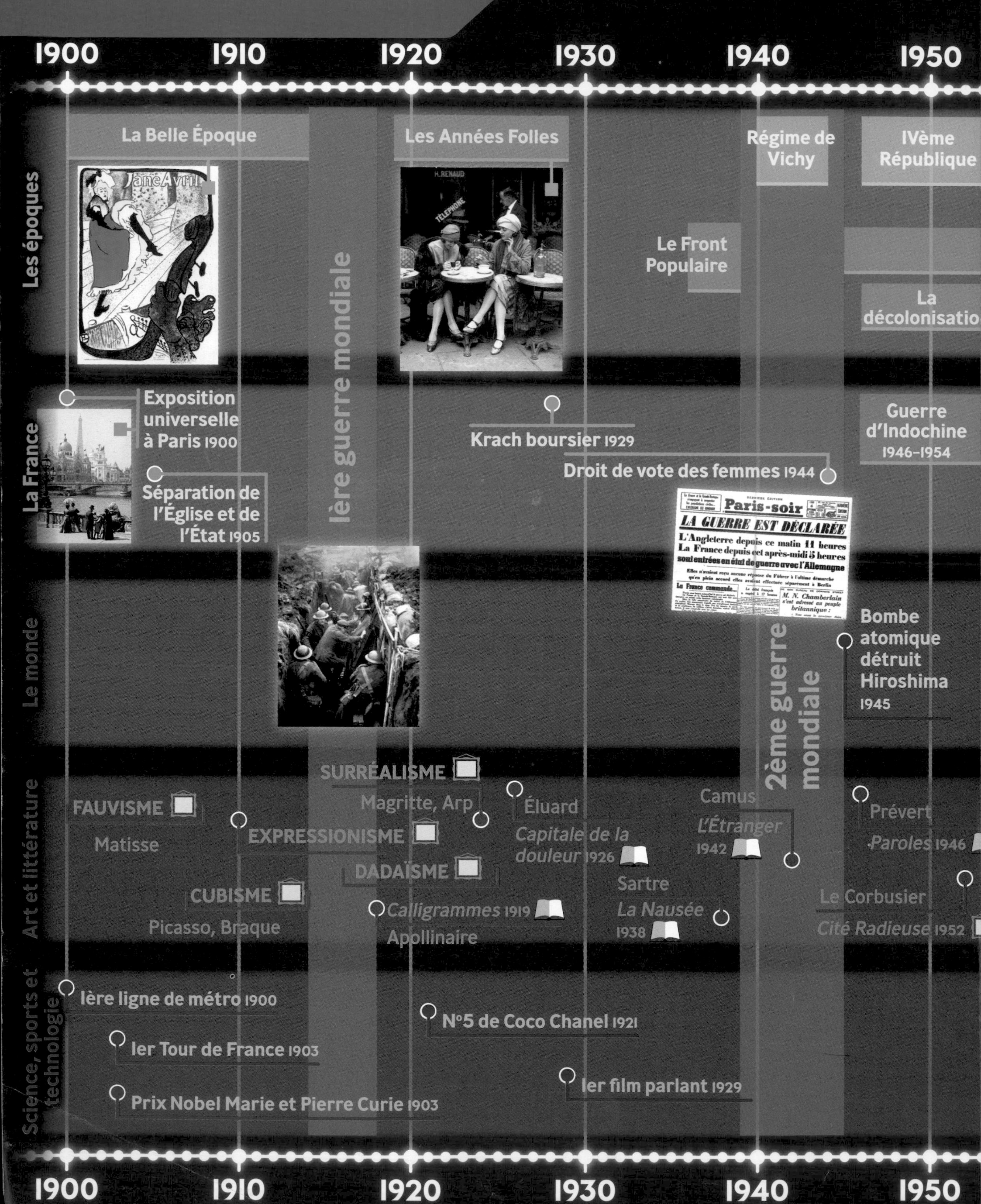

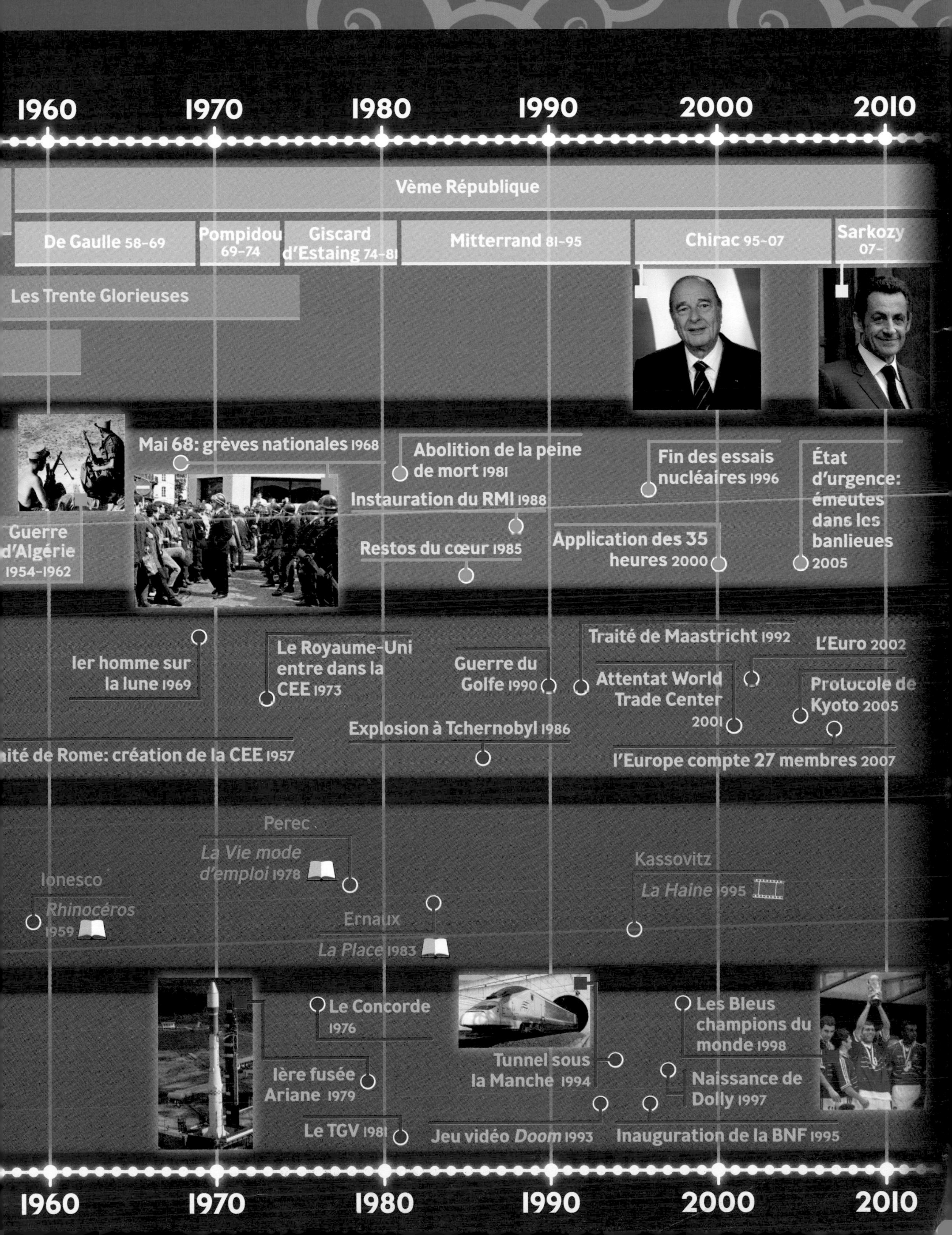

1960
1970
1980
1990
2000
2010
Vème République
De Gaulle 58-69
Pompidou 69-74
Giscard d'Estaing 74-81
Mitterrand 81-95
Chirac 95-07
Sarkozy 07-
Les Trente Glorieuses
Guerre d'Algérie 1954-1962
Mai 68: grèves nationales 1968
Abolition de la peine de mort 1981
Instauration du RMI 1988
Restos du cœur 1985
Application des 35 heures 2000
Fin des essais nucléaires 1996
État d'urgence: émeutes dans les banlieues 2005
Ier homme sur la lune 1969
Le Royaume-Uni entre dans la CEE 1973
Guerre du Golfe 1990
Traité de Maastricht 1992
Attentat World Trade Center 2001
L'Euro 2002
Protocole de Kyoto 2005
Explosion à Tchernobyl 1986
aité de Rome: création de la CEE 1957
l'Europe compte 27 membres 2007
Perec
La Vie mode d'emploi 1978
Ionesco
Rhinocéros 1959
Ernaux
La Place 1983
Kassovitz
La Haine 1995
Le Concorde 1976
Ière fusée Ariane 1979
Le TGV 1981
Tunnel sous la Manche 1994
Jeu vidéo Doom 1993
Les Bleus champions du monde 1998
Naissance de Dolly 1997
Inauguration de la BNF 1995
1960
1970
1980
1990
2000
2010

Module I · objectifs

(t) Thèmes

- Connexions entre histoire, arts et littérature
- Survoler le XXème siècle: la quête de justice et de liberté
- Analyser un film
- Analyser le travail d'un réalisateur
- Parler de lecture et de littérature
- Parler du théâtre
- Parler des artistes et de leurs œuvres
- Parler d'une ville
- Parler d'architecture

(g) Grammaire

- Le présent (1)
- Le présent (2)
- Les pronoms démonstratifs
- Les pronoms possessifs
- Les temps du passé
- Les pronoms relatifs
- Les pronoms interrogatifs
- Le futur
- **Ce, ceci, cela, ça**

(s) Stratégies

- Connaître les périodes, les événements et les personnages clés du XXème siècle
- Utiliser le contexte pour comprendre ou expliquer
- Faire des recherches documentaires efficaces
- Rechercher les causes et mesurer l'impact d'un événement
- Traduire du français à l'anglais
- Écrire un essai sur un film
- Écrire un essai (1)
- Analyser un extrait de roman
- Inventer et décrire un personnage
- Étudier une pièce, une scène
- Enchaîner les idées
- Commenter une œuvre d'art
- Exprimer et justifier son opinion
- Évaluer différents facteurs
- Activer son vocabulaire

t Connexions entre histoire, arts et littérature

g Le présent (1)

s
- Connaître les périodes, les événements et les personnages clés du XXème siècle
- Utiliser le contexte pour comprendre ou expliquer

1 · Le XXème siècle: un siècle de progrès et de destructions

Lire 1 **De quelle période ou de quel événement s'agit-il? Utilisez la frise pages 4 et 5 pour vous aider.**

A

À l'aube d'un siècle nouveau, les Français sont optimistes quant à l'avenir. On attend beaucoup du progrès industriel, le pays connaît une longue période de paix, la vie culturelle est riche et surtout, on veut s'amuser!

B

La France est en colère. Elle se révolte. Les gens font la grève et descendent dans la rue pour protester. C'est un mouvement social important qui apporte des changements de mentalité et d'attitude dans tous les domaines.

C

Les coquelicots qui poussaient dans les champs de bataille sont devenus le symbole de ce conflit entre la Grande-Bretagne, la France et la Russie d'un côté et l'Allemagne et l'Autriche-Hongrie de l'autre. Des millions d'hommes trouvent la mort.

Écouter 2 **De quelle période ou de quel événement s'agit-il? Prenez des notes sur ces trois passages, puis utilisez la frise pages 4 et 5 pour vous aider.**

To understand the culture of a country, it is essential to have a historical overview and to make connections between history, key people, key issues and movements, and also the literature and the arts at a particular time. Both the 19th and the 20th centuries in France were periods of great historical and political importance, enormous social change and exciting cultural development. Artists, writers, architects, etc. are inevitably influenced by their world and context which they then shape in turn.

Lire 3 **Conjuguez les verbes au présent, puis décidez si les phrases sont vraies ou fausses selon la frise pages 4 et 5 et les textes ci-dessus.**

1. La Belle Époque (**redonner**) espoir aux gens.
2. Matisse (**peindre**) *La Danse* en 1925.
3. Coco Chanel (**écrire**) des poèmes surréalistes.
4. Les résistants (**rejeter**) le régime de Vichy.
5. Les Bleus (**espérer**) devenir champions du monde en 1997.
6. La guerre d'Algérie (**précéder**) la guerre d'Indochine.
7. En mai 68 les étudiants et les ouvriers (**essayer**) de faire évoluer la société.
8. Le premier homme sur la Lune ne (**venir**) pas de France.

Grammaire

Le présent (1) ***(the present tense)***

Form all present tense verbs correctly. Check your stem and endings. Never throw away marks on an incorrect present tense ending. Look out for the following groups of verbs.

reje**t**er/appe**l**er	préf**é**rer/lib**é**rer	app**uy**er/nett**oy**er
je reje**tt**e	je préf**è**re	j'appu**i**e
tu reje**tt**es	tu préf**è**res	tu appu**i**es
il/elle/on reje**tt**e	il/elle/on préf**è**re	il/elle/on appu**i**e
nous rejetons	nous préférons	nous appuyons
vous rejetez	vous préférez	vous appuyez
ils/elles reje**tt**ent	ils/elles préf**è**rent	ils/elles appu**i**ent

i Culture

Le cimetière du Père-Lachaise est un cimetière laïc, où l'on trouve les tombes de beaucoup de célébrités littéraires, musicales, artistiques, politiques et militaires. On y trouve notamment la sépulture d'Oscar Wilde et celle de Jim Morrison.

Écouter 4 **Écoutez ces jeunes qui vont visiter le cimetière du Père-Lachaise. Complétez ce tableau (attention, il y a trois intrus!).**

Nom	Profession ou connu(e) pour …	Date de naissance	Décédé(e) en
1 …	*Chanteuse: La vie …*	*19…*	*19…*

Guillaume Apollinaire, Édith Piaf, Aimé Césaire, Marcel Proust, Honoré de Balzac, Zinédine Zidane, Georges Bizet, Francis Poulenc, Colette, Molière, Eugène Delacroix, Paul Éluard, Lucie Aubrac, Albert Camus, Jane Avril

Parler 5 **Quelle époque, quels événements vous intéressent le plus? Quelle personne trouvez-vous la plus intrigante? Justifiez vos réponses.**

à l'examen

If you have the choice of what to study for your **Research-Based Essay**, choose a subject which interests you and which you can research properly. Sometimes it helps to find a link with your other A-levels. Are you interested in History? Art? Music? Drama? Cinema? Will you research a French-speaking region or community? Will you choose an aspect of modern society?

It is very important to **consider the availability of relevant source material to find details, facts, or statistics** for your chosen subject**. The more detailed your research, the more analytical** your essay can be.

Lire 6 Lisez cet article et répondez à ces questions en anglais.

1 What is the text about?
2 Which cultural disciplines are mentioned? Name four.
3 Which new movement appears at the beginning of the 20th century?
4 Name three different artistic movements of the 20th century.
5 Which events made man question his beliefs in humanity and traditional values?
6 Who becomes one of the most famous French musicians in the 20th century?

LE VINGTIÈME SIÈCLE

Au vingtième siècle, la littérature et les beaux arts se sont influencés mutuellement.

L'histoire de l'art au vingtième siècle est marquée par la naissance de l'art abstrait. On ne veut plus reproduire les êtres ou les objets réels, mais plutôt créer ses propres objets. Le nouveau siècle est d'abord fauviste. Les Fauves réagissent contre les taches de couleur des Impressionnistes. Ils négligent le détail et appuient les contours.

À partir de 1907, une nouvelle tendance s'oppose au fauvisme. Le cubisme inscrit les objets dans des volumes géométriques et remet tout à plat.

Pendant les années vingt les Surréalistes, eux, recherchent l'accidentel et l'inattendu.

Le vingtième siècle voit s'affirmer l'influence de la philosophie sur les lettres. Les valeurs léguées à la France par des siècles de christianisme et par l'humanisme de la Renaissance sont remises en question.

Un trait dominant: l'*angoisse* qui étreint l'homme. Les deux guerres mondiales donnent une extrême urgence au problème de la condition humaine et contribuent à développer la philosophie de l'absurde d'une part, et d'autre part la littérature engagée.

En ce qui concerne la musique, après Debussy et Fauré, Ravel devient le représentant du génie musical français.

Lire 7 À quel temps sont les verbes soulignés dans l'article? Écrivez leur infinitif et leurs formes pour *je* et *ils*. Notez leur traduction en anglais.

les êtres	*beings*	un trait	*a feature*
une tache	*a stain*	étreindre	*to suffocate*
mettre à plat	*to flatten*	répandre	*to spread*
léguer	*to leave to someone*		

Écouter 8 Écoutez Amélie parler du poème pour vous aider à répondre aux questions suivantes.

1 Who was Apollinaire?
2 Where did he write this poem?
3 What was the subtitle of the collection?
4 What do the two shapes make one think of?
5 Who were Braque and Max Jacob?
6 Why do you think this poem is still remembered today?

Parler 9 À deux, répondez à ces questions.

1 Quelle est votre réaction devant ce poème?
2 La forme du poème, qu'apporte-t-elle selon vous?
3 Aimez-vous la poésie en général? Pourquoi? Pourquoi pas?
4 Préférez-vous lire des poèmes ou un roman?
5 Préférez-vous l'histoire ou la littérature?
6 Préférez-vous les artistes ou les personnages politiques ou héroïques?

Parler 10 Choisissez une époque, un personnage ou un événement du XXème siècle. Préparez un exposé qui dure une minute pour votre classe.

Il faut inclure les points suivants:

- trois détails spécifiques
- le contexte historique
- son impact à l'époque et de nos jours

naguère	*formerly*	s'engager	*to enrol*
jaillir	*to gush*	saigner	*to bleed*

La Colombe poignardée et le jet d'eau

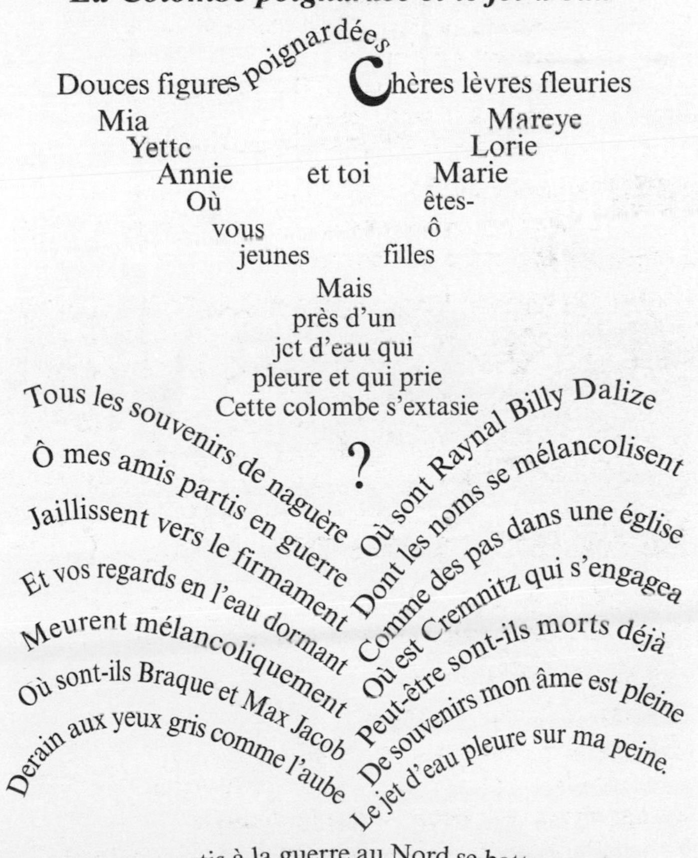

- **t** Survoler le XXème siècle: la quête de justice et de liberté
- **g** Le présent (2)
- **s**
  - Faire des recherches documentaires efficaces
  - Rechercher les causes et mesurer l'impact d'un événement

2 · Sous les pavés, la plage

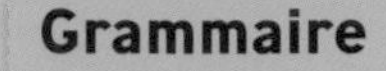

Grammaire

Le présent (2) *(present tense)*

The following verbs come up frequently, make sure you know them perfectly.

connaître/ reconnaître	recevoir/percevoir/ apercevoir
je connais	je reçois
tu connais	tu reçois
il/elle/on connaît	il/elle/on reçoit
nous connaissons	nous recevons
vous connaissez	vous recevez
ils/elles/connaissent	ils/elles reçoivent

Make sure you also know **être** and **avoir** perfectly as they are needed to form other compound tenses, the passive and idiomatic expressions.

Parler 1 **Vous préparez un exposé sur Mai 68. Vous devez identifier:**

- **a** les origines des événements
- **b** les conséquences pour la société de l'époque
- **c** l'impact sur la société de nos jours.

Lesquels de ces documents vous seraient les plus utiles dans vos recherches? Classez-les par ordre d'importance.

Proper research makes for informed writing. Before you start searching, establish exactly what you are looking for. Beware of using English source material. This does not necessarily save you time as you need to transfer the facts into French. Ask yourself where a French student might look for the same material.

Think about the key words you need to search for if you are using the internet. Don't be content with just Wikipedia for your information.

2 mai: Incidents à Nanterre, les cours sont suspendus
15 mai: Occupation de l'usine Renault
16 mai: Le mouvement de grève s'étend dans les entreprises
18 mai: Grève générale gagne l'ensemble du pays
24 mai: Nuit des barricades
28 mai: Démission d'Alain Peyrefitte

1 une chronologie

Mai 68 invente un monde nouveau.

En quelques semaines, la France a changé de siècle. Les jeunes, les femmes et les ouvriers ont réclamé plus de pouvoir, plus de parole, plus de liberté. Nombre de leurs rêves sont devenus notre quotidien. Malgré cela, l'héritage de M… suje… sus…

2 des articles de journaux, de magazines en français

3 des témoignages

Mai 68.
Je ne peux pas dire que je me sentais très concerné. Toute cette agitation me paraissait fumeuse … mais je décide qu'il est temps de comprendre … Cela tombe bien, l'usine Renault est sur le chemin. Les ouvriers sont stupéfaits de me voir débarquer dans une splendide décapotable rouge bourrée de fleurs. Ils m'ont expliqué qu'ils luttaient avant tout pour le respect. On a du mal à comprendre ça aujourd'hui, mais le monde ouvrier se sentait réellement méprisé par le reste de la société. Leur vie était dure.

C'était il y a quarante ans. Un vent de contestation et de liberté, venu d'Europe et des États-Unis, soufflait sur la capitale. Le 22 mars 1968, Daniel Cohn-Bendit, un étudiant allemand âgé de vingt-trois ans, fonde à l'université de Nanterre «le mouvement du 22 mars» qui sera à l'origine de l'occupation de l'université le 2 mai.

Contestant les structures rigides de la société, les étudiants se mobilisent et descendent dans la rue. L'insatisfaction gagne peu à peu les autres mécontents du système et c'est bientôt tout le pays qui est paralysé pendant plus d'un mois. Se terminant par la dissolution de l'Assemblée nationale, ce mouvement a permis de nombreux acquis sociaux. Quel regard portons-nous aujourd'hui sur mai 1968?

Certains accusent cet événement d'être la cause des maux principaux de notre société. N'est-ce pas oublier les droits syndicaux, la libéralisation des mœurs et le droit des femmes?

126

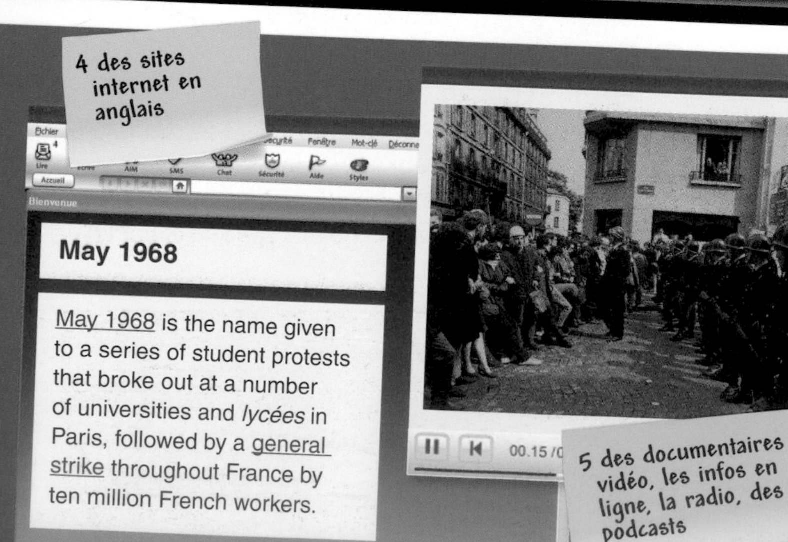

6 une encyclopédie, un dictionnaire

Lire 2 **Complétez ce texte sur Sartre avec les mots de la liste. Attention, il y a deux mots de trop! Ensuite recopiez les verbes qui sont au présent.**

> **«Dans la vie on ne fait pas ce qu'on veut, mais on est responsable de ce que l'on est.»**
>
> Jean-Paul Sartre

Au lendemain de la seconde guerre mondiale, une **1** _________, l'existentialisme, domine la pensée **2** _________.
La philosophie de Jean-Paul Sartre est explicitement athée et **3** _________. L'existence de l'homme exclut l'existence de **4** _________. L'homme est l'avenir de l'homme, l'homme est ce qu'il se fait.
Sartre affirme que l'homme **5** _________ besoin de donner un fondement rationnel à sa **6** _________ mais qu'il est incapable de réaliser cette condition. Aussi la vie **7** _____ est-elle à ses yeux une «futile passion». Néanmoins, Sartre met l'accent sur la liberté de **8** l'_________, sur ses choix et sa responsabilité.

se faire	*to make oneself*
s'avérer	*to prove to be*
un fondement	*basis*

animal a humaine pessimiste homme choix vie française Dieu philosophie

Écrire 3 **Conjuguez les verbes entre parenthèses au présent. Ensuite traduisez-les en anglais.**

> **«Il y a dans les hommes plus de choses à admirer que de choses à mépriser.»**
>
> Albert Camus

Albert Camus **1** (**attacher**) son nom à une doctrine personnelle: la philosophie de l'absurde. Une fois qu'on **2** (**prendre**) conscience de l'absurde, de l'inutilité de notre condition et de la certitude de la mort, l'homme est libre. Paradoxalement, c'est à partir du moment où l'homme **3** (**connaître**) lucidement sa condition qu'il **4** (**se libérer**). Il **5** (**pouvoir**) alors s'engager, se révolter et chercher le bonheur en profitant du temps présent.

Lire 4 **Sartre et Camus ont joué un rôle essentiel dans la quête de justice et de liberté. Copiez cette fiche et remplissez-la en anglais pour chaque écrivain.**

name: ....
movement: ....
principal ideas: ....

Écrire 5 **Traduisez ces phrases en français.**

1 The twentieth century bowls France over.
2 Philosophy influences literature.
3 The two world wars raise the question of the human condition.
4 In May 68, the whole country is paralysed by strikes.
5 Workers, artists and students take to the streets.
6 President De Gaulle receives a message.
7 He dissolves the National Assembly.
8 It is difficult for us to understand today.

influencer paralyser comprendre recevoir bouleverser soulever dissoudre descendre

Écouter 6 **La musique a aussi connu sa révolution au XXème siècle. Notez en français les caractéristiques des deux tendances principales.**

Écouter 7 **Écoutez ces quatres morceaux. De quel genre de musique s'agit-il? Qu'en pensez-vous?**

A La musique classique (comme Pierre Boulez)
B La chanson d'auteur (comme George Brassens ou Renaud)
C La musique des yéyés (comme Sylvie Vartan)
D La musique électronique (comme Daft Punk)

le genre	la musique	les paroles
manquer d'harmonie	émouvant	sophistiqué
difficile à écouter	bizarre	répétitif
audacieux pour l'époque	choquant	d'avant-garde

Écrire 8 **Choisissez un événement du XXème siècle (utilisez la frise pages 4 et 5 pour vous donner des idées). Écrivez un texte de 100 mots qui explique les causes de cet événement, son impact sur la société de l'époque et sur la société actuelle.**

Look beyond the internet for your resources. Use magazines, papers, write to different organisations. Research different angles of your chosen topic. Collect evidence to support your theories. Take notes, preferably in French, whenever you read an article about your chosen topic. Identify information that could be reused in your work and highlight it in your notes. Memorise facts but be selective in your choice. Do not overload your memory!

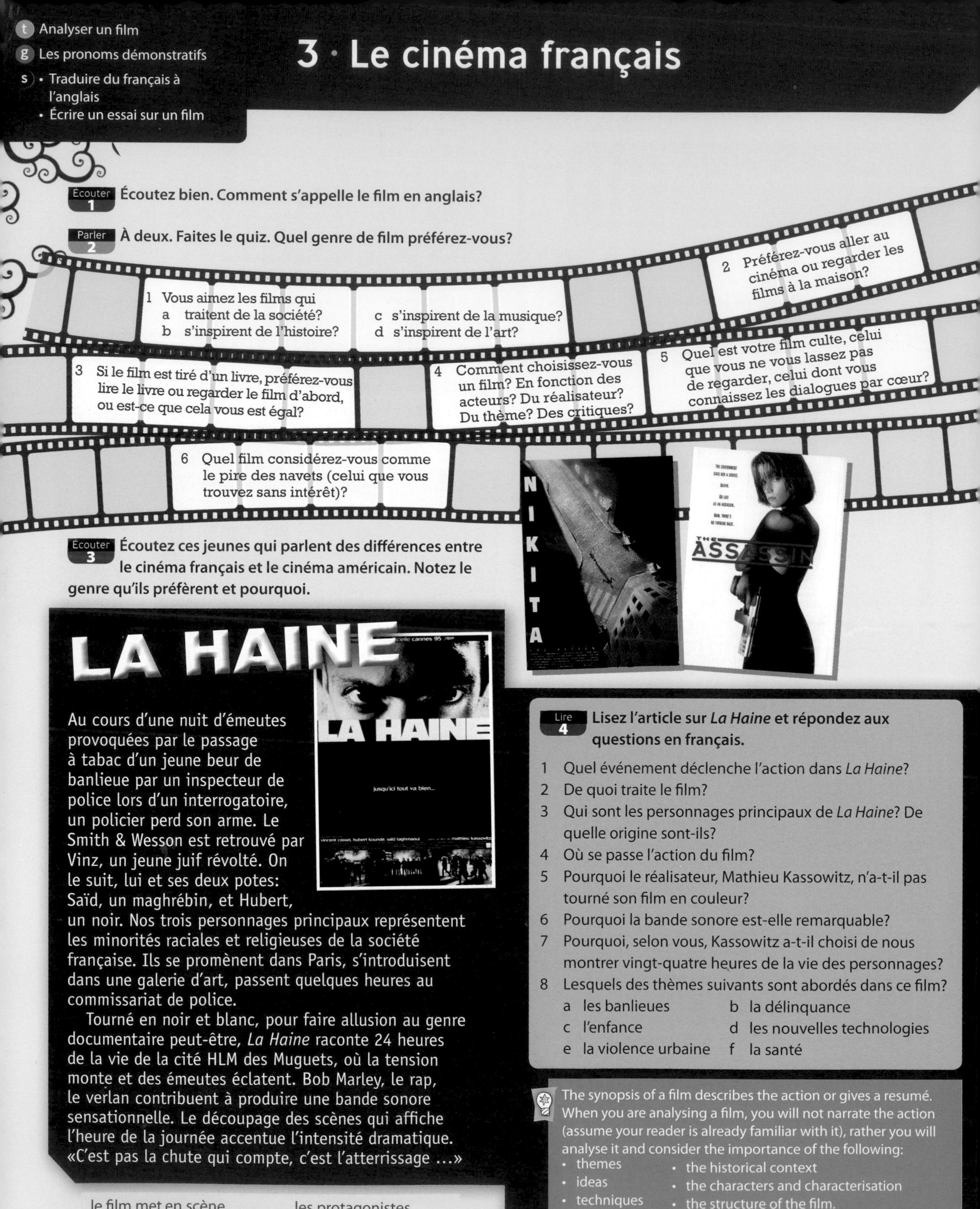

t Analyser un film

g Les pronoms démonstratifs

s • Traduire du français à l'anglais
• Écrire un essai sur un film

3 · Le cinéma français

Écouter 1 **Écoutez bien. Comment s'appelle le film en anglais?**

Parler 2 **À deux. Faites le quiz. Quel genre de film préférez-vous?**

1 Vous aimez les films qui
a traitent de la société?
b s'inspirent de l'histoire?
c s'inspirent de la musique?
d s'inspirent de l'art?

2 Préférez-vous aller au cinéma ou regarder les films à la maison?

3 Si le film est tiré d'un livre, préférez-vous lire le livre ou regarder le film d'abord, ou est-ce que cela vous est égal?

4 Comment choisissez-vous un film? En fonction des acteurs? Du réalisateur? Du thème? Des critiques?

5 Quel est votre film culte, celui que vous ne vous lassez pas de regarder, celui dont vous connaissez les dialogues par cœur?

6 Quel film considérez-vous comme le pire des navets (celui que vous trouvez sans intérêt)?

Écouter 3 **Écoutez ces jeunes qui parlent des différences entre le cinéma français et le cinéma américain. Notez le genre qu'ils préfèrent et pourquoi.**

LA HAINE

Au cours d'une nuit d'émeutes provoquées par le passage à tabac d'un jeune beur de banlieue par un inspecteur de police lors d'un interrogatoire, un policier perd son arme. Le Smith & Wesson est retrouvé par Vinz, un jeune juif révolté. On le suit, lui et ses deux potes: Saïd, un maghrébin, et Hubert, un noir. Nos trois personnages principaux représentent les minorités raciales et religieuses de la société française. Ils se promènent dans Paris, s'introduisent dans une galerie d'art, passent quelques heures au commissariat de police.

Tourné en noir et blanc, pour faire allusion au genre documentaire peut-être, *La Haine* raconte 24 heures de la vie de la cité HLM des Muguets, où la tension monte et des émeutes éclatent. Bob Marley, le rap, le verlan contribuent à produire une bande sonore sensationnelle. Le découpage des scènes qui affiche l'heure de la journée accentue l'intensité dramatique. «C'est pas la chute qui compte, c'est l'atterrissage ...»

le film met en scène
dénonce/traite de
le personnage principal
les protagonistes
l'histoire se résume à
l'action se passe en

Lire 4 **Lisez l'article sur *La Haine* et répondez aux questions en français.**

1 Quel événement déclenche l'action dans *La Haine*?
2 De quoi traite le film?
3 Qui sont les personnages principaux de *La Haine*? De quelle origine sont-ils?
4 Où se passe l'action du film?
5 Pourquoi le réalisateur, Mathieu Kassowitz, n'a-t-il pas tourné son film en couleur?
6 Pourquoi la bande sonore est-elle remarquable?
7 Pourquoi, selon vous, Kassowitz a-t-il choisi de nous montrer vingt-quatre heures de la vie des personnages?
8 Lesquels des thèmes suivants sont abordés dans ce film?
a les banlieues
b la délinquance
c l'enfance
d les nouvelles technologies
e la violence urbaine
f la santé

The synopsis of a film describes the action or gives a resumé. When you are analysing a film, you will not narrate the action (assume your reader is already familiar with it), rather you will analyse it and consider the importance of the following:
• themes
• ideas
• techniques
• influences
• the historical context
• the characters and characterisation
• the structure of the film.

Lire 5 **Regroupez ces éléments du film *La Haine* sous la bonne rubrique.**

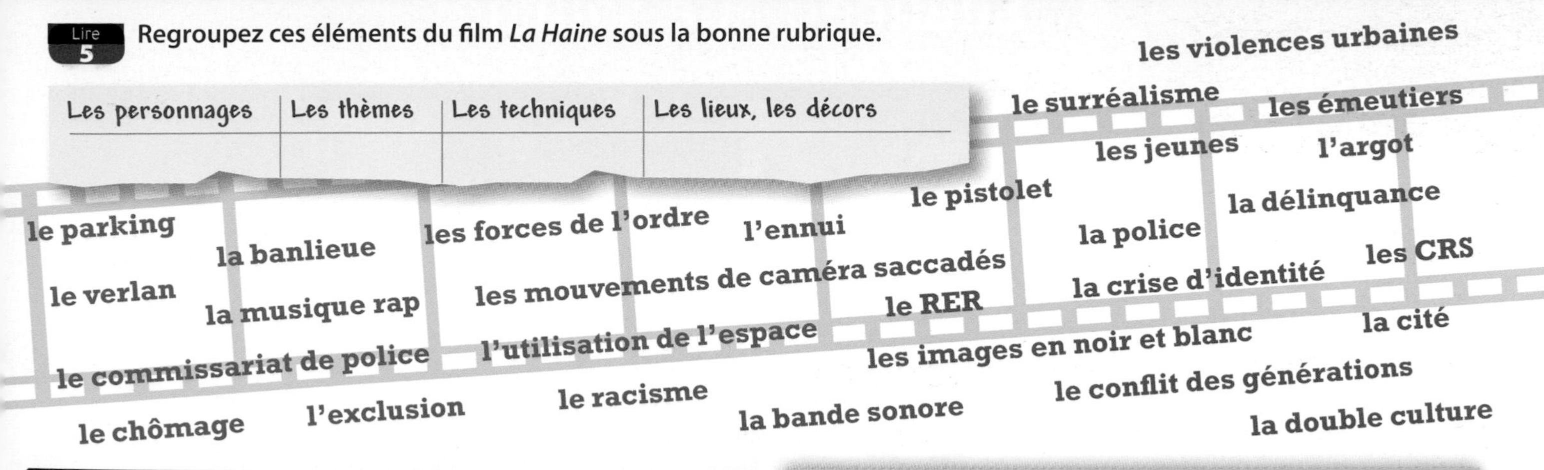

Les personnages	Les thèmes	Les techniques	Les lieux, les décors

Grammaire

Les pronoms démonstratifs *(demonstrative pronouns)*

These refer to people or things previously mentioned. They must agree in number and gender with the noun they are describing.

masc sing.	fem sing.	masc pl.	fem pl.
celui	celle	ceux	celles

Je suis fan **des films français**. **Ceux** que je préfère, ce sont **ceux** de Mathieu Kassovitz.

They are often used

- with **de** to indicate possession:
  l'arme du policier → **celle du** policier
- with **qui** in a dependent clause:
  Vinz → **celui qui** a trouvé le pistolet
- with **-ci** or **-là** to be more precise:
  Quel pistolet a-t-il trouvé, **celui-ci** ou **celui-là**?

Écrire 6 **Traduisez cette critique de cinéma en français.**

The story of *Hate* takes place in one housing estate in a suburb of Paris. The principal characters are representative of the ethnic mix of these areas. The film deals with themes such as exclusion, relationships between young people and the police and racism. Special effects are absent from this film. The way in which the film is shot recalls the documentary genre. The treatment of time accentuates dramatic intensity. A film not to be missed.

When translating from English into French

- Concentrate on conveying the meaning accurately, as close as possible to the original. If any phrases in French immediately spring to mind, note them down. If you can't convey the meaning exactly, then think how you could phrase it differently to communicate the same meaning.
- Work at a phrase level rather than concentrating on individual words.
- Get accents right especially if they change the meaning of the word (e.g. **ou/où**; **a/à**; **du/dû**; **la/là**; **des/dès**; **près/prés**, etc.).

Écrire 7 **Écrivez le bon pronom démonstratif.**

1 – J'aime les films de Jacques Audiard.
– Je préfère ________ de Robert Guédiguian.

2 Marc a apprécié les scènes tournées à Nice, tandis que Mathilde a mieux aimé ________ qui avaient été tournées à Cannes.

3 – Je vais voir le film de Steven Spielberg.
– Ah bon? Moi, je vais voir _______ de Jean-Jacques Annaud.

4 Quel poster préfères-tu? _______ ou _________?

5 Quelle scène de *La Haine* t'a le plus marqué? ________ de Vinz devant le miroir ou ____________ où Vinz montre le pistolet à ses copains?

Écrire 8 **Choisissez un film que vous avez vu récemment. Évaluez l'importance du personnage principal et analysez les principaux messages du film. Écrivez 250 mots.**

Commentez les éléments suivants:

- l'intrigue
- les décors
- les personnages, leurs relations
- la musique
- le message
- les effets spéciaux
- la façon dont le film est tourné ou est monté

- **t** Analyser le travail d'un réalisateur
- **g** Les pronoms possessifs
- **s** Écrire un essai

4 · Silence ... Ça tourne!

Écouter 1 **De quels films et de quels réalisateurs parle-t-on? Identifiez les films et prenez des notes en anglais sur le style de ces différents réalisateurs. (Attention, il y a deux intrus!)**

When analysing the work of a director, it is important to note the techniques he/she uses, the choices made, the effects created and the recurrent themes in his/her films.

FRANÇOIS TRUFFAUT
COLINE SERREAU
JACQUES AUDIARD
LUC BESSON
AGNÈS JAOUI
JEAN-PIERRE JEUNET

Lire 2 **Faites correspondre les différents cadrages avec leurs fonctions.**

1. Pour montrer en détails une partie d'un objet ou d'un corps. Cela permet d'accentuer l'importance des sentiments ou l'importance d'une action avec un objet.
2. Pour situer les personnages dans un contexte, une période, un environnement géographique.
3. Pour se mettre à la place de l'acteur, pour avoir l'impression de voir et d'agir comme lui. Cela permet au spectateur de s'identifier et donc d'accentuer le ressenti.
4. Pour montrer une action vue de haut. Cela permet de réduire l'importance de l'action, voire de ridiculiser un personnage.
5. Pour montrer une action vue d'en bas. Cela permet d'augmenter l'importance de l'action, voire de magnifier un personnage.
6. Pour montrer en détail les parties d'un objet ou d'un corps. Cela permet d'accentuer un sentiment ou une action en cours.
7. Pour se rapprocher un peu plus d'un ou plusieurs personnages. C'est un cadrage dans lequel les personnages sont coupés à mi-cuisse.
8. Pour montrer un personnage ou un groupe de personnes en pied, souvent en contexte, dans une partie du décor.

a un plan d'ensemble

b un plan moyen

c un plan américain

d un gros plan

e en caméra subjective

f une plongée

g une contre-plongée

h un très gros plan

Lire 3 **Identifiez les plans des affiches de l'exercice 1.**

Écouter 4 **Écoutez ce reportage sur la Nouvelle Vague et prenez des notes sur:**

- le terme Nouvelle Vague
- les caractéristiques du tournage
- le montage
- le jeu des acteurs
- l'improvisation

tourner	*to film, to shoot*	monter	*to edit*
des moyens	*money*	se dérouler	*to take place*
se débarrasser	*to get rid of*	l'éclairage	*lighting*
davantage	*more*	le bruit	*noise*
l'inattendu	*the unexpected*		

Grammaire

Les pronoms possessifs *(possessive pronouns)*

	m sing	f sing	m pl	f pl
mine	le mien	la mienne	les miens	les miennes
yours	le tien	la tienne	les tiens	les tiennes
his/hers	le sien	la sienne	les siens	les siennes
ours	le nôtre	la nôtre	les nôtres	les nôtres
yours	le vôtre	la vôtre	les vôtres	les vôtres
theirs	le leur	la leur	les leurs	les leurs

Possessive pronouns agree in number and gender with the noun they replace.

J'ai payé ma place de cinéma, mais je n'ai pas payé **ta place de cinéma**.

→ J'ai payé ma place de cinéma, mais je n'ai pas payé **la tienne**.

They change after prepositions: **au** mien, **de la** tienne, **du** sien.

Écrire 5 **Remplacez les noms en gras avec le bon pronom possessif pour éviter les répétitions.**

Réalisateur: Quand vous travaillez en équipe, vous vous rendez compte très vite du fait que certaines approches sont différentes de **(1) votre approche**. Par exemple, avec mon dernier caméraman, nos choix de plan pour une scène particulière n'étaient pas du tout les mêmes. **(2) Ses choix de plan** étant meilleurs que **(3) mes choix de plans**!

Journaliste: *Vos idées étaient vraiment différentes de* ***(4) ses idées****?*

Réalisateur: Oui. Et c'est quand on a un caméraman qui est vraiment très expérimenté qu'on commence à bien comprendre la mise en scène. Leurs choix sont différents ...

Journaliste: *Et* ***(5) leurs choix*** *peuvent être plus originaux?*

Réalisateur: Bien évidemment ...

à l'examen

When you are making a presentation, get to know your material well so that you can be confident in what you are saying. Address your audience, look them in the eye. Convey the information so that they understand the points you are making. Try to anticipate any questions you might be asked.

Parler 6 **Faites un exposé sur le travail d'un réalisateur que vous aimez.**

Mentionnez les points suivants:

- le contexte de son travail
- les thèmes principaux de ses films, ses acteurs fétiches
- les techniques qu'il emploie: les caractéristiques du tournage, les plans, les mouvements de caméra
- en quoi il se distingue des autres réalisateurs
- pourquoi vous l'appréciez

à l'examen

When writing an essay exploring two sides, it helps to adopt the following approach:
Introduction, Part 1, Part 2, Conclusion.

Introduction
Outline why the question is an important issue to consider, show awareness that two sides exist to the argument even if you are very firmly for one side of the argument.

Part 1 For, Part 2 Against
Structure each paragraph so that it contains one argument. Try to develop ideas, to justify your argument, and to give an example to back up your point.
Keep a similar amount of space for and against your title. Reserve your opinion for the second part of the essay, as this will lead in logically to your …

… Conclusion
Summarise the arguments you have made, state your point of view (do not repeat yourself). If relevant try to make a reference to the future or ask a rhetorical question.

Écrire 7 **«Le cinéma n'est pas un art, c'est une industrie!»**

a Décidez dans quelle partie de votre essai vous pourriez inclure les phrases suivantes.

b Ensuite écrivez votre essai (environ 250 mots).

1. Le cinéma d'auteur et les grosses productions hollywoodiennes sont deux choses différentes.
2. Certains prétendent que les réalisateurs sont de grands artistes.
3. Tourner un film, c'est créer un objet d'art.
4. On peut dire que le cinéma est un art populaire.
5. Je soutiens qu'un film doit avant tout divertir comme n'importe quel autre spectacle.
6. Un film de nos jours, ce n'est qu'un produit commercial.
7. Les résultats du box-office et les recettes d'un film sont d'une importance capitale pour juger de son succès.
8. Un film peut avoir un impact social et politique important.
9. Il faut s'interroger sur le rôle des documentaires.
10. Ce sont les producteurs qui prennent les décisions et non pas les réalisateurs.
11. Un film culte est aussi important qu'une peinture ou qu'une symphonie.
12. La qualité du jeu des acteurs n'a rien à voir, c'est le marketing qui compte.

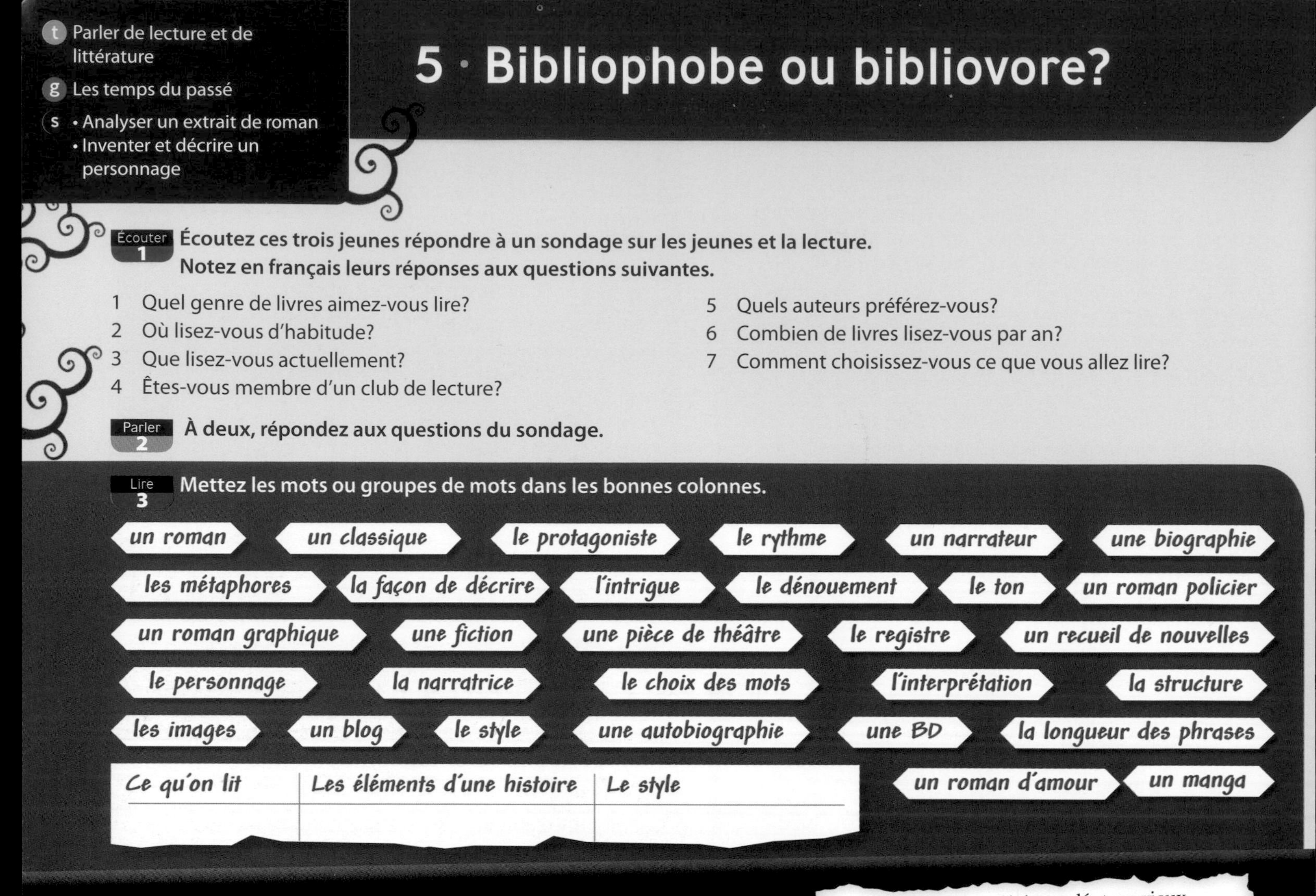

- t Parler de lecture et de littérature
- g Les temps du passé
- s • Analyser un extrait de roman
  • Inventer et décrire un personnage

5 · Bibliophobe ou bibliovore?

Écouter 1 **Écoutez ces trois jeunes répondre à un sondage sur les jeunes et la lecture. Notez en français leurs réponses aux questions suivantes.**

1. Quel genre de livres aimez-vous lire?
2. Où lisez-vous d'habitude?
3. Que lisez-vous actuellement?
4. Êtes-vous membre d'un club de lecture?
5. Quels auteurs préférez-vous?
6. Combien de livres lisez-vous par an?
7. Comment choisissez-vous ce que vous allez lire?

Parler 2 **À deux, répondez aux questions du sondage.**

Lire 3 **Mettez les mots ou groupes de mots dans les bonnes colonnes.**

un roman · un classique · le protagoniste · le rythme · un narrateur · une biographie · les métaphores · la façon de décrire · l'intrigue · le dénouement · le ton · un roman policier · un roman graphique · une fiction · une pièce de théâtre · le registre · un recueil de nouvelles · le personnage · la narratrice · le choix des mots · l'interprétation · la structure · les images · un blog · le style · une autobiographie · une BD · la longueur des phrases · un roman d'amour · un manga

Ce qu'on lit	Les éléments d'une histoire	Le style

La narratrice, qui n'est autre que l'auteure, a perdu son père l'année même où elle est devenue professeure. Cette mort à laquelle elle a assisté l'a énormément marquée. Plusieurs années après, elle entreprend le récit de la vie de son père, d'abord garçon de ferme, puis ouvrier d'usine, petit commerçant enfin. Elle s'attache à décrire cette distance séparant peu à peu l'étudiante qui a fait un mariage bourgeois de son père, ouvrier, qu'elle aime et qui l'adore.

Annie Ernaux est née en 1940 d'une famille modeste. Elle passe son enfance en Normandie. Elle fait ses études à Rouen, puis devient professeure. Elle se marie en 1964 avec un homme bourgeois et divorce dans les années 80.

En 1939 il n'a pas été appelé, trop vieux déjà. Les raffineries ont été incendiées par les Allemands et il est parti à bicyclette sur les routes tandis qu'elle profitait d'une place dans une voiture, elle était enceinte de six mois. À Pont-Audemer, il a reçu des éclats d'obus au visage et il s'est fait soigner dans la seule pharmacie ouverte. Les bombardements continuaient. Il a retrouvé sa belle-mère et ses belles-sœurs avec leurs enfants et des paquets sur les marches de la basilique de Lisieux, noire de réfugiés ainsi que l'esplanade par-devant. Ils croyaient être protégés.

48

Quand je faisais mes devoirs sur la table de la cuisine, le soir, il feuilletait mes livres surtout l'histoire, la géographie, les sciences. Il aimait que je lui pose des colles. Un jour, il a exigé que je lui fasse faire une dictée, pour me prouver qu'il avait une bonne orthographe. Il ne savait jamais dans quelle classe j'étais, il disait, «Elle est chez mademoiselle Untel». L'école, une institution religieuse voulue par ma mère, était pour lui un univers terrible qui comme l'île de Laputa dans Les Voyages de Gulliver, flottait au-dessus de moi pour diriger mes manières, tous mes gestes: «C'est du beau! Si la maîtresse te voyait!»

73

Lire 4 **Écoutez et lisez les deux extraits de *La Place*, d'Annie Ernaux à la page 16.**
Répondez aux questions et justifiez vos réponses.

1 Qui parle?
 a un narrateur
 b une narratrice
 Comment le savez-vous?

2 Est-ce …
 a un personnage fictif?
 b l'auteure/l'écrivaine elle-même?
 Comment le savez-vous?

3 Que racontent les extraits?
 Il s'agit …
 a d'une description d'un lieu.
 b d'une description d'une scène.
 c d'une description d'un personnage.
 d d'une série d'événements.
 e de convaincre le lecteur.

4 Quels thèmes sont abordés dans ces extraits?
 a le bonheur
 b la guerre
 c l'éducation
 d le chômage
 e le mariage
 f l'argent
 g la mort
 h la réussite sociale
 i la fierté et la honte

5 En ce qui concerne le style de l'auteur …
 a les phrases sont courtes et dépouillées.
 b les phrases sont longues et complexes.

6 Le ton est …
 a comique.
 b fantastique.
 c tragique, dramatique.
 d épique.

Parler 5 **À deux, relevez les informations sur le personnage principal en vous référant aux extraits de *La Place*.**

1 Comment le personnage principal est-il décrit?
2 Qui est-il?
3 Quel est son comportement?
4 Prend-il la parole ou ses pensées sont-elles rapportées?
5 Quels sont ses sentiments?
6 Représente-t-il un type social?
7 Que veut dire le titre *La Place* selon vous?

When studying a text or a play, you should make detailed notes on different:

- characters
- social and cultural setting
- key themes and issues
- styles and techniques employed.

Lire 6 **Complétez ce texte avec les mots de la liste. Attention, il y a deux mots de trop!**

> Annie Ernaux veut parler de la déchirure sociale à travers une **1** __________ qui dépasse l'anecdote personnelle et refuse la complaisance de la **2** __________. *La Place* est un livre court et tranchant qui **3** __________ un univers familier: l'histoire de son **4** __________, paysan, ouvrier, patron d'épicerie dans une petite ville de province. Soixante-deux ans de la vie d'un homme en cent quatorze pages, **5** __________ et intimes à la fois.
> La décision ferme d'un écrivain qui décline la tentation du **6** __________ et l'affirme dès la première page de son récit.

romanesque	fiction	père	explore
rejette	cliniques	univers	autobiographie

Watch out for the *Faux amis*!
For example le caractère = *the character* (disposition)
a character = un personnage

Grammaire

Les temps du passé *(past tenses)*

Ensure you get the basics right and use the correct tenses in the past. The **perfect tense** is used for a completed action in the past, whilst the **imperfect** is used for description, for habitual or repeated actions, or for an action which 'was taking place' when something else happened.

Lire 7 **Relevez tous les exemples du passé composé et de l'imparfait dans les deux extraits de *La Place*.**

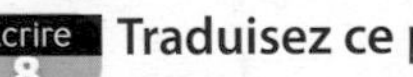

Écrire 8 **Traduisez ce passage en français.**

When I used to do my maths homework, my mother would help me by proposing a different approach from time to time. One day, we went to see an art exhibition together. She wanted to show me that she too appreciated the arts.

Loïc

Écrire 9 **Votre prof a inscrit votre classe à un concours d'écriture. Votre tâche: créer un personnage. Écrivez une description de 150 mots, en essayant d'imiter le style dépouillé et sobre d'Annie Ernaux.**

- Comment est-elle/il physiquement?
- Décrivez son caractère.
- Décrivez son attitude envers ses parents.
- Décrivez son attitude envers ses études.

- **t** Parler du théâtre
- **g** Les pronoms relatifs
- **s** • Étudier une pièce, une scène
  • Enchaîner les idées

6 · En scène!

Écouter 1 **Écoutez ces cinq extraits sur le théâtre et remplissez ce tableau.**

genre	caractéristiques	époque	dramaturges
1 la tragédie classique			

Beaumarchais · Anouilh · Molière · Corneille · Alfred de Vigny · Racine · Giraudoux · Alfred de Musset · Hugo

Écouter 2 **Écoutez et complétez le texte ci-contre sur Ionesco.**

Eugène Ionesco est né en Roumanie, mais a été élevé à Paris. Il est l'un des pères d'une nouvelle sorte de théâtre, le théâtre de **1** ________. Le théâtre de l'absurde n'avait aucun rapport avec les **2** ______ plus classiques tels que le drame et la **3** ______. Il a bouleversé les **4** ______ traditionnelles. Il traite de l'absurdité de l'homme et de la vie en général. Il met en question la **5** ________ humaine, surtout après les deux guerres mondiales. Les situations présentées sont absurdes.
Ionesco a publié *Rhinocéros* en 1960. La pièce **6** ________ une étrange épidémie, la «rhinocérite», par laquelle des villageois, coupables d'égoïsme, de violence, de vanité, d'hypocrisie, d'ambition, de discours vides etc., se métamorphosent en rhinocéros. Cette **7** ________ n'est en fait rien d'autre que la figure métaphorique de la fièvre **8** __________ qui a parcouru l'Europe des années trente.

à l'examen

When studying the works of an author, you will learn more about the context within which they were writing; how history and society influenced their literary production.

ACTE I

Bérenger, employé de bureau, et son ami Jean discutent dans un café.
Soudain un rhinocéros traverse bruyamment la place.
Les habitants du quartier l'observent **et puis** retournent à leur occupation.
Bérenger aperçoit Daisy dont il est amoureux, **mais** il est trop timide pour le lui dire.
Apparaît alors un second rhinocéros qui écrase le chat de la ménagère.

ACTE II

Le lendemain matin dans le bureau où travaille Bérenger, sont présents Daisy, Botard, Dudard et Monsieur Papillon. Leur collègue, Monsieur Bœuf est absent.
Soudain apparaît Madame Bœuf pourchassée par un rhinocéros en lequel elle a reconnu son mari. Les habitants de la ville sont de plus en plus nombreux à se métamorphoser en rhinocéros.
Jean se métamorphose en rhinocéros sous le regard de Bérenger.

ACTE III

Bérenger est malade. Il veut résister à l'épidémie qui transforme les gens en rhinocéros. Presque tous ses collègues ont succombé. Daisy rend visite à Bérenger, mais il ne peut pas l'empêcher d'aller rejoindre les rhinocéros. Bérenger reste seul, mais il décide de résister …

Lire 3 **Terminez ces phrases.**

1 Bérenger travaille dans …
2 Jean est un …
3 Bérenger n'arrive pas à avouer à …
4 De plus en plus de personnes …
5 Bérenger souhaite … et convaincre …
6 Mais Daisy …

Lire 4 **Notez tous les pronoms relatifs dans le résumé des trois actes. Traduisez en anglais les phrases qui en ont un.**

All of the phrases in bold are used to link ideas and move the action forward.

Grammaire

Comment traduire *which*? (*How to translate which?*)

Lequel means *which*. It is used as a pronoun, as the object of a preposition.

Lequel has to agree in gender and number with the noun it replaces; it also changes like **le**, **la** and **les** if **à** or **de** are involved.

Sometimes a preposition is added: selon laquelle/sur lequel/avec lesquels.

lequel	auquel	duquel
laquelle	à laquelle	de laquelle
lesquels	auxquels	desquels
lesquelles	auxquelles	desquelles

le rhinocéros en face **duquel** il se trouvait …
the rhino in front of which he was standing …

Il regardait son front **sur lequel** poussait une corne.
He was looking at his forehead on which was growing a horn.

L'idée **à laquelle** il fait référence …
The idea to which he refers …

LE LOGICIEN: Mais qu'est-ce que c'est?
JEAN [*se lève, fait tomber sa chaise en se levant, regarde vers la coulisse gauche d'où proviennent les bruits d'un rhinocéros passant en sens inverse.*]: Oh! Un rhinocéros!
LE LOGICIEN [*se lève, fait tomber sa chaise.*]: Oh! Un rhinocéros!
LE VIEUX MONSIEUR [*même jeu.*]: Oh! Un rhinocéros!
BÉRENGER [*toujours assis, mais plus réveillé cette fois*]: Rhinocéros! En sens inverse.
LA SERVEUSE [*sortant avec un plateau et des verres.*]: Qu'est-ce que c'est? Oh! Un rhinocéros!
[*Elle laisse tomber le plateau; les verres se brisent.*]
LE PATRON [*sortant de la boutique.*]: Qu'est-ce que c'est?
LA SERVEUSE [*au patron.*]: Un rhinocéros!
LE LOGICIEN: Un rhinocéros, à toute allure sur le trottoir d'en face!
L'ÉPICIER [*sortant de la boutique.*]: Oh! Un rhinocéros!
JEAN: Oh! Un rhinocéros!
L'ÉPICIÈRE [*sortant la tête par la fenêtre au dessus de la boutique.*]: Oh! Un rhinocéros!
LE PATRON [*à la serveuse.*]: C'est pas une raison de casser les verres.
JEAN: Il fonce droit devant lui, frôle les étalages.
DAISY [*venant de la gauche.*]: Oh! Un rhinocéros!
BÉRENGER [*apercevant* DAISY.]: Oh! Daisy!
[*On entend des pas précipités de gens qui fuient, des oh! des ah! comme tout à l'heure.*]
LA SERVEUSE: Ça alors!
LE PATRON [*à la serveuse*]:Vous me la payerez la casse!

Écrire 5 **Complétez ces phrases avec le pronom relatif correct. Ajoutez la bonne préposition si besoin.**

1 __________ des scènes préférez-vous?
2 __________ de ces deux acteurs aimez-vous mieux?
3 – Aimez-vous ces vers?
– ________?
4 – Toutes ces règles doivent changer?
– ________?
5 J'adore la scène _________ les personnages principaux font connaissance.
6 C'est une pièce _________ il a reçu le Molière du meilleur comédien.
7 Il a dédié sa pièce à sa femme et sa fille _________ il n'aurait pas pu l'écrire.
8 Les comédiens ________ il pense pour ces rôles sont formidables.

Parler 6 **Écoutez et lisez cette scène. Puis, à deux, répondez à ces questions.**

1 Où cette scène a-t-elle lieu?
2 Quels sont les personnages impliqués? Ont-ils tous une réplique?
3 Trouvez-vous cette scène drôle ou plutôt tragique?
4 Que pensez-vous de la réaction du patron? Et de celle de Bérenger?
5 Comment auriez-vous réagi?
6 Quelle est la fonction de cette scène dans l'évolution de l'intrigue de la pièce?
7 En quoi est-ce une scène qui appartient bien au théâtre de l'absurde?
8 Selon vous, *Rhinocéros* serait-elle en quelque sorte une allégorie? De quoi?

un acte/une scène
une réplique/un dialogue/un monologue/une tirade
une scène d'exposition/le dénouement
le suspense/le mystère/le malentendu
faire évoluer/avancer l'action
présenter/développer les personnages

Écrire 7 **«De nos jours, le cinéma attire plus de monde que le théâtre.»**

Comment expliquez-vous cette situation? Exprimez votre point de vue 250–270 mots.

You need to sequence your points effectively in order to make a critical examination of an issue. Try to link your paragraphs effectively.

En ce qui concerne …	Par ailleurs …
Contrairement à …	En revanche …
Quant à …	Par conséquent …
En outre, il faut considérer …	Ainsi …

- **t** Parler des artistes et de leurs œuvres
- **g** Les pronoms interrogatifs
- **s** • Commenter une œuvre d'art
  • Exprimer et justifier son opinion

7 · Les beaux-arts

Parler 1 **À deux, faites ce quiz.**

1 Dans quel musée se trouve la Joconde?
 a au Louvre
 b au musée d'Orsay
 c au château de Versailles

2 Comment s'appelle le quartier des artistes à Paris?
 a Montmartre **b** Pigalle **c** Montparnasse

3 Laquelle de ces œuvres n'est pas une œuvre d'art?

a ☐

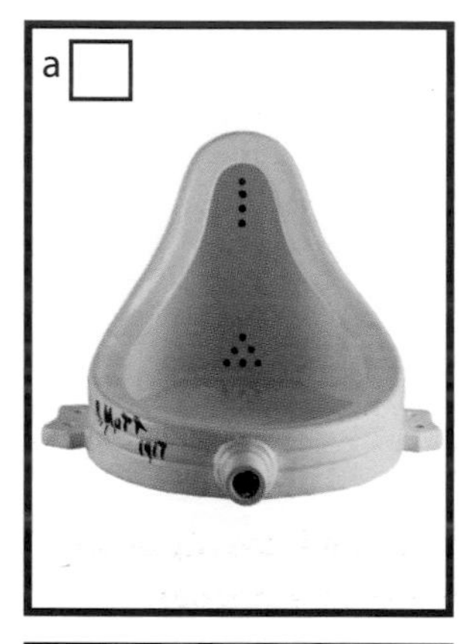

b ☐

c ☐

4 Est-ce …
 a l'aéroport de Roissy Charles de Gaulle?
 b le musée d'art moderne de Beaubourg?
 c une usine moderne de voitures?

5 Lequel de ces mouvements n'est pas un vrai mouvement artistique?
 a le cubisme **b** le fauvisme **c** l'aplatisme

6 Quel peintre avait un jardin célèbre à Giverny?
 a Edouard Manet **b** Claude Monet **c** Edgar Degas

Écouter 2 **Comment Noémie fait-elle pour regarder une œuvre, un tableau? Mettez les phrases dans le bon ordre.**

1 Je regarde attentivement le tableau.
2 J'essaie d'imaginer la même peinture avec ou sans certains éléments.
3 Je me renseigne sur l'artiste.
4 J'identifie vaguement le sujet.
5 Je laisse venir mes impressions.
6 J'essaie d'apprendre un peu plus sur une époque de l'histoire de l'art.
7 Je m'approche pour le regarder de plus près …
8 Je m'approche, je prends du recul, je me fige.

When approaching a listening task, read through the text of the exercise thoroughly. Try to predict what you might hear before you listen and complete the exercise.

Parler 3 **Faites-vous comme Noémie pour regarder une œuvre d'art? Discutez à deux.**

La Fontaine

La Fontaine est le plus célèbre des ready-mades de Duchamp. Elle a donné lieu à un grand nombre d'interprétations et a poussé les spécialistes de l'esthétique à s'interroger sur la redéfinition de l'art qu'elle implique.

À l'origine Duchamp achète cet objet, un urinoir ordinaire, pour l'envoyer au comité de sélection d'une exposition dont les organisateurs s'engagent à exposer n'importe quelle œuvre. Mais *La Fontaine* est refusée par le comité de sélection …

Selon Duchamp, l'artiste n'est pas un bricoleur et, dans l'art, l'idée prévaut sur la création. Dans le cas de *La Fontaine* l'objet choisi par Duchamp n'a aucune des qualités intrinsèques que l'on suppose à une œuvre d'art, comme l'harmonie ou l'élégance …

Lire 4 **Lisez ce texte et préparez une réponse personnelle aux questions.**

1 *La Fontaine*, qu'est-ce que c'est?
2 Pourquoi Duchamp a-t-il acheté *La Fontaine*?
3 Selon vous, pourquoi le comité de sélection a-t-il refusé *La Fontaine*?
4 Que pensez-vous de l'opinion de Duchamp pour qui «l'idée prévaut sur la création»?
5 Quelle est votre réaction devant *La Fontaine*?

il me paraît impensable/inconcevable/indécent/inimaginable que …
Pour ma part/à mes yeux, ce n'est pas une œuvre d'art
avoir l'intention de/avoir pour but de + inf
dépasser les limites/provoquer/faire réfléchir

If you are studying the work of an artist, you should research the following areas:

- influences on the artist's work
- important stages in his/her development
- techniques used
- study in detail at least two works

Culture

Les Cubistes, Picasso et Braque par exemple, commencent à décomposer les objets pour les représenter en éléments géométriques simples: cubes, cônes, cylindres. C'est une approche révolutionnaire. Ci-contre et ci-dessous, vous pouvez voir deux œuvres de l'artiste cubiste **Roger de la Fresnaye**.

La Conquête de l'air, 1913

The Acacia Alley in the Bois de Boulogne, Paris, France, 1908

Parler 5 **À deux, choisissez l'un de ces deux tableaux de Roger de la Fresnaye et répondez aux questions.**

1 Lequel de ces tableaux préférez-vous?
2 En quelle année de la Fresnaye a-t-il peint ce tableau?
3 Que montre ce tableau?
4 Quel en est le thème?
5 Cela ressemble-t-il à la réalité?
6 Qu'y a–t-il au premier plan? à l'arrière plan?
7 Qu'est-ce qui attire l'œil?
8 D'où vient la lumière? Que met-elle en évidence?
9 Commentez les formes et les couleurs. Que pouvez-vous dire des formes et des couleurs?
10 Selon vous, l'artiste a-t-il réalisé le tableau pour surprendre, provoquer ou décorer?
11 À quoi vous fait penser le tableau?
12 Qu'est-ce que vous aimez dans ce tableau?

ce portrait/paysage
cette composition/scène de/nature morte
les traits/les contours/les formes/les couleurs chaudes/froides
mettre en évidence/représenter/symboliser/donner l'impression

Grammaire

Les pronoms interrogatifs (*interrogative pronouns*)

Qui = *Who* **Que/Quoi/Qu'est-ce que** = *What*

Which one and its associated forms are the trickiest interrogative pronoun:

	preceded by *à*	**preceded by *de***
Lequel …?	auquel	duquel
Laquelle …?	à laquelle	de laquelle
Lesquels …?	auxquels	desquels
Lesquelles …?	auxquelles	desquelles

– J'ai acheté une sculpture.
– Ah bon, **laquelle** as-tu acheté**e***?
– Celle-là, là-bas!
– **Laquelle**? Je ne vois pas **de laquelle** tu veux parler ... elles sont toutes horribles!

* Remember the agreement of past participle with a preceding direct object.

Other possible combinations with prepositions: à qui, de quoi, pour lequel, sur laquelle, près desquels, sans lesquelles …

Écrire 6 **Écrivez les questions correspondant à ces réponses en commençant par le mot entre parenthèses.**

1 Sonia Delaunay recherche la couleur pure. (**Que**)
2 Elle peint des tableaux. (**Qu'est-ce que**)
3 Elle a fabriqué aussi des objets de décoration et des vêtements. (**Que**)
4 Début 1909 elle se marie avec Robert Delaunay. (**Avec**)
5 Elle a publié un poème-affiche grâce à Blaise Cendrars. (**Grâce**)
6 Au début de sa carrière, elle se serait inspirée des fauvistes. (**De**)

Écrire 7 «L'État gaspille son argent en finançant des activités artistiques.»

Partagez-vous cette opinion? Exprimez votre point de vue (environ 250 mots).

choquer/provoquer/dénoncer/éduquer/émouvoir/stimuler
financer/influencer /manipuler/censurer
dicter une façon de penser/les sujets à traiter
conserver son indépendance/perdre sa liberté

8 · Lyon, ville lumière

Au XIIème siècle, Lyon était le plus important centre du commerce de la soie. En 1536, François Ier a autorisé la ville à mettre en place une industrie transformatrice de la soie et en même temps il lui accordait le monopole des importations de matière première. Ce fut le début de l'essor de Lyon comme grande ville de la soie. Au début, l'industrie était financée par des banquiers italiens, qui s'installaient sur les rives de la Saône. Cette influence italienne est encore évidente aujourd'hui dans l'architecture du Vieux Lyon. À cette époque, la France importe toute la matière première nécessaire pour alimenter son industrie de transformation, mais en 1604 le roi Henri IV décide de planter

Lire 1 **Complétez l'article avec des mots de la liste. Attention, il y a deux mots de trop!**

Géoportail te propose de voir la France en trois **1** ______. À toi d'explorer les plaines, les montagnes, mais aussi les villes et leurs **2** ______. En 2006, l'Institut Géographique National (IGN) mettait à la disposition des **3** ______ toute la France en photos **4** ______ et en cartes sur son site Internet: Géoportail. Un an plus tard, le Géoportail de l'IGN change et te propose une exploration en trois dimensions de la France. Toi, tu connais peut-être les sites Google Earth ou Google Maps, qui te proposent des **5** ______ haute définition des grandes villes. Sur www.geoportail.fr, tu peux faire le tour des montagnes, plonger dans les **6** ______, voler au-dessus des villes … Le site donne accès aux cartes en 3D, ainsi qu'à plus de 15 millions de bâtiments. Et bientôt, tu pourras même voir de près les façades et les **7** ______ des villes.

internautes	globales	milliers	toits	aériennes
dimensions	lacs	images	bâtiments	

Écouter 2 **Écoutez ce reportage sur Lyon. Expliquez en anglais à quoi correspondent ces mots ou ces chiffres.**

1 Fourvière, le Vieux Lyon, La Presqu'île, La Croix-Rousse
2 Guignol
3 466 000
4 69
5 Le Rhône, La Saône
6 1896 1998
7 Traboule, Lugdunum Les canuts
8 Bouchons, Mâchons
9 Rhône-Alpes
10 Les Frères Lumière

Écouter 3 **Écoutez ces interviews de trois Français qui parlent de Lyon. Pour chaque phrase écrivez V (Véronique), F (Fred) ou S (Sébastien) pour indiquer la personne qui parle.**

1 Qui prétend qu'il y a beaucoup d'embouteillages à Lyon?
2 Qui constate qu'il y a un réseau de transport impressionnant à Lyon?
3 Qui apprécie l'université de Lyon?
4 Qui s'intéresse à l'économie de la région?
5 Qui trouve que la ville est bien entretenue?
6 Qui déplore la saleté de certaines rues?
7 Pour qui la ville de Lyon est-elle bien située?
8 Qui estime que les banlieues sont marginalisées?
9 Qui fait référence à l'histoire de Lyon?

Always listen right to the end of what a person is saying. Questions may try to take you in a different direction. Try to keep an open mind and base your answers on the facts that you hear.

des mûriers et d'élever le ver à soie dans la vallée du Rhône. Dorénavant la France est capable de subvenir à une partie de ses besoins en soie par sa propre production. Plus tard un autre événement politique va conduire à l'implantation d'une industrie de la soie dans plusieurs pays d'Europe. La Révocation de l'Edit de Nantes en 1685 va faire fuir les Huguenots vers l'Allemagne, l'Angleterre, la Suisse et les Pays-Bas, où ils ont largement contribué à l'essor d'une industrie qui viendrait concurrencer l'industrie française.

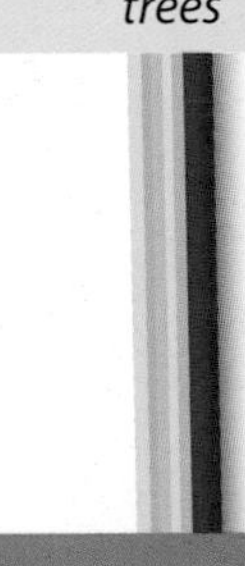

soie	*silk*
essor	*expansion*
décret	*decree*
élever	*to breed*
mûriers	*blackberry trees*

Culture

1598: Henri IV signe l'Édit de Nantes et reconnaît la liberté de culte aux protestants. Un grand nombre de Huguenots (des protestants) étaient des tisserands ou artisans du textile.
1685: Louis XIV révoque l'édit de tolérance religieuse.

Lire 4 **Lisez le texte ci-dessus. Notez dans le tableau quatre faits importants, leurs causes et leurs conséquences.**

Faits (quoi?)	Causes (pourquoi?)	Conséquences (Et donc? Quel impact?)
Lyon = centre du commerce de la soie	*car ...*	*donc ...*

Écrire 5 **Reconstituez les faits en utilisant la formule: fait, cause, conséquence.**

Fait	Cause	Conséquence
En …	Comme …	De sorte que …
À cette époque …	Étant donné que …	Si bien que …
	Vu que …	De manière à …
	Puisque …	Ainsi …

In order to analyse and evaluate, you must refer to the facts of a situation, make the causes explicit and explain the consequences.

Grammaire

Le futur (*the future tense*)

The future is used after these conjunctions in French whereas in English we would use the present tense:

après que (*after*)	aussitôt que (*as soon as*)	quand (*when*)
lorsque (*when*)	dès que (*as soon as*)	une fois que (*once*)

Quand il y **aura** des pistes cyclables à Lyon, je **me déplacerai** en vélo.

*When there **are** cycle paths in Lyon, I will use my bike.*

Écrire 6 **Mettez les verbes entre parenthèses au futur.**

Comment la ville de Lyon **1** (**évoluer**)-t-elle à l'avenir? On **2** (**être**) bientôt en mesure d'évaluer réellement les bénéfices des bicyclettes Velo'V. Lyon semble avoir pris la bonne décision en les mettant en libre location. À l'avenir, c'est tout le réseau cyclable que la ville **3** (**réaménager**). La ville **4** (**financer**) également des axes sécurisés, réservés cette fois aux rollerbladers. Elle n'**5** (**oublier**) pas les piétons, pour qui on **6** (**créer**) plus d'espaces verts. Lyon **7** (**continuer**) son essor économique, mais pour cela **8** (**il faut**) trouver une solution pour rattacher les banlieues à la ville. Cela **9** (**demander**) beaucoup de travail et **10** (**prendre**) certainement un peu de temps. La Presqu'île **11** (**être**) réaménagée tant en terme d'emplois que de loisirs. Un plus grand nombre d'entreprises **12** (**venir**) s'implanter et la ville **13** (**faire**) d'importants investissements dans des projets culturels tels que la revalorisation de son histoire du textile.

Écrire 7 **Traduisez ce paragraphe en français.**

Silk commerce played an important role in Lyon's history. Lyon has preserved its heritage from the middle ages and the Renaissance. Its architecture is splendid. Some people dislike the concrete from the 70s however. The city of Lyon has an excellent network of public transport and is a boomtown. When the peninsula is remodelled, it will be fantastic. As soon as the cycle paths are built, everyone will buy a bike!

Parler 8 **Préparez un exposé de deux minutes sur une ville francophone de votre choix. Mentionnez les points suivants:**

- population
- situation et l'impact de celle-ci sur l'économie
- histoire et l'impact de celle-ci sur la ville
- vie culturelle
- changements récents
- l'avenir.

à l'examen

Avoid remaining purely factual. Descriptive accounts like tourist guides do not show evidence of analysis. When writing about a region, ask yourself: What are the facts? What are the causes? What are the consequences?

- Choose key people, events and issues which define the geographical area.
- Consider demographics, customs, traditions and beliefs.
- What are the environmental, economic, social and political factors which are relevant to the area?
- What has been their impact on the area?
- How has the area changed over time?
- What are the advantages of living and working there?

9 · Conserver le passé, bâtir le présent, construire l'avenir

Parler 1 **Ces bâtiments se trouvent à Lyon ou près de Lyon. À votre avis, qu'est-ce que c'est? Qu'est-ce qu'on y fait?**

Lire 2 **Indiquez la personne qui exprime les opinions suivantes. Est-ce Tania, Jean-Louis, Ludivine, Samir ou José?**

1 Le côté pratique l'emporte sur le côté esthétique.
2 Mon travail ne se limite pas à l'intérieur des murs.
3 J'interprète et réalise les désirs de mes clients.
4 Dans une certaine mesure, les problèmes de nos grandes villes sont dûs à leur architecture.
5 Les maisons vertes sont de plus en plus demandées.
6 La lumière joue un rôle important.
7 Respecter la nature, ça peut aussi coûter moins cher.
8 Être bien dans sa peau chez soi, voilà l'essentiel!

C'est quoi un architecte aujourd'hui ?

Il faut quand même que je dise que la majorité de mes clients (la quasi totalité . . .) n'attend pas de moi que je sois un artiste . . . un magicien oui . . . qui les fera rêver, qui exprime sa créativité dans leur intérêt direct, qui trouvera des solutions aux problèmes qu'ils se posent . . .
Tania

Avant tout, il faut qu'une maison soit habitable et fonctionnelle. Qu'elle soit avant-gardiste ou originale, je m'en fiche pas mal. Ce qui compte c'est qu'on puisse y vivre confortablement. De plus en plus il faut aussi penser au développement durable lorsque l'on construit une maison. Les clients veulent dorénavant une maison bien isolée qui soit économique à gérer.
Jean-Louis

Il faut que les gens se sentent bien dans leur maison ou dans leur appartement. De préférence, il faut que leur habitat soit lumineux et agréable. En tant qu'architecte mon boulot c'est d'essayer d'améliorer la qualité de vie des gens, de leur simplifier la vie.
Ludivine

Il faut se souvenir que la plupart des cités ont été édifiées après la seconde guerre mondiale, quand on avait un besoin urgent de reconstruire sur l'ensemble du territoire. Tout a été fait un peu à la hâte, peut-être que cela explique certains problèmes de nos jours . . .
Samir

Le travail d'un architecte consiste non seulement à concevoir, à fabriquer et à bâtir un édifice mais également à aménager l'espace autour, en tenant compte de l'environnement. La nature joue un rôle très important dans nos vies. Nous pouvons améliorer la qualité de vie des gens en leur fournissant des espaces où ils peuvent se détendre.
José

Écouter 3 **Écoutez ces descriptions. De quel bâtiment s'agit-il? (Attention, il y a un intrus!). Réécoutez et prenez des notes en anglais sur les intentions de chaque architecte.**

Parler 4 **À deux …**

1 Quels bâtiments vous intéressent le plus dans cette unité? Pourquoi?
2 Quel bâtiment vous intrigue le plus?
3 Y a-t-il un bâtiment que vous n'aimez pas? Pourquoi?
4 Selon vous, en quoi consiste le travail d'architecte?
5 Pourquoi devient-on architecte à votre avis?

un bâtiment (public)/un édifice/un immeuble
en béton/bois/plastique/pierre
la façade/l'entrée/l'arrière/l'intérieur/l'extérieur/le toit
contemporain/moderne/classique/ancien/gothique/créatif/réussi/fou
la Renaissance/l'Art déco/l'art moderne
Je crois reconnaître que le style … l'influence de …

Grammaire

Ce, ceci, cela, ça (*this and that*)

This can be confusing. **Ce** is mainly used in the phrase **c'est**.

C'est/**Ce** n'est pas évident.

It can also be used formally:
Pour **ce** faire = In order to do *this*

Ceci and **cela** (**ça** = less formal) both mean *this*.
Literally they mean *this* and *that*.

Ceci dit, ça m'intéresse.

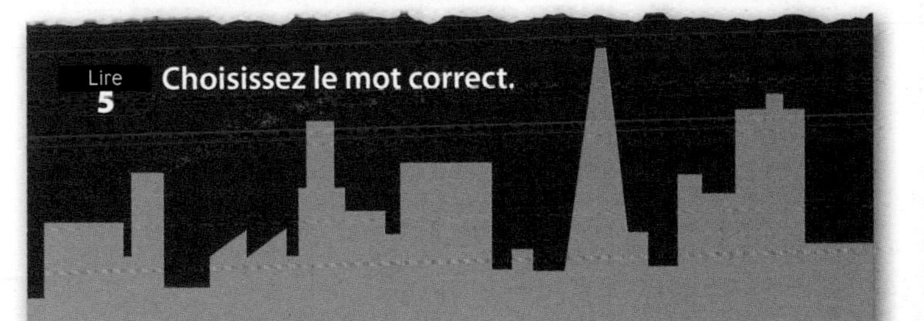

Lire 5 **Choisissez le mot correct.**

Si on veut être architecte, il faut aimer réfléchir, dessiner et bâtir, **1 ceci / ça** est important. L'architecte, maître d'œuvre, est chargé des différentes phases de la conception et de la réalisation d'un ouvrage. Il intervient à tous les stades d'un projet: depuis la conception d'un bâtiment jusqu'à la réception des travaux.

L'architecte doit travailler avec de nombreuses contraintes d'exécution, réglementaires, techniques, de coûts et de délais. Pour **2 ce / ceci faire**, il faut un élément de rigueur. Et parfois **3 c'est / cela** peut être difficile. Il reste souvent peu de place pour le rêve. Pour être architecte, il est important d'avoir un sens artistique, **4 cela / c'est** essentiel. Il faut aussi être méthodique et bien observer les choses.

Écrire 6 **Traduisez en anglais le premier paragraphe.**

Jean Nouvel créateur de l'Institut du monde arabe, du musée du quai Branly, et de l'Opéra de Lyon a reçu le prestigieux prix Pritzker d'Architecture.

Ce prix «*permettra peut-être d'aller un peu plus loin*», espère Jean Nouvel. «*L'important pour un architecte est de pouvoir réaliser dans les moindres détails et dans l'esprit ce qu'il a proposé, et il est certain que la crédibilité liée à des prix internationaux aide beaucoup*».

Jean Nouvel souhaite que «*l'architecture de demain ne corresponde pas à cette couche d'objets clonés que l'on voit maintenant sur toutes les villes de tous les continents. La pire chose serait de se trouver devant cette architecture générique et parachutée, qui ferait que le monde serait de plus en plus uniforme et sans saveur*».

Lire 7 **Lisez le texte et répondez à ces questions en anglais.**

1 What type of architect is Jean Nouvel? What type of building does he design?
2 Why does Jean Nouvel think that the Pritzker prize will allow him to take his work further?
3 What does Jean Nouvel think about how towns look nowadays?
4 What is the worst that could happen according to him? What would be the consequence?

Use every opportunity to build up your topic vocabulary. Whenever you are reading articles for your *research-based essay*, underline words you don't know, look them up. Note down related words, synonyms and opposites. Make a note of idiomatic expressions you could reuse in an essay or discussion. Record your vocabulary onto your MP3 player and listen to it whenever you can.

Force yourself to practise the new vocabulary learnt, reuse it at least five times in classwork and homework, otherwise it will remain receptive.

Which interesting vocabulary or structures would you select in texts in this unit to improve your range? Try to reuse as many items as you can in exercises 8 and 9.

Écrire 8 **Jusqu'à quel point êtes-vous d'accord avec l'opinion suivante? (250–270 mots).**

«Ce sont les architectes qui résoudront les problèmes des grandes villes en France.»

l'urbanisme	l'urbanisation	l'environnement
la qualité de vie	concevoir	aménager
fabriquer	réaliser	tenir compte de

Parler 9 **Faites une présentation d'une minute sur l'architecte francophone de votre choix. Mentionnez:**

- pourquoi vous avez choisi cet architecte
- ses plus grandes réussites
- ce qui le distingue des autres architectes (son style, ses matériaux de prédilection etc.)
- ce qui l'a influencé et pourquoi ses œuvres sont reconnues.

Époques, périodes, courants *Eras, periods, trends*

le mouvement social/politique	*a social/political movement*	l'existentialisme	*existentialism*
le Moyen Âge	*Middle-Ages*	l'Art Déco	*Art Deco*
le Fauvisme/les Fauvistes	*Fauvism/Fauves*	la condition humaine	*the human condition*
le régime de Vichy	*The Vichy government*	la période	*period, era*
le théâtre de l'absurde	*Theatre of the Absurd*	la tendance	*trend, movement*

Un siècle de changements *A century of changes*

un événement	*event*	l'angoisse	*anxiety*
un domaine	*area, a field*	optimiste/pessimiste	*optimistic/pessimistic*
un trait	*feature*	connu/reconnu	*famous/known, recognised*
un coquelicot	*poppy*	intrigant	*intriguing*
un souvenir	*memory*	décédé	*deceased*
un rêve	*dream*	engagé	*committed, involved*
un acquis social	*social benefit*	héroïque	*heroic*
un droit syndical	*union right*	à l'aube de	*at the dawn of*
un/une écrivain(e)	*writer*	naguère	*formerly*
un morceau (de musique)	*piece (of music)*	espérer	*to hope*
le progrès industriel/social	*industrial/social progress*	libérer	*to free*
le symbole	*symbol*	marquer	*to leave its mark on*
le représentant	*representative*	réagir (contre)	*to react against*
le génie	*genius*	négliger	*to neglect*
le bonheur	*happiness*	léguer (qqch à qqn)	*to leave to someone*
l'héritage	*inheritance*	remettre en question	*to question*
l'impact	*impact*	contribuer (à)	*to contribute (to)*
une âme	*soul*	répandre	*to spread*
la frise chronologique	*timeline*	changer les mentalités/les attitudes	*to change attitudes*
la peine/le chagrin	*sorrow, grief*	être en colère	*to be angry*

Guerres, révoltes et conflits *Wars, revolts and conflicts*

un conflit	*conflict*	méprisé	*despised*
un incident	*incident*	mécontent	*unhappy, displeased*
un mal (des maux)	*trouble, evil, pain*	paralysé	*paralysed*
un dieu	*god*	responsable (de)	*responsible (for)*
le pouvoir	*power*	athée	*atheist*
le champ de bataille	*the battle field*	émouvant	*moving, touching*
une guerre mondiale	*world war*	sophistiqué	*sophisticated*
une doctrine	*doctrine*	audacieux	*bold, fearless*
la grève	*strike*	au lendemain de	*on the day after*
la paix	*peace*	d'avant-garde	*cutting-edge*
la contestation	*protest*	concerner	*to interest, to feel concern*
la pensée	*thinking/thought*	protester (contre)	*to protest (against)*
la certitude	*certainty*	saigner	*to bleed*
la quête (de)	*quest (for)*	s'engager	*to enrol*
l'agitation	*turmoil*	trouver la mort	*to die*
les barricades	*barricades*	descendre dans la rue	*to take to the streets*
les mœurs	*customs, morals*	réclamer	*to demand*
les paroles	*lyrics*	contester	*to object, to challenge*
stupéfait	*surprised*	lutter (pour/contre)	*to fight (for/against)*

gagner	*to reach, spread to, overcome*
accuser	*to accuse*
bouleverser	*to disrupt, change dramatically*
jouer un rôle	*to play a role*
porter un regard (sur)	*to pass judgment (on)*
soulever la question	*to raise the question*
se révolter (contre)	*to rebel (against)*
se battre	*to fight*
se sentir	*to feel*
se mobiliser	*to rally, to mobilise*
s'avérer	*to prove to be*

La Haine, le film — Hate, *the movie*

un beur (fam)	*second generation North African*
un interrogatoire	*questioning*
un pote (fam)	*mate*
le conflit des générations	*generation gap*
le passage à tabac	*beating*
le verlan/l'argot	*back slang/slang*
le RER	*Paris suburban trains*
le pistolet	*gun*
le quartier	*area, neighbourhood*
l'atterrissage	*landing*
l'ennui	*boredom*
les émeutiers/les CRS	*rioters/riot police*
une émeute	*riot*
une arme	*weapon*
la banlieue	*surburb*
la cité	*housing estate*
la chute	*fall*
la crise d'identité	*identity crisis*
la délinquance/la violence urbaine	*delinquency/urban violence*
la tension	*tension*
les forces de l'ordre	*forces of law and order*
juif	*jewish*
maghrébin	*North African*
saccadé	*jerky*
afficher	*to display*
éclater	*to break out, to explode*
déclencher	*to spark off, to start*

Le cinéma — *Cinema*

un film culte/un navet	*cult/rubbish film*
un spectacle	*show*
un plan d'ensemble	*long shot*
un gros plan	*close-up*
des moyens	*means, financial resources*
le réalisateur	*director*
le tournage	*shooting, filming*
le montage	*editing*
le jeu des acteurs	*acting*
le marketing	*advertising*
le bruit/le bruitage	*sound/sound effect*
l'éclairage	*lighting*
les critiques	*critics*
les lieux	*locations*
les décors	*set*
les effets spéciaux	*special effects*
une plongée/une contre-plongée	*high-angle shot/a tilt up*
une affiche	*poster*
une approche	*approach*
une scène	*scene*
la manière de	*the way in which*
la mise en scène	*direction*
la bande sonore	*soundtrack*
l'improvisation	*improvisation*
l'intensité dramatique	*dramatic intensity*
l'action	*action*
l'intrigue	*plot*
les recettes	*the takings*
expérimenté	*experienced*
capital	*key, major*
sensationel	*astonishing*
remarquable	*noticeable/great*
tiré de	*taken from*
en noir et blanc/en couleur	*black and white/colour*
au cours de	*during*
davantage	*more*
évidemment	*obviously*
monter	*to edit*
créer	*to create*
soutenir	*to maintain*
divertir	*to entertain*
employer une technique	*to employ a technique*
traiter (de)	*to deal (with)*
s'inspirer (de)	*to get inspiration (from)*
connaître par cœur	*to know by heart*
tourner un film	*to shoot a film*
faire allusion (à)	*to allude (to)*
raconter	*to tell, narrate*
produire	*to create, produce*
mettre en scène	*to direct*
dénoncer	*to denounce*
aborder le thème de	*to tackle the topic of*
rappeler	*to remind, recall*
apprécier	*to appreciate*
se résumer à	*to come down to*
se dérouler/se passer	*to take place*
se débarrasser	*to get rid of*
se distinguer	*to stand out*
se rendre compte (de)	*to realise*
s'identifier (à)	*to identify oneself (with)*

La littérature — *Literature*

un roman graphique/un manga	*graphic novel/manga*
un recueil de nouvelles	*collection of short stories*
un extrait	*extract*
un/une auteur(e)	*author*
un éclat d'obus	*piece of shrapnel*
un réfugié	*refugee*
un récit	*story*
le poème	*poem*
le narrateur/la narratrice	*narrator*
le dénouement	*denouement*
le rythme	*rhythm*
le ton tragique/dramatique/épique	*tragic/dramatic/epic tone*
le registre	*register*
le bombardement	*bombing*
le caractère	*nature, personality*
les sentiments	*feelings*
une métaphore/une image	*metaphor/image*
une fiction/une biographie	*fiction/biography*
une pièce de théâtre	*play*
la littérature, les lettres	*literature, arts*
la façon d'écrire/le style	*style*
la réussite sociale	*social success*
la fierté/la honte	*pride/shame*
fictif	*imaginary*
dépouillé	*simple/pared down*
tranchant	*sharp*
incendié	*set on fire*
convaincre	*to convince*
profiter (de)	*to take advantage (of)*
feuilleter	*to flick through*
poser une colle (fam.)	*to set somebody a poser*
s'attacher à (écrire)	*to set out to write*

Le théâtre — *Theatre, drama*

un vers/en vers	*verse/poetry*
un acte	*act*
un monologue/un dialogue	*monologue/dialogue*
un discours	*speech*
le dramaturge	*playwright*
le drame	*drama/play*
le Molière du meilleur comédien	*French theatre award for best actor*
le malentendu	*misunderstanding*
le suspense/le mystère	*suspense/mystery*
l'égoïsme	*selfishness*
les étalages	*stalls*
une réplique	*line*
une tirade	*tirade*
une scène d'exposition	*introductory scene*
une épidémie	*epidemic*
la fièvre	*fever*
impliqué	*involved*
à toute allure	*at top speed*
pourchassé	*chased*
dédier	*to dedicate*
avoir lieu	*to take place*
succomber	*to give in/to die*
empêcher	*to prevent*
se métamorphoser (en)	*to metamorphose (into)*

L'art — *Art*

le musée d'art moderne /contemporain	*museum of modern/ contemporary art*
un tableau	*painting*
un chef-d'œuvre	*masterpiece*
un urinoir	*urinal*
un bricoleur	*handyman*
le sujet	*topic*
les beaux-arts	*fine arts*
une œuvre d'art	*work of art*
une sculpture	*sculpture*
une exposition	*an art exhibition*
l'esthétique	*aesthetic*
révolutionnaire	*revolutionary*
pur	*pure*
inspiré de	*inspired from*
peindre	*to paint*
prendre du recul	*to stand back*
donner lieu à	*to lead, to give rise to*
dépasser les limites	*to overstep the mark*
provoquer	*to provoke*
gaspiller	*to waste*
financer	*to fund*
émouvoir	*to move, touch*
influencer/manipuler	*to influence/manipulate*
censurer	*to ban/to censor*
stimuler	*to stimulate*
se renseigner	*to get information*

Une ville, une région — *A town, a region*

un bâtiment	*building*
un axe	*major road, path*
un investissement	*investment*
le monopole	*monopoly*
le ver à soie	*silkworm*
le réseau	*network*
le textile	*textile*
le commerce	*trade*
le béton	*concrete*
l'essor économique	*rapid development, boom*
les bénéfices	*profit, benefit, advantage*
les espaces verts	*open spaces*
les loisirs	*leisure*
une carte	*map*
une industrie	*industry*
une entreprise	*firm, business*
une piste cyclable	*cycle path*
la soie	*silk*
la matière première	*raw material*
la presqu'île	*peninsula*
la revalorisation	*revalue*
l'importation	*import*
l'influence	*influence*
l'économie	*economy*
les rives	*river banks*
aérien	*air*
évident	*obvious*
propre	*own*
sécurisé	*safe*
en 3D/en trois dimensions	*in 3D*
dorénavant	*from now on*
comme, puisque	*as, since*
étant donné que/vu que	*considering that*
de sorte que/si bien que	*so that*
en plein essor	*booming*
mettre à disposition/en place	*to make available/put into place*
alimenter	*to provide*
subvenir à ses besoins	*to provide for*
fuir	*to flee*
concurrencer	*to compete*
évaluer	*to evaluate, assess*
aménager	*to create, develop*
s'implanter	*to establish*
s'installer	*to set up*

L'architecture — *Architecture*

un architecte	*architect*
un édifice	*building, a monument*
un immeuble	*block of flats or offices*
le développement durable	*sustainable development*
le toit	*roof*
l'ouvrage	*(a piece of) work*
l'urbanisme	*town-planning*
les coûts	*costs*
les délais	*agreed time, deadlines*
les matériaux	*materials*
une maison verte	*an eco-friendly house*
la créativité	*creativity*
la conception	*conception*
la réalisation	*production*
fonctionnel	*functional, practical*
avant-gardiste/original	*cutting edge/original*
économique	*inexpensive, cost-efficient*
pratique	*practical*
lumineux	*light, bright*
méthodique	*methodical*
prestigieux	*prestigious*
dans une certaine mesure	*to some extent*
à la hâte	*rushed*
bâtir/construire/fabriquer	*to build/construct/make*
gérer	*to manage*
améliorer la qualité de	*to improve the quality of*
dessiner/concevoir	*to draw/design*
résoudre	*to solve*
s'en ficher de (fam.)	*to not give a damn about*
être/se sentir bien dans sa peau	*to feel good*
tenir compte de/prendre en compte	*to take into account*
se limiter à	*to limit oneself to*
se détendre	*to relax*

Épreuve orale

For the A2 speaking examination you will be required to engage in a debate of a controversial issue of your choice followed by a more general discussion. The complete test will last between 11 and 13 minutes.

- 1st minute: Introduce your subject and say what your stance is. If you go beyond a minute, the examiner will interrupt you.
- The next 4 minutes: You and the examiner debate the issue. The examiner adopts the opposite stance to your own, arguing strongly against you.
- The remaining 6–8 minutes: The examiner moves the discussion into at least two further areas which will not be known to you in advance. You express your opinions on the subjects raised but the exchange no longer has to be confrontational.

Lire 1 **Selon vous, lesquels de ces sujets vaudrait-il mieux ne pas utiliser comme sujets de débat pour l'examen oral? Pourquoi?**

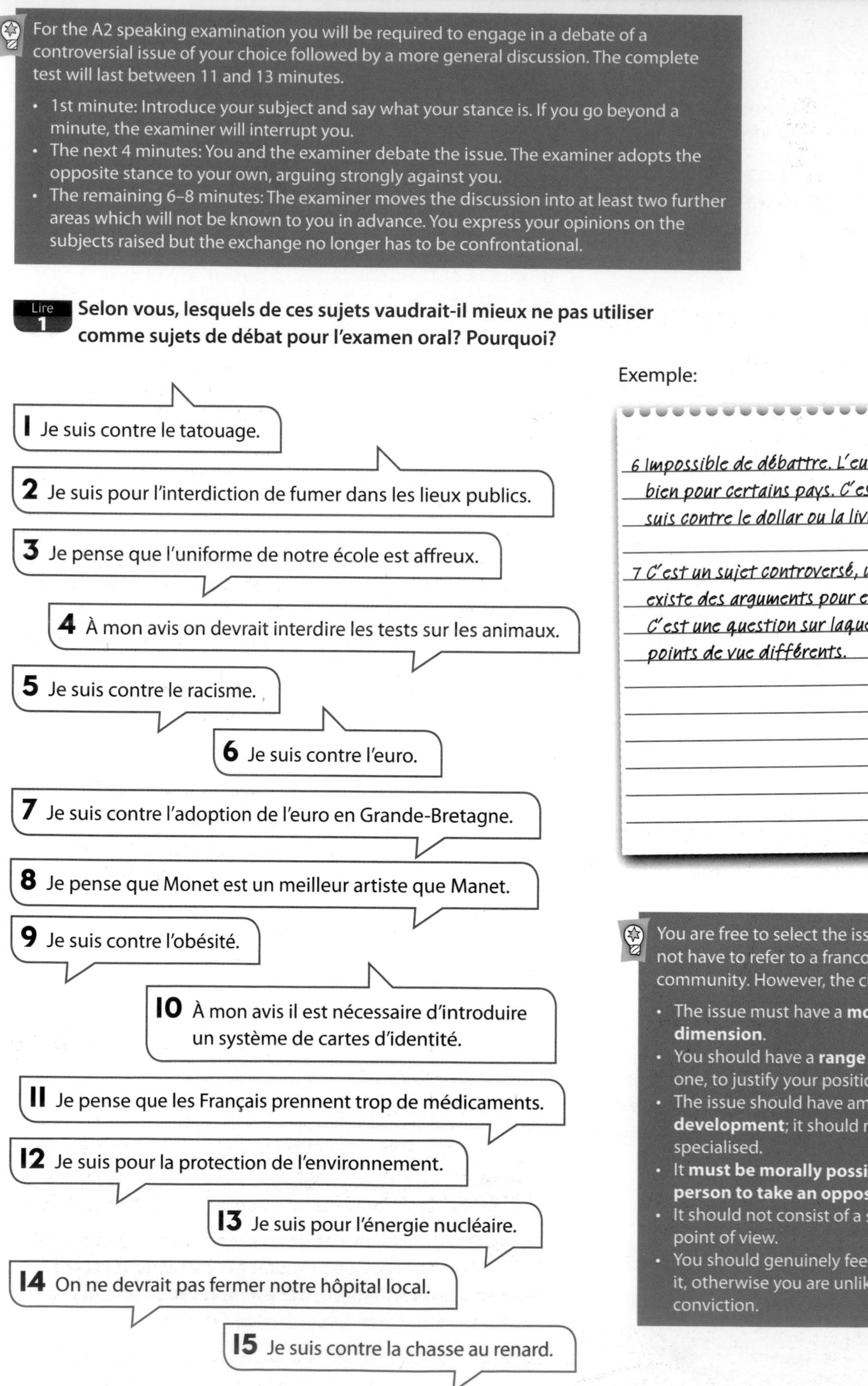

Exemple:

6 Impossible de débattre. L'euro existe déjà, ça marche bien pour certains pays. C'est comme si on disait «Je suis contre le dollar ou la livre».

7 C'est un sujet controversé, un bon sujet de débat. Il existe des arguments pour et des arguments contre. C'est une question sur laquelle on peut échanger des points de vue différents.

You are free to select the issue for debate; it does not have to refer to a francophone country or community. However, the choice of issue is crucial.

- The issue must have a **moral**, **ethical** or **social dimension**.
- You should have a **range of arguments**, not just one, to justify your position.
- The issue should have ample **room for development**; it should not be narrow or specialised.
- It **must be morally possible for a reasonable person to take an opposite view**.
- It should not consist of a simple assertion of a point of view.
- You should genuinely feel strongly about it, otherwise you are unlikely to argue with conviction.

Once you have chosen your issue, research the subject and its wider implications.

- Look for facts and information which will help you to argue authoritatively. For example, you might be able to find names, dates, facts, places, people, as appropriate.
- Do your research with French sources, in order to acquire a good range of vocabulary and expressions appropriate to the subject matter.
- Think of different parts of the subject for which you could discover useful material.
- Get used to making careful notes on what you read and hear.

Écouter 2 **Écoutez ce passage sur l'énergie nucléaire en France. Notez le vocabulaire et les informations utiles pour débattre de ce sujet.**

Vocabulaire	*Informations*
une centrale	*1ère centrale 1956*
un réacteur	*important depuis le choc pétrolier des années 70*

Work from what you know already about a subject and consider what you would need to know about it to debate it effectively.

Parler 3 **À deux. Avec votre partenaire, notez ce que vous savez déjà sur les sujets suivants:**

1 le mariage homosexuel
2 le droit à l'adoption
3 la chirurgie esthétique
4 les contrôles d'alcoolémie

Puis discutez de ce que vous devriez savoir pour pouvoir débattre de ces sujets. Essayez de trouver ces informations.

Exemple:
1 Le mariage homosexuel

Ce que je sais déjà	*Ce qu'il faut trouver*
La loi le permet déjà dans certains pays	*Quels pays? Depuis quand?*

Once you have gained information about a subject begin to consider arguments for and against.

Lire 4 **Lisez ces arguments pour et contre la légalisation du cannabis et le végétarisme. Ils sont dans le désordre. Pour chaque argument, décidez de quel sujet il s'agit et s'il s'agit d'un argument pour ou contre.**

1 On ne peut pas légaliser une substance qui est nocive.
2 Si tout le monde décidait de manger des légumes, il n'y aurait pas assez de nourriture pour tous.
3 Si on légalisait le cannabis, il n'y aurait plus de dealers, il y aurait moins de crimes.
4 C'est plus sain. On doit manger des fruits et des légumes si on veut être en bonne santé.
5 Beaucoup de personnes trouvent que la viande n'a pas bon goût.
6 Il y a tant de gens qui fument du cannabis, on ne peut pas arrêter tout le monde!
7 Il faut protéger les jeunes. On ne doit pas dire «allez-y, prenez-en autant que vous voulez», personne ne peut affirmer que les drogues ne sont pas du tout dangereuses.
8 Les végétariens sont des gens un peu bizarres. La plupart sont des jeunes filles excentriques.
9 Le cannabis est bon pour certaines maladies, cela apaise la douleur.
10 Ce n'est pas naturel. L'homme est carnivore.
11 Il n'est pas nécessaire de tuer des animaux pour vivre.
12 L'usage de drogues est inacceptable, les gens deviennent accros et leur vie est détruite.
13 Ce n'est pas bon pour la santé, on n'absorbe pas assez de vitamines et de protéines.
14 Ça coûte moins cher de manger des légumes.
15 On n'a pas prouvé que le cannabis est dangereux. Beaucoup moins de personnes meurent à cause du cannabis qu'à cause de l'alcool.
16 Si on légalise les drogues douces, les gens vont commencer à prendre des drogues dures.
17 La majorité des jeunes fument du cannabis. Dans une démocratie il faut accepter les opinions, les désirs de la majorité.
18 Si les enfants ne mangent pas de viande, ils ne grandissent pas comme il faut.
19 On ne devient pas obèse en mangeant des fruits et des légumes.

	POUR	*CONTRE*
Le végétarisme		
La légalisation du cannabis		

Avoid using mere assertions. Back them with facts to make them more effective.

Lire 5 **Quelle est votre position sur ces deux sujets de débat? Avec quels arguments êtes-vous d'accord? Trouvez des informations, des exemples supplémentaires qui donneraient plus de poids à ces arguments.**

Exemple: *9 Cela aide ceux qui souffrent de migraines, d'un glaucome, et surtout de la sclérose en plaques.*

Épreuve écrite

In the A2 Writing paper (Unit 4) you will have to write:

- 1 **translation** from English to French of a passage of 80 words;
- 1 **discursive** or **creative essay** in French (240–270 words);
- 1 **Research-Based Essay** (240–270 words).

For all three exercises you will have 2 hours and 30 minutes at your disposal. You will be able to do the exercises in any order and organise the time as you feel fit but you are likely to devote about an hour to each of the essays and the remaining 30 minutes to the translation.

translation into French

Question 1

Translate the following passage into French.

'Ah, the pleasure of reading
looked at the books before
a lot of time reading biogra
would return to the classic
author studies the personali
in which they live. She found
them in the theatre or on th

choice between three possible **creative essay** questions and four **discursive** essay questions

Question 2

Répondez en français à l'une des questions suivantes.
Écrivez entre 240 et 270 mots.

Creative Writing

(a) Regardez cette image

(b) Continuez cette histo

Madru père est en
il ne venait jamais
qui tournait le dos
mains. Il est allé dr

(c) Écrivez un article de j

Tragédie dan
famille norm
Un garçon de 12 ans
du domicile familial
voiture de son père

Discursive essay

Pensez-vous que les organ
que les gouvernements en
réponse.

choice between four RBE questions on four areas relating to the culture and society of a francophone country or community on …

Question 3

Répondez en français à l'une des questions suivantes. Écrivez entre 240 et 270 mots.

A … a geographical location

Zone géographique

(a) Comment l'économie de la région que vous avez étudiée s'est-elle développée au cours de ces dernières années? À votre avis, pourquoi a-t-elle évolué de cette façon?

B … a historical study

Étude historique

(b) Quelles parties de la population française ont connu le plus grand nombre de problèmes pendant la période que vous avez étudiée? Jusqu'à quel point ont-elles réussi à surmonter ces problèmes?

C … aspects of modern society and literature

Aspects de la société francophone contemporaine

(c) Évaluez un aspect politique de la société francophone contemporaine sur lequel vous avez fait des recherches. À votre avis, pourquoi cet aspect est-il important?

D … the arts in the shape of a substantial text, play or film

Littérature et arts

(d) Décrivez un thème majeur du livre, du film o de la pièce que vous avez choisi(e). À votre a quelles réactions ce thème provoque-t-il chez le spectateur ou le lecteur?

Lire 1 **Parmi les sujets de la liste suivante lesquels pouvez-vous choisir d'étudier? Indiquez à quelle catégorie (A, B, C ou D) ils appartiennent.**

1 Marie Curie
2 Les événements de Mai 68
3 La Normandie
4 Le film *La Haine*
5 Un village du Massif Central
6 Un recueil de poèmes
7 L'immigration en France
8 Une pièce de Molière
9 La musique hip-hop en France
10 Le nouveau film de James Bond

- To **prepare for your RBE** you will have to engage in **wide-ranging research** in French material to gain sufficient **knowledge** of the topic to enable you to answer the one essay title which will be set on each area. (Note that your readings are actually assessed and given a separate mark).
- The **choice of subject of your RBE will be crucial**. If you have a free choice of the subject to be studied, make sure you discuss it with your teacher or tutor.
- Do not choose something too narrow in scope and, when doing your research on your subject, ensure you cover any question you might get over a fairly wide area:
  - e.g. in a historical study questions can be asked about key people, events and issues
  - e.g. in the literature and arts section your selection must have the potential for answering on characters, themes and issues, social and cultural settings, style and technique
- You may choose to study two areas to give yourself more choice on the day.

Écrire 2 **À deux. Pour chaque catégorie (A–D), pensez à deux questions qu'on pourrait vous poser le jour de l'examen.**

Parler 3 **Lisez ces notes écrites par trois étudiants différents sur la population de la Bretagne. Discutez avec votre partenaire et décidez qui a écrit les meilleures notes et les plus utiles. Justifiez votre choix.**

1

- 1st census 1801. Côtes du Nord most populated department
- Waves of departures between the 2 wars. Countryside abandoned.
- Bretons throughout the world. Breton club in New York.
- Attractive region – tourists.
- 70% of wage-earners work away from where they live.
- One person in five has higher education qualification.

2

- Actuellement un peu plus de 3 millions, population en croissance régulière, on estime 3,4 millions d'ici 2030.
- Concentrée dans les villes et sur la côte. Les plus jeunes en ville, les plus âgés à l'intérieur, à la campagne.
- Tourisme – emplois saisonniers.
- Peu d'immigrés – moins de 2%. Retour des retraités bretons. Propriétaires de maisons secondaires.

3

* Le littoral 2730 km – un tiers des côtes françaises.
* La plus grande façade maritime – propice au tourisme. Touristes de toutes les nationalités. Fréquentation hôtelière progresse de 2,6%.
* Patrimoine chargé d'art et d'histoire. 310 sites classés. 1 000 monuments historiques. Fêtes et spectacles folkloriques.
* Moins de gens qui savent parler breton.

Lire 4 **Lisez ces deux débuts d'essai. À votre avis, quelle introduction est la meilleure? Quelle était la question dans chaque cas?**

1

«Amélie» est un film de Jean-Jacques Jeunet. L'actrice principale est Audrey Tautou et l'histoire se déroule à Paris. Jeunet a aussi fait «Délicatessen» et «Un long dimanche de fiançailles». «Amélie» a été très populaire en France et dans le monde entier et Audrey est devenue une grande star du cinéma. Après la mort de sa mère, tuée par une personne qui tombe du toit de Notre Dame de Paris, Amélie décide d'aider les gens. Elle travaille dans un café à Montmartre et rencontre une grande variété de personnes. Son père est un peu bizarre. Les images de Paris sont merveilleuses.

2

À mon avis, la vie des Français pendant l'Occupation était très dure. Il fallait être ingénieux pour survivre durant cette période de pénurie dûe aux rationnements imposés par les Allemands, au blocus allié des ports et à la désorganisation des transports. Il était difficile d'obtenir certaines denrées alimentaires et on devait faire la queue longtemps devant les magasins. On s'habituait à utiliser des produits de substitution: de la chicorée au lieu du café, de la saccharine à la place du sucre et des topinambours et des rutabagas quand il n'y avait pas de viande.

Écrire 5 **À deux. Pour chaque catégorie (A–D), pensez à deux questions qu'on pourrait vous poser le jour de l'examen. N'oubliez pas que ces questions doivent permettre aux candidats de répondre, quelque soit le sujet qu'ils ont décidé d'étudier.**

Exemple:

a Comment l'économie de la région que vous avez étudiée s'est-elle développée au cours de ces dernières années? À votre avis, pourquoi a-t-elle évolué de cette façon?

On the day:

- Read the question carefully. Highlight any key terms. Restrict your response to its precise terms.
- In an essay of 270 words do not expect to put in everything you have learnt.
- Use your knowledge to back up any views you express.

Once you know what your RBE subject is, you must begin your **research**.

- Acquire **facts** and information which will allow you to show **evidence of careful research** on your subject.
- Eventually you will need such facts to **illustrate opinions and analysis**.
- Get used to making notes which are entirely appropriate to the area of study or sub-topic.

Note that if you choose something from the literature and arts section, the work itself will be considered to be the research material.

Module 2 · objectifs

(t) Thèmes

- Parler des rapports à l'argent
- Traiter de la précarité et des actions bénévoles
- Parler de la délinquance et de la criminalité
- Comprendre les émeutes dans les banlieues
- Parler de la France plurielle et de la discrimination
- Agir contre le racisme
- Parler d'immigration et d'intégration
- Parler de l'usage et du trafic de drogue
- Examiner la prison et les peines alternatives

(g) Grammaire

- La négation
- Accorder les verbes et les adjectifs
- L'infinitif
- L'accord du participe passé (avec **avoir** et **être**)
- L'inversion dans le discours direct et après certains adverbes
- Le futur antérieur
- **Mal** ou **mauvais**?
- Le plus-que-parfait
- Le conditionnel

(S) Stratégies

- Présenter un point de vue
- Traduire de l'anglais au français
- Développer un argument
- Exprimer son accord
- Donner une définition
- Être sûr de soi à l'oral
- Écrire un article
- Exprimer son désaccord
- Utiliser le bon registre
- Adopter une position

L'FRONT
MARSEILLE
ON AU FASCISME D'HIER,
NON
SOUVIENS-TOI
NON!
J'AI HONTE
NON
LE PEN
TOUS UNIS
CONTRE
LA MALADIE
LE PEN

t Parler des rapports à l'argent
g La négation
s Présenter un point de vue

I · L'argent ne fait pas le bonheur

Amélie
À mes yeux, il y a trop d'inégalités dans notre société. Personnellement, je trouve indécent qu'un sportif ou qu'un chef d'entreprise gagne autant que plusieurs centaines de salariés payés au SMIC. Il n'y a aucune justification à de tels revenus.

Rosalie
Pour certains privilégiés, l'addition dans un restaurant hyper chic peut facilement atteindre l'équivalent de deux mois de RMI. J'avoue que je trouve ça révoltant.

Clément
Il me semble que quand les gens travaillent beaucoup, ils doivent être récompensés, sinon pourquoi se donner de la peine et s'investir autant?

Xavier
Les revenus des stars du show-business ont de quoi donner le vertige! Alors que tous les jours je vois des gens qui dorment dans la rue... C'est impensable, scandaleux même. Ça me met vraiment en colère!

Elysa
Si vous voulez mon point de vue, il est inacceptable que 6% des Français puissent être considérés comme pauvres. La pauvreté ne devrait plus exister au 21ème siècle, et d'autant plus en France!

Laurent
Eh bien moi, je ne crois pas vraiment que l'argent garantisse à lui seul le bonheur. Pourtant, beaucoup de gens semblent penser que l'argent est un élément essentiel à leur épanouissement.

Pierrick
Actuellement, notre société est obsédée par l'argent. Tout le monde rêve d'en avoir toujours plus. Pourtant rien ne prouve que notre bonheur soit proportionnel à notre pouvoir d'achat!

Vanessa
À Caen, des parkings pour les deux-roues ont été construits sur les bouches d'aération sur lesquelles les sans-abri s'installaient pour la nuit afin de trouver un peu de chaleur. À Paris, dans certains quartiers, les bancs qui servaient de lits aux SDF ont été supprimés. Et aux Halles, les terrasses sont arrosées régulièrement pour les rendre «insquattables», un autre moyen de se débarrasser des personnes jugées indésirables. On traite les êtres humains comme du bétail... Je trouve que c'est inhumain.

Arthur
Selon moi on a assez d'argent lorsque l'on n'a pas besoin de compter pour joindre les deux bouts à la fin du mois, et que l'on peut se payer des vacances de temps en temps!

Dounia
D'après moi, quand on a de l'argent, on se sent libre. Si on n'en a pas, on est forcément plus dépendant des autres. Pour ma part, l'argent ne fait pas le bonheur, mais il y contribue.

Mélanie
Il est indéniable qu'il existe un grand fossé entre les riches et les pauvres. Pourtant, il me paraît inconcevable qu'aujourd'hui certaines personnes n'arrivent pas à nourrir leur famille, tandis que d'autres gagnent des millions d'euros par an, sans compter ce que rapportent leurs actions...

i Culture

RMI (Revenu Minimum d'Insertion) = une allocation pour les personnes de plus de 25 ans sans revenu.
SMIC (Salaire Minimum Interprofessionnel de Croissance) = le salaire mensuel minimum.

Lire 1 **Avec votre partenaire, discutez du point de vue de ces jeunes sur l'argent. Êtes-vous ...**

A tout à fait d'accord?
B d'accord dans une certaine mesure?
C pas du tout d'accord?

Lire 2 **Identifiez et copiez les expressions que ces jeunes utilisent pour exprimer leurs points de vue. Traduisez-les en anglais.**

à l'examen

In your oral exam you are required to take a stance. Start collecting vocabulary to express your viewpoint and underline your opinion. Vary the phrases you use each time.

Lire 3 **Cherchez ces phrases dans l'article. Complétez-les en anglais selon le sens du texte.**

1 I don't really think that money alone guarantees ________.
2 Poverty should no longer __________ and certainly not in France.
3 It's not normal that a big boss alone can earn ________ of his employees on the minimum wage.
4 Celebrities' wages can really ___________.
5 Some people don't always manage to___________.
6 Though, nothing proves that happiness ____________ to one's buying power.
7 Money can't buy happiness but it ____________.
8 You have enough money when _______________ to make ends meet.

Écouter 4 Toutes ces phrases contiennent un détail incorrect. Écoutez ce reportage, identifiez le détail incorrect et corrigez-le.

1 Depuis le début des années 60, l'émergence de la société de consommation a changé les mentalités en ce qui concerne l'argent.
2 Selon les Français, l'argent est avant tout synonyme de précarité.
3 En réalité, le rapport que les Français entretiennent avec l'argent est malsain.
4 En France, l'argent est un indicateur d'inégalité et de fraternité.
5 Certains ne peuvent espérer s'enrichir qu'en travaillant.

Parler 5 D'après vous et votre partenaire, qui sont les pauvres et qui sont les riches aujourd'hui en France? Justifiez vos réponses.

Exemple: En général, **les chômeurs** font partie des personnes considérées comme **pauvres** car **ils n'ont pas d'emploi,** donc **ils ont peu d'argent**.

les SDF, la jet-set, les jeunes, les ouvriers
les smicards, les immigrés, les retraités, les bourgeois
les chômeurs, les célébrités, les analphabètes
les agriculteurs, les familles nombreuses
les personnes ayant fait des études
les personnes exerçant une profession libérale
les personnes appartenant à la classe moyenne
les personnes démunies qui vivent en milieu rural
les personnes sans emploi qui dépendent des allocations

Lire 6 Remplissez les blancs de cet article avec des noms choisis dans la liste. Attention! Il y a deux noms de trop.

Les Bobos

Bobo, c'est l'acronyme de «Bourgeois-Bohème», **1** _____ choisie par le journaliste américain David Brooks du New York Times.

On ne naît pas bobo … on le devient! Pour devenir bobo, il vaut mieux avoir les **2** _____ bien remplies. Par définition, le bobo ne fait jamais comme tout le monde: il critique la mode, mais va chez Gap ou Zara pour trouver le **3** _____ vrai-faux-chic et décalé qui lui permettra de se faire quand même remarquer.

En **4** _____, ne cherchez pas le bobo dans les lieux branchés: notre homme préfère retaper une vieille ferme à la campagne plutôt que de s'exposer aux flashs de la jet-set. Il doit se ruiner pour des choses qui ne sont pas chères … le **5** _____ bio à 35 euros le tube par exemple.

Question idéologie, le bobo est très «open»: contre le **6** _____, pour le droit d'adoption des homosexuels, pas macho… Toute nouvelle **7** _____ est bonne à prendre et à exploiter (rappel: ne jamais faire comme tout le monde.)

Malgré tous ses **8** _____ pour paraître différent, le bobo reste désespérément «humain». À force de s'inventer, il apparaît comme un nouveau riche pas très révolutionnaire, un écolo moderne qui aimerait concilier nouvelle économie et profit avec culture de son jardin et **9** _____ équitable … Un doux utopiste en somme. C'est Candide chez les réalistes!

efforts, terminologie, dentifrice, poches, comptes en banque, idée, vêtement, vacances, dirigeant, commerce, racisme

Be a magpie language learner. If you like a phrase, make sure you use it in your next piece of work. Keep reusing language you come across. Set yourself a goal of how many phrases to reuse each week.

Écrire 7 Réécrivez ces phrases avec le négatif indiqué.

1 Les bobos s'intéressent à l'argent. (**ne … pas du tout**)
2 Pour elle, il y a seulement l'argent qui compte dans la vie. (**ne … pas que**)
3 Nous avons découvert une solution au problème de la pauvreté. (**ne … pas encore**)
4 Ceux qui touchent des allocations ont suffisamment d'argent pour joindre les deux bouts. (**ne … pas toujours**)
5 Ces jeunes gens riches avaient envie d'entendre parler des problèmes des pauvres. (**ne … nul**)
6 Pour eux, l'argent était important. (**ne … point**)

Écrire 8 «L'argent fait le bonheur.»

Qu'en pensez-vous? Écrivez environ 200 mots à ce propos.

Grammaire

La négation (*negatives*)

Ne … pas can be modified as follows:
- ne … pas **du tout** (*not at all*) ne … pas **encore** (*not yet*)
- ne … pas **toujours** (*not always*) ne … pas **que** (*not only*)

Some negatives (except **pas**) can be combined:
- Il **ne** fait **jamais rien** comme tout le monde.
- Il **ne** va **plus du tout** dans les lieux branchés.

Jamais and **plus** always come first. When combined together, **plus** comes first.
- Il **ne** va **plus jamais** dans les boîtes branchées.

When **personne**, **rien** or **aucun** is the subject of the sentence, use only **ne/n'**.
- **Plus rien ne** m'intéresse.

In compound tenses, most negatives go around the auxiliary verb (**avoir** or **être**).
- Il **n'**est **plus jamais** allé dans les bars branchés.

Other negatives you may encounter, which don't combine with others:
- ne … ni … ni … (*neither … nor …*)
- ne … point (*not at all* – literary)
- ne … nul(le) (*not one …*)
- ne … guère (*not at all* – literary)
- ne … nullement (*hardly/not at all*)

- **t** Traiter de la précarité et des actions bénévoles
- **g** Accorder les verbes et les adjectifs
- **s** Traduire de l'anglais au français

2 · Situations précaires

Lire 1 **Reliez les expressions qui ont la même signification.**

1	l'exclusion	a	demander de l'argent dans la rue
2	les chômeurs	b	recevoir des aides sociales
3	la pauvreté	c	les SDF (Sans Domicile Fixe)
4	les sans-abri	d	les demandeurs d'emploi
5	la précarité	e	chasser, faire partir, évacuer
6	l'instabilité familiale	f	ne pas joindre les deux bouts
7	une situation précaire	g	les problèmes familiaux
8	toucher des allocations	h	la mise à l'écart, le rejet
9	exclure de la société, du système	i	des conditions difficiles et instables
10	mendier	j	une situation difficile, fragile
11	ne pas avoir les moyens	k	marginaliser
12	expulser	l	la misère

Écouter 2 **Écoutez ce reportage à la radio sur le droit au logement. Écrivez la lettre des six phrases qui sont vraies.**

- **a** En France on compte plus de trois millions de personnes avec un problème de logement.
- **b** Il y a à peu près 86 000 sans-abri.
- **c** 790 000 familles vivent dans un logement précaire.
- **d** À Paris en 2005, plus de 50 personnes sont mortes dans trois incendies de bâtiments vétustes.
- **e** 1,3 million: c'est le nombre de ménages sur la liste d'attente pour un logement social.
- **f** Les loyers sont trop chers pour un grand nombre de personnes.
- **g** Le nombre d'expulsions est en baisse.
- **h** Une des solutions serait de faire construire de nouveaux logements.

High numbers frequently come up in listening or oral exams. Revise dates and higher numbers and percentages.

Ensure you know what the number relates to: **personnes, familles, ménages, morts, blessés, sinistrés, crimes …**

Watch out for words which change the meaning like **mal** or **sans**, e.g. **sans logement** (*without a place to live*), **mal logé** (*badly housed*).

Parler 3 **Lisez les deux articles pages 38 et 39. À deux, répondez aux questions en français.**

Avant il y avait les clochards, aujourd'hui il y a les sans-abri. Les «sans domicile fixe». Ces sans-abri ne sont pas de vieux ivrognes, des malades du troisième âge, des paresseux. Ils sont jeunes, valides et ils ont peut-être tout pour être ambitieux.

Ils sont engloutis dans une vague de misère, rejetés par un système qui ne veut plus s'embarrasser de ceux qui n'arrivent plus à ramer en rythme.

Ils sont devenus personne. Sans nom, sans attache, sans domicile fixe. Et la France, comme la Belgique, comme la Grande-Bretagne, submergée par ce phénomène social, ne trouve pas les mots qu'il faut, ne sait par où prendre le mal.

Pire: cette nation n'a pas les moyens financiers de s'occuper de ses nouveaux pauvres. Tandis que la plupart de la classe politique préfère ignorer cette honte qui la gêne tellement.

C'est pour cela qu'est né *Macadam*. Le proverbe dit «au lieu de lui donner un poisson, apprends-lui à pêcher». L'équipe de *Macadam Journal* a décidé d'apprendre à pêcher. Pour que les sans-abri redeviennent quelqu'un. Pour qu'ils s'investissent dans un projet susceptible de leur rapporter quelques euros. Et parce qu'on n'a rien inventé de mieux qu'un journal pour défendre une certaine idée de la dignité humaine.

Culture

L'association Droit Au Logement (DAL) a été créée en 1990 par des familles mal logées ou sans logis. Ses membres luttent pour la défense du droit à un logement décent pour tous.

1. Qui sont les sans-abri et comment sont-ils?
2. Pourquoi le système veut-il se débarrasser d'eux?
3. Quels sont les pays qui sont touchés par ce problème?
4. Les politiciens ont-ils trouvé une solution à ce problème? Justifiez votre réponse.
5. Quel proverbe est cité? Que veut-il dire?
6. Que permet *Macadam*?

Solidarité: à cœur ouvert

Cela fait près de 22 ans qu' «on a plus le droit ni d'avoir faim ni d'avoir froid». Et pourtant, tous les ans, les Restos du Cœur sont contraints de réouvrir leurs portes pour accueillir des centaines de milliers de personnes qui n'ont pas les moyens de manger à leur faim. Depuis 1985, l'année où Coluche fonda les Restos, les milliers de bénévoles n'ont pas manqué à l'appel et malheureusement les bénéficiaires n'ont jamais cessé d'augmenter. L'hiver dernier, les Restos avaient distribué 81,7 millions de repas à plus de 700 000 personnes. Ceux qui ont un logement pour cuisiner peuvent recevoir des colis alimentaires. Pour les autres, les Restos offrent des repas chauds toute l'année. Les repas sont servis dans des centres de distribution ou par les Camions du Cœur qui distribuent, le soir sur le trottoir, une soupe, un plat chaud et un café. À Paris et à Nantes, un fourgon, la Maraude, circule dans les rues la nuit pour aller à la rencontre de ceux qui n'ont même plus la force de se déplacer. Lorsqu'il avait fondé les Restos du Cœur, Coluche pensait que leur action serait provisoire. 20 ans plus tard le continent européen et la France en particulier n'arrivent toujours pas à régler le problème de la grande pauvreté. Il existe ainsi des Restos en Belgique et en Allemagne. On estime qu'en France, entre 2 et 3 millions de personnes ont recours à l'aide alimentaire. En 2005, 3 733 000 personnes gagnaient moins de 681 euros par mois et 7 136 000 moins de 817 euros.

1 Quelle est la fonction des Restos du Cœur?
2 Que font les Camions du Cœur?
3 Que croyait Coluche quand il a ouvert les Restos du Cœur?
4 Résumez la situation en chiffres.
5 Pensez-vous que le soutien d'organisations telles que les Restos du Cœur permette aux pouvoirs publics d'apaiser la situation sans avoir à agir?
6 Pourquoi devient-on bénévole à votre avis?

Culture

Coluche est l'humoriste et acteur qui a lancé les Restos du Cœur, et qui a donc fait entrer l'aide alimentaire dans l'ère des médias. Sous son influence, le bénévolat a conquis un Français sur quatre. Pour recueillir des fonds, il a utilisé sa notoriété et fait appel à sa bande de copains, qui deviendront *Les Enfoirés*: une chanson, un CD, puis des dizaines de concerts et autres manifestations.

Écrire 4 **Traduisez ces phrases en français:**

1 Nowadays, more and more people are excluded from society.
2 Everyone has the right to housing.
3 We must struggle against injustice.
4 By selling a newspaper, homeless people can preserve their dignity.
5 When Coluche opened the first *Resto du Cœur*, he thought that their existence would be temporary.
6 Unemployed people struggle to make both ends meet, in spite of the benefits they receive.
7 It is essential that politicians deal with the problem of poverty.
8 Many people do not have the means to eat their fill.
9 Fortunately there are voluntary workers who help those who have nothing.
10 No one should be trapped in this spiral of misery in the 21st century.

à l'examen

Translation from English to French

You need to be accurate, but also natural and idiomatic when you transfer meaning from one language to another.

- Be exact. Don't write creatively, translate only what is conveyed by the English.
- Don't paraphrase.
- Read through carefully and try to identify phrases which require an idiomatic expression.
- Try to identify exactly what you are being tested on before you start.
- Identify the vocabulary and structures you will need to use.
- Stay close to the English.
- Write on alternate lines so you can make alterations easily if you need to.

Écrire 5 **Complétez le texte avec les verbes au présent et la forme correcte des adjectifs. Faites attention aux accords.**

Annie **1** (**habiter**) dans la rue. Elle **2** (**faire**) la manche dans le métro tous les jours avec sa **3** (**meilleur**) amie Alice. Elles **4** (**être**) toutes les deux **5** (**désespéré**). Elles **6** (**se sentir**) **7** (**vulnérable**), **8** (**abandonné**) par la société. «Une fois qu'on **9** (**être**) marginalisé, la réinsertion devient **10** (**problématique**). Je n'ai pas beaucoup d'espoir.» dit Annie.

Grammaire

L'accord (*agreement*)

Check for agreement of the verbs and auxiliaries with their subject.

Check for agreement of the adjectives with the noun they describe.

Ces sans-abri ne **sont** pas de **vieux ivrognes malades**.

subject: masc pl	verb: pl	adj: masc pl	noun: masc pl	adj: masc pl

Beaucoup de personnes sont déjà **allées** aux Restos.

subject: fem pl	**être** auxiliary: pl	past participle: fem pl

Écrire 6 « **De nos jours, trop de personnes vivent dans des conditions indignes. Il faut augmenter les aides sociales.** »

Que pensez-vous de cette affirmation? Écrivez une réponse entre 240 et 270 mots.

- **t** Parler de la délinquance et de la criminalité
- **g** L'infinitif
- **s** Développer un argument

3 · Délits mineurs?

Parler 1 **À deux, regardez ces chiffres clés sur les jeunes et la violence. Devinez les statistiques qui manquent, puis écoutez le reportage pour vérifier si vous avez raison.**

3	4	6	6	9	10
13	14	48	87		
5.000	41.141				

Parler 2 **À deux. Y a-t-il des chiffres qui vous ont surpris? Lesquels et pourquoi?**

J'ai été frappé(e) de constater que ...
Je ne savais pas .../Je ne me doutais pas que ...
C'est à la fois inquiétant et choquant
Cela me laisse sans voix
Je reste perplexe devant une telle situation

Sur 184 696 mineurs interpellés ou mis en cause par la police ou la gendarmerie (en 2004), 58 148 ont été poursuivis et **i** ______ condamnés pour un délit. Parmi les peines infligées, la justice privilégie les mesures éducatives. La prison ferme ne concerne que **j** ______ mineurs.
En vingt ans, le nombre de délits commis par des mineurs a plus que doublé. Plus grave: la violence commence de plus en plus tôt.
18,5% des personnes mises en cause pour agression physique ont moins de 18 ans, dont **k** ______% de garçons et **l** ______% de filles.

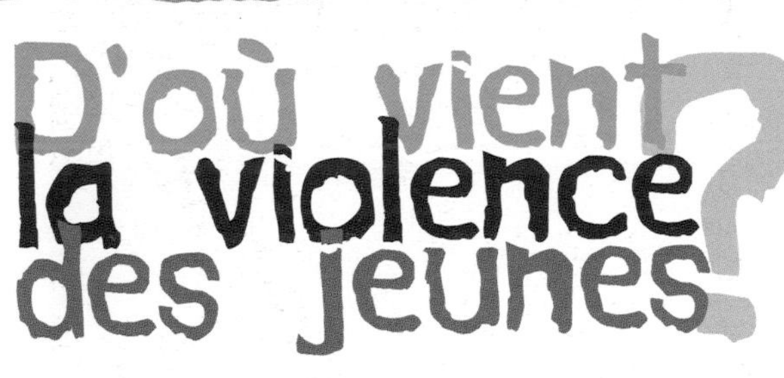

Lucienne Bui Trong, ancienne commissaire des renseignements généraux

On constate une tendance lourde, la montée de la violence en groupes. Ces bandes spontanées sans référence culturelle ou politique repérables rassemblent généralement des petits délinquants connus des services de police. En échec scolaire, sans projet, ces jeunes sont attachés à un territoire limité, une cité, un coin de rue, voire une cage d'escalier. Souvent issus de l'immigration, ils se sentent rejetés. Ils pensent que leurs difficultés d'insertion sont héritées de leurs parents. Ils éprouvent un profond sentiment d'injustice, nourrissent un ressentiment très fort contre les Français de souche et les institutions.

Sébastien Roché, sociologue

L'échec scolaire constitue le facteur n°1 de la violence. Or, le nombre d'enfants en échec scolaire est particulièrement important dans les quartiers dits «sensibles», qui, d'après l'Insee, concentrent près de cinq millions de personnes, soit 8% des habitants de notre pays. Dans ces zones d'exclusion, la pauvreté et la ghettoïsation favorisent la violence. Le lieu de résidence, le niveau des ressources de la famille, les fréquentations et les relations avec les parents contribuent aussi à expliquer la délinquance.

Marie-Rose Moro, pédopsychiatre

Les manifestations de la violence chez les adolescents s'accompagnent désormais d'une défiance grandissante à l'égard des adultes. L'impatience se manifeste plus brutalement. Le ton monte plus vite. La violence touche également un nombre croissant de filles, un phénomène mis en évidence par la récente affaire de la jeune fille torturée et violée dans un internat dans la région parisienne.

Lire 3 **Qui parle? Écrivez L pour Lucienne, S pour Sébastien et M pour Marie-Rose.**

1. Les adolescents se sentent mis à l'écart.
2. L'échec scolaire est liée à la délinquance.
3. Les jeunes se méfient des institutions.
4. De plus en plus, les adolescents ont une attitude négative par rapport aux adultes.
5. La violence envers les filles est en hausse.
6. Vivre dans un quartier défavorisé peut conduire les jeunes à la violence.
7. L'environnement familial joue aussi un rôle.

Lire 4 **Prenez des notes en anglais pour résumer l'essentiel de cet article.**

- who the delinquents are
- their origin
- factors contributing to delinquency and violence
- where they live
- attitude to school
- attitude to their families

Get into the habit of keeping facts and figures, main ideas, a bank of arguments for each topic in a section of your French folder. A few well chosen facts will serve you well for both speaking and writing exams.

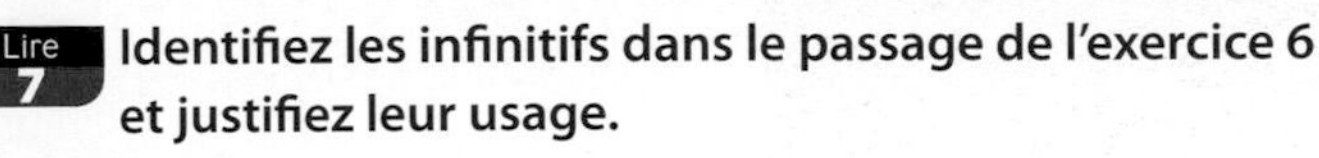

Écouter 5 **Écoutez et répondez aux questions en anglais.**

1 What type of project did Samy take part in?
2 What was Samy's attitude before it started?
3 What did he not wish to spend his summer doing?
4 What did the guest speakers talk about?
5 What was Samy's initial reaction and his attitude subsequently?
6 What does he say about the experience?

Grammaire

L'infinitif (*infinitives*)

The infinitive can be used in French:

- after modal verbs (e.g. pouvoir, devoir, vouloir, falloir)
  On **pouvait faire** de l'athlétisme ou du canoë-kayak.
- after prepositions (e.g. à, de, pour)
  Les relations avec les parents contribuent **à expliquer** la délinquance.
- dependent infinitives (e.g. faire + inf)
  Toutes les semaines, on **faisait venir** des gens pour discuter avec nous.
- to translate *-ing*
  Vivre dans un quartier pauvre peut conduire les jeunes à la violence.
- to avoid the passive
  Les obstacles **à surmonter** sont nombreux.
- to avoid a subjunctive.
  Il faut que l'on mentionne … → Il faut **mentionner** …

Écrire 6 **Traduisez cet extrait en anglais.**

Il ne faut pas oublier de mentionner l'importance de l'entretien et de la rénovation d'un quartier. Il est généralement admis que le cadre de vie a une incidence sur le taux de criminalité et de délinquance. Plus le cadre de vie est agréable, plus ses habitants auront tendance à le respecter. Offrir aux jeunes des activités de loisirs c'est aussi contribuer à réduire la délinquance. Tous les résidents devraient donc collaborer avec les municipalités et les associations pour entretenir et faire vivre leur quartier.

Lire 7 **Identifiez les infinitifs dans le passage de l'exercice 6 et justifiez leur usage.**

Écrire 8 **Traduisez ces phrases en français.**

1 One can't get out of the ghetto.
2 Committing crimes through boredom is not acceptable.
3 It is necessary to supervise young people but also to provide them with activities.
4 What can be done to struggle against delinquency and urban violence?
5 It is necessary to examine the school programmes.
6 Citizenship projects are to be encouraged.

à l'examen

When you are developing an argument in speaking or writing, it is useful to:

1 Define your case
2 Back up your case
3 Anticipate the opposition
4 Reject the opposing view point
5 Invoke the broader context, make a follow up point related to this.

1 De quoi s'agit-il en fait?
On prétend que …
La question est de savoir si/pourquoi …

2 Les chiffres montrent/mettent en évidence que …
Les statistiques semblent indiquer que …
D'après les experts, on estime que …
Il est indéniable que …
À l'heure actuelle …

3 On pourrait présenter l'objection suivante …
Il est vrai que … cependant …
Certains soutiennent que …

4 mais d'autres affirment que …
Incontestablement …
Jusqu'à preuve du contraire, il est inexact de dire que …

5 À ceci, il faut ajouter …
Il faut cerner le problème essentiel, celui de …
Étant donné que/Vu que …

Parler 9 **Choisissez une de ces opinions et développez votre argument.**

A «La pauvreté est le facteur principal menant à la délinquance.»
B «Quelle que soit la situation, on ne devrait jamais se tourner vers le crime.»
C «Les jeunes sont plus violents qu'avant, les délits et les crimes commis sont plus graves que dans le passé.»

un quartier défavorisé	l'ennui
les zones d'exclusion	prendre certaines initiatives
commettre un crime/ un délit	lutter contre la délinquance
les cambriolages/ les dégradations	améliorer le cadre de vie
la ghettoïsation	entretenir les lieux communs
	encourager la citoyenneté

- **t** Comprendre les émeutes dans les banlieues
- **g** L'accord du participe passé (avec **avoir** et **être**)
- **s** Exprimer son accord

4 · Quand la France brûle ...

Lire 1 **Complétez l'article avec les mots de la liste. Attention, il y a deux mots de trop.**

cités	banlieues	réfugiés	président
origine	conséquence	centaine	véhicules
émeutes	depuis	évaluer	voitures

Le bilan des émeutes de 2005

100, 200, 300 millions d'euros? Le coût définitif des émeutes de 2005 est toujours compliqué à **1** _______ avec précision. Une chose est certaine: les violences ont profondément marqué les habitants des **2** ______ concernées. En trois semaines, du 27 octobre au 17 novembre, plus de 9 000 **3** _______ ont été incendiés, engendrant près de 3 000 interpellations. Au total, 600 personnes ont été mises sous les verrous, dont une **4** _________ de mineurs. L'origine des émeutes a pour cause le décès de deux adolescents de Clichy-sous-Bois. Poursuivis par la police, ils se sont **5** ________ dans un poste de transformation EDF. Ils meurent électrocutés. Ce seront les seuls morts de cette vague de violence, sans précédent **6** ______ mai 1968. Peu à peu, les **7** _______ s'étendent aux villes de **8** _______ réputées «difficiles» de la région parisienne: Bobigny, Neuilly-sur-Marne, La Courneuve, Fontenay-sous-Bois, Montreuil, Argenteuil, Deuil-la-Barre, etc. Phénomène nouveau: les émeutes urbaines se répètent dans les autres régions françaises. Ce qui aura pour **9** _______ l'instauration de l'état d'urgence dans le pays par Jacques Chirac, alors **10** _________ de la République, le 8 novembre. Il sera levé trois semaines plus tard.

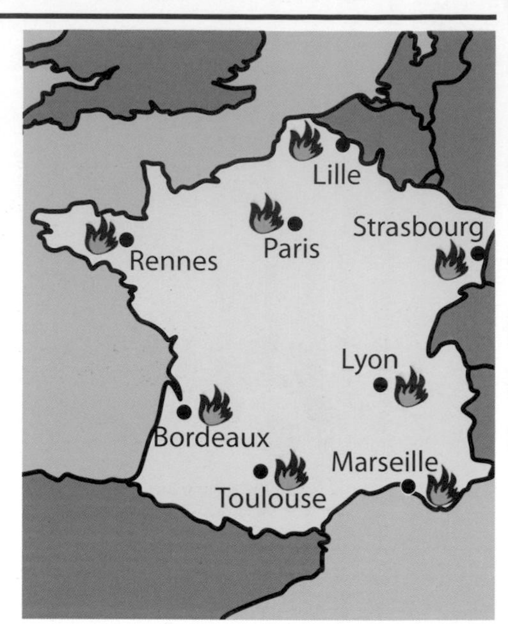

Lire 2 **Pour chaque phrase écrivez V (Vrai), F (Faux) ou ND (information Non Donnée).**

1 Il est difficile de déterminer le coût des émeutes de 2005.
2 Les véhicules que les participants ont brûlés étaient des voitures de police.
3 Deux jeunes, pourchassés par la police, sont morts, ce qui a déclenché les premières émeutes.
4 Plus de 9 000 policiers et CRS ont été déployés pendant les émeutes.
5 Les émeutes de 2005 ont commencé à Bobigny puis se sont répandues dans un grand nombre de banlieues à travers la France.
6 Heureusement, les émeutes ne se sont pas étendues à d'autres départements.
7 L'état d'urgence qui a été déclaré le 8 novembre 2005 a duré un mois.
8 La situation s'est apaisée en moins d'un mois.

Grammaire

L'accord du participe passé (*agreement of the past participle*)

With **être**, the past participle agrees with the subject of the verb.
La police est intervenu**e** très vite et **les pompiers sont** arrivé**s** ensuite.

With **avoir**, the past participle agrees with the preceding direct object if there is one.
Il **les** ont arrêté**s**.
Les personnes que la police a arrêté**es** vont être jugé**es**.

With reflexive verbs, the past participle agrees with the subject.
Les émeutes se sont répandu**es** à travers la France.

Unless the verb is followed by a direct object.
Les forces de l'ordre se sont lav**é** **les mains** de la situation.

Écrire 3 **Écrivez les verbes entre parenthèses au passé composé.**

1 Le gouvernement (**décider**) d'imposer un état d'urgence.
2 La police (**rétablir**) le calme.
3 Deux adolescents (**mourir**), trois policiers sont blessés.
4 La situation (**s'aggraver**) rapidement.
5 Les jeunes (**se mettre**) en colère.
6 La police (**mettre**) des centaines de personnes sous les verrous.
7 Les émeutes urbaines (**se répandre**) dans les autres régions françaises.
8 Les personnes que la police (**interpeller**) étaient des jeunes du quartier.
9 Les violences (**s'étendre**) aux villes de banlieues.
10 Les voitures que les jeunes (**brûler**) appartenaient aux gens de la cité.

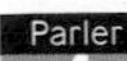

Parler 4 Lisez ces opinions, puis expliquez à votre partenaire avec qui vous êtes d'accord ou pas. Justifiez votre opinion.

Chez les jeunes il y a énormément de ressentiment envers l'école, les programmes ne répondent pas à leurs besoins et le niveau de l'échec scolaire est effrayant. L'absentéisme mène forcément à la délinquance et finalement à ces émeutes …

Élise ▪ mère de famille ▪ 38 ans

Éric ▪ journaliste ▪ 22 ans

Les médias ont joué un grand rôle dans ces émeutes. Ils ont attisé les flammes. Les jeunes ont entendu à la télé qu'un certain nombre de voitures avaient brûlé la veille et ils sont sortis résolus à faire mieux et ainsi de suite.

Moi, j'habite à Argenteuil et je peux vous dire que les relations entre la police et les jeunes sont pourries. Les conflits entre une partie de la jeunesse et la police sont permanents. Les jeunes sont en colère contre une société qui ne les respecte pas, qui les exclut et les humilie. On n'a pas d'argent, on est au chômage, les cités sont dans un état lamentable. Et on s'étonne quand ça explose!

Mo ▪ chômeur ▪ 17 ans

Il n'est pas vrai de dire que les coupables sont des immigrés. Pour la plupart, ce sont des jeunes de nationalité française, des enfants d'immigrés, qui sont en quête de reconnaissance, à la recherche de leur place au sein de notre société. Les politiciens font trop vite l'amalgame.

Ariane ▪ sociologue ▪ 34 ans

Sarkozy avait raison. Il s'agit de racaille. Ces petits délinquants cagoulés, qui traînent, qui ne veulent pas travailler. Il faut être dur avec eux. C'est tout ce qu'ils comprennent. Ces jeunes s'attaquent aux forces de l'ordre. On devrait appréhender ces voyous et ne pas les relâcher.

Franck ▪ ingénieur ▪ 50 ans

Même avec des diplômes on ne nous reçoit même pas en entretien. Notre adresse, c'est pire qu'un casier judiciaire. À la télé on montre des voitures qui brûlent, pas les jeunes qui bossent. Ici comme ailleurs, il y en a qui veulent s'en sortir et d'autres qui glandent. Seulement, on nous prend tous pour des voleurs.

Rachida ▪ 18 ans

Je suis entièrement d'accord avec …
Je suis d'accord avec X qui …
X pense … et je pense la même chose
X a raison quand il/elle dit …
Je rejoins/partage cette opinion et j'irais même plus loin …
Bien sûr/C'est juste

à l'examen

Use a range of expressions to express your opinion, to say you agree or not, and always say **why** you agree. Justify your opinion.

Écouter 5 Écoutez cet extrait sur les émeutes de 2007. À quoi correspondent ces chiffres? Résumez les incidents en anglais (qui? où? quoi? origine?).

23 | 2007 | 2 | 20/30 | 0 | 25/26 | 150 | 81

Écrire 6 Regardez cette photo. Racontez ce qui s'est passé avant (200 mots).

une situation explosive
un affrontement
les forces de l'ordre
le rôle des médias
la couverture médiatique

- **t** Parler de la France plurielle et de la discrimination
- **g** L'inversion dans le discours direct et après certains adverbes
- **s** Donner une définition

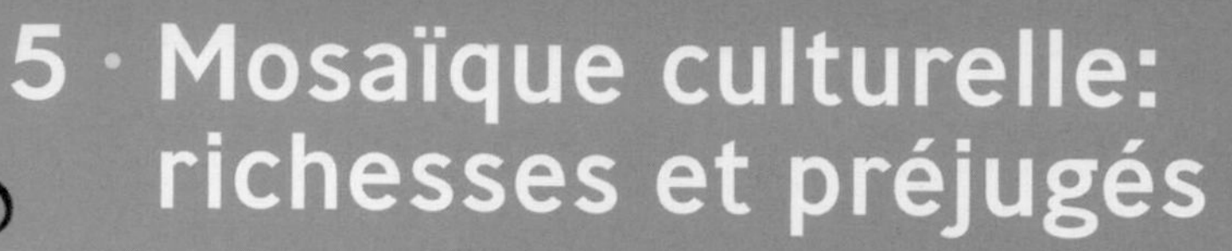

5 · Mosaïque culturelle: richesses et préjugés

i Culture

Aujourd'hui, un Français sur cinq a un grand-père étranger. Au cours du XXème siècle, des populations venues d'Europe, d'Asie, du Mahgreb ou des pays d'Afrique noire se sont installées en France. Elles ont contribué à enrichir la culture et faire évoluer le pays. Les Italiens, les Espagnols, les Maghrébins, les «noirs» Africains, les Portugais, les Vietnamiens, les Arméniens ont aidé la France dans son développement économique. La France sans les immigrés ne serait pas la nation dynamique que nous connaissons.

Écouter 1 **Choisissez le mot correspondant à la définition que vous entendez.**

a la discrimination
b une minorité ethnique
c un immigré
d un autochtone
e un stéréotype
f le racisme
g l'antisémitisme
h les crimes racistes
i un génocide
j le colonialisme
k l'esclavage
l un xénophobe

Écouter 2 **De quoi parle ces deux amies? Quel est leur point de vue? Prenez des notes en anglais.**

le mélange
le brassage
le malaise
la diversité culturelle

Parler 3 **À deux, entraînez-vous à formuler des définitions. Proposez des définitions pour les mots suivants. Votre partenaire doit deviner le mot dont il s'agit.**

l'harmonie · le métissage · l'intégration · le respect · la tolérance

Giving definitions can be very useful to clarify issues when speaking and writing. They can also help you in your speaking if you can't quite find the word you are searching for.

Cela veut dire que …
C'est le fait de …
C'est l'idée selon laquelle …
C'est une personne qui/que …
C'est l'endroit où …
C'est ce qui se passe quand …
C'est quand on …
C'est ce qu'on …

Islamophobie, un mal toujours tenace

Le 11 août, Madame Demiati est arrivée à Julienrupt dans les Vosges afin d'occuper le gîte qu'elle avait réservé. La propriétaire Madame Truchelut lui a refusé l'accès au gîte sous prétexte que Madame Demiati et sa mère étaient voilées. Le comité local du MRAP des Vosges a immédiatement porté plainte pour discrimination raciale. «Nous condamnons toute discrimination fondée sur la religion», a annoncé Mme Claude Gavoille, la présidente du comité local. «Cette affaire est révélatrice du climat anti-musulman qui règne en France et en Europe», a affirmé un porte-parole du MRAP. «Dans le contexte actuel, l'islamophobie représente la forme la plus courante de discrimination religieuse, particulièrement en Europe», a déclaré l'un des représentants de l'ONU. «L'intensification du climat d'hostilité envers les musulmans et les juifs est de plus en plus répandue dans de nombreux pays européens», peut-on aussi lire dans un rapport de la Commission européenne contre le racisme et l'intolérance. «Depuis un an on remarque une inquiétante recrudescence des signalements et des plaintes contre des actes et manifestations islamophobes allant des injures aux discriminations à l'emploi», affirme le MRAP. Par ailleurs, le MRAP s'alarme du développement en toute impunité des sites Internet racistes en général et anti-musulman en particulier.

Lire 4 **Trouvez l'équivalent de ces phrases en anglais dans l'article.**

1 wearing a veil
2 file a complaint for
3 the case
4 indicative of
5 anti-Muslim climate
6 a spokesperson
7 widespread
8 an increase of reports

Lire 5 **Complétez les phrases suivantes en anglais.**

1 Mme Truchelut refused Mme Demiati access because …
2 Mme Gavoille, the local MRAP president, announced that …
3 A spokesperson for the MRAP affirmed that …
4 The United Nations is concerned that …
5 The European Commission finds that …

Culture

MRAP = Mouvement contre le Racisme et pour l'Amitié entre les Peuples. Depuis sa création, le MRAP a été à la pointe de tous les combats contre les discriminations et le racisme.

LICRA = La Ligue Internationale contre le Racisme et l'Antisémitisme, c'est trois-quarts de siècle d'un combat sans relâche contre l'intolérance, la xénophobie et l'exclusion.

LDH = La Ligue des Droits de l'Homme à la défense des droits de l'homme

Grammaire

L'inversion du sujet et du verbe (*inversion of subject and verb*)

A noun or subject pronoun comes after its verb …

- with verbs that comment on direct speech or thoughts
  «Nous condamnons toute discrimination» **annonce le porte-parole/annonce-t-il**.
  «Nous condamnons toute discrimination» **a annoncé la présidente/a-t-elle annoncé**.

Add **-t-** between the verb and pronoun to avoid having two vowels together.

- in sentences introduced by adverbs such as **à peine, aussi, ainsi, peut-être, sans doute, du moins**. The adverb is in the initial position, so the verb comes as the next element.
  À peine était-elle entrée, qu'elle s'est fait insulter. **Sans doute portera-t-elle** plainte.

Écrire 6 **Réécrivez ces phrases au discours direct.**

1 Nora a demandé à Éric pourquoi il était raciste.
2 Il a répondu qu'il croyait être supérieur puisqu'il était français de souche.
3 Nora lui a dit qu'il ne fallait pas répéter toutes les bêtises qu'il entendait autour de lui.
4 Elle lui a expliqué que le racisme était puni par la loi.
5 Elle lui a fait comprendre qu'il ferait bien de penser avant de parler.

Écrire 7 **Réécrivez ces phrases avec l'adverbe indiqué au début.**

1 (**à peine**) Il sait parler français.
2 (**aussi**) Elle veut s'adapter à la société française.
3 (**ainsi**) Khaled peut s'intégrer.
4 (**peut-être**) Irina a tort.
5 (**sans doute**) Ils ont raison.

Écouter 8 **Écoutez ces deux flashs info. Complétez la grille en français pour chaque reportage. Pour chacun, notez:**

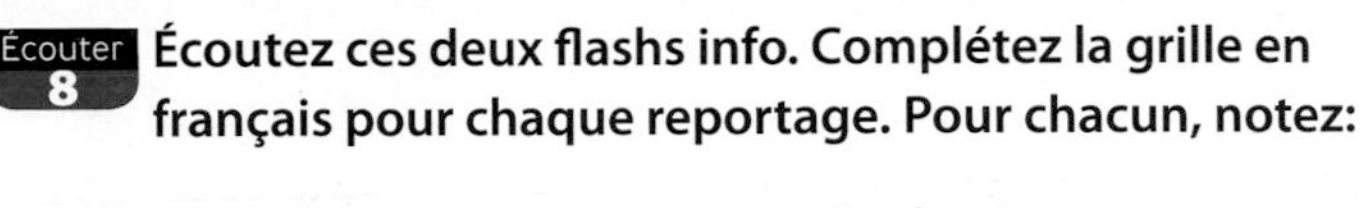

Les personnes soupçonnées	Les victimes	Les détails du crime	La condamnation

Écrire 9 **Que signifie cette affiche? Pourquoi a-t-elle été créée? Écrivez un texte de 100 mots.**

- Donnez une définition de la discrimination.
- Expliquez pourquoi il est important de combattre la discrimination.
- Expliquez la richesse de la diversité culturelle.

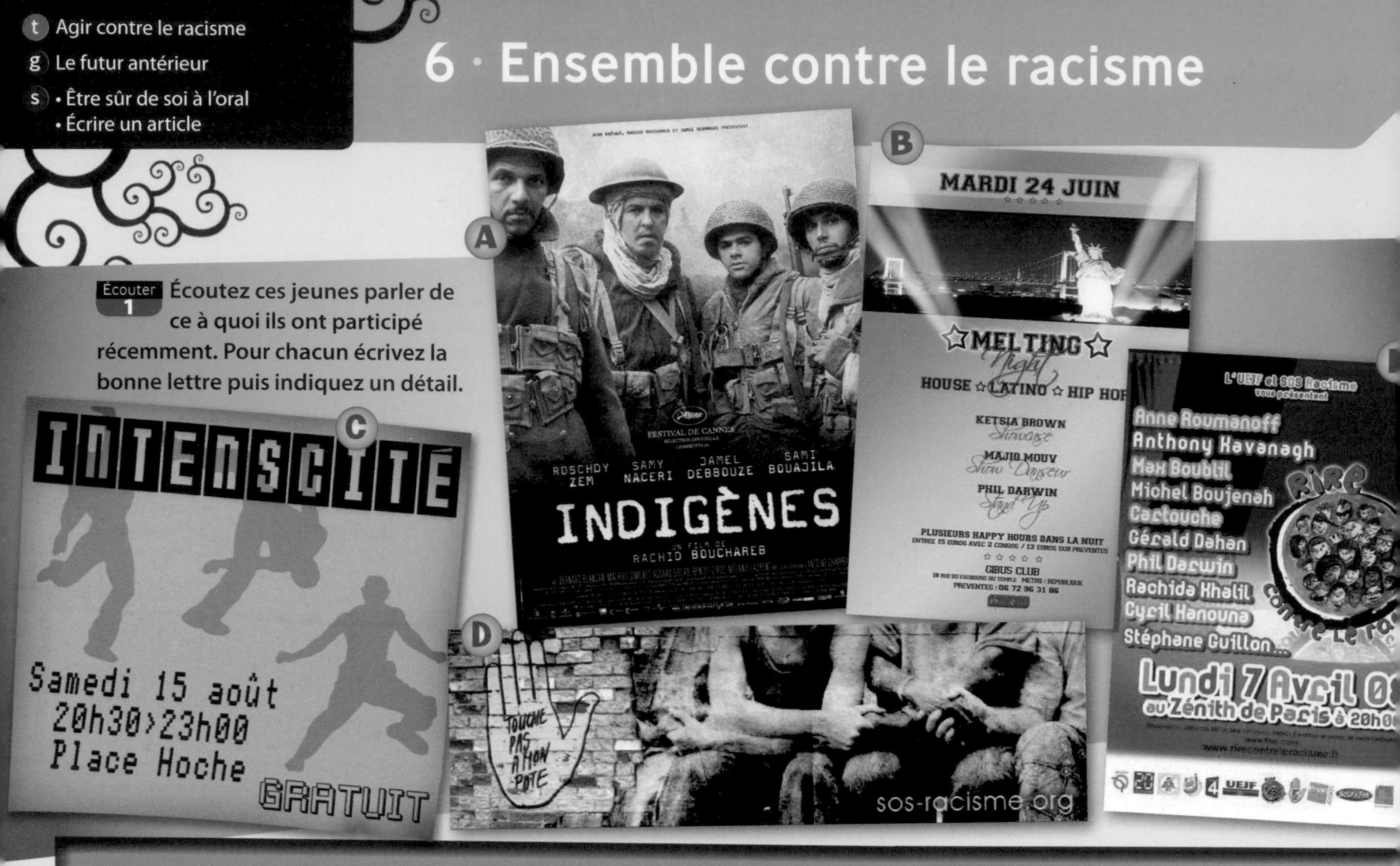

6 · Ensemble contre le racisme

Écouter 1 **Écoutez ces jeunes parler de ce à quoi ils ont participé récemment. Pour chacun écrivez la bonne lettre puis indiquez un détail.**

Lire 2 **Lisez l'extrait du livre *Le racisme expliqué à ma fille* de Tahar Ben Jelloun, puis reconstituez ces phrases.**

1 Pour Tahar Ben Jelloun, la différence …
2 La mixité est …
3 Tous les visages …
4 Chacun devrait respecter …
5 En traitant les autres correctement …
6 Pour combattre le racisme …

a … sont uniques.
b … l'autre.
c … il faut apprécier la diversité.
d … est une belle chose.
e … un enrichissement.
f … on se respecte soi-même.

Parler 3 **À deux, choisissez trois phrases de Tahar Ben Jelloun qui selon vous résument ses pensées. Êtes-vous d'accord avec lui? Justifiez votre réponse.**

Regarde tous les élèves autour de toi et remarque qu'ils sont tous différents et que cette diversité est une belle chose. C'est une chance pour l'humanité. Ces élèves viennent d'horizons divers, ils sont capables de t'apporter des choses que tu n'as pas comme toi tu peux leur apporter quelque chose qu'ils ne connaissent pas. Le mélange est un enrichissement mutuel.

Sache enfin que chaque visage est un miracle. Il est unique. Tu ne rencontreras jamais deux visages absolument identiques. Qu'importe la beauté ou la laideur. Ce sont des choses relatives. Chaque visage est le symbole de la vie. Toute vie mérite le respect. Personne n'a le droit d'humilier une autre personne. Chacun a droit à sa dignité. En respectant un être, on rend hommage à travers lui, à la vie dans tout ce qu'elle a de beau, de merveilleux, de différent et d'inattendu. On témoigne du respect pour soi-même en traitant les autres dignement.

La meilleure façon de ne pas être raciste est d'avoir conscience que l'on est tous différents. 15

Grammaire

Le futur antérieur (*the future perfect*)

The future perfect translates as *will have (done).* It refers to an action or event which will have happened before another one.

On organisera un concert dès qu'assez d'artistes **auront accepté** de chanter.

It is a compound tense formed by using the future tense of the appropriate auxiliary + the past participle.

avoir auxiliary + past participle
j'aurai partagé, tu auras réagi, ils auront perdu

être auxiliary + past participle
tu seras devenu, il sera mort, nous serons partis

It is used in French where we would not use it in English, after conjunctions such as **quand, lorsque, dès que, aussitôt que**.

Écrire 4 **Mettez ces verbes au futur antérieur et traduisez-les en anglais.**

1 j'ai respecté
2 nous avons traité
3 elle a réussi
4 ils ont perdu
5 tu as vu
6 vous êtes venus
7 je suis arrivé
8 tu es parti
9 on s'est amusé
10 j'ai pris

Écrire 5 **Traduisez ce passage en français.**

In an ideal world, within 100 years we will have forgotten what the word 'racism' means. We will have erased any trace of racial discrimination. We will have agreed to respect each other. As soon as we have learnt to appreciate diversity, we will make progress. When we have established the principles for living together, we will have succeeded. I really hope that in 100 years, tolerance and equality will have won.

Parler 6 **À deux, décidez lequel de ces messages vous touche le plus. Justifiez votre réponse.**

Build up your confidence by talking to yourself to get used to the sound of your own voice when speaking French. Read passages out loud for example.

When speaking from notes, use them as a bolster to begin with, then practise so that you only need to glance at them to keep you on track.

You can't prepare all possible answers to all possible questions, but you can be prepared for a topic by mastering topic specific vocabulary.

Écrire 7 **Et vous, êtes-vous solidaire? Que feriez-vous pour combattre le racisme?**

Écrivez un article (environ 250 mots) pour le journal de votre école sur votre contribution.

Vous seriez plutôt du genre à …

- aller à un concert dont les fonds iront à SOS racisme
- porter un bracelet contre le racisme
- participer à une manifestation
- écrire des articles sur des incidents et proposer des solutions

Carton rouge contre le racisme!

On aura tout vu! Samedi dernier, alors que j'assistais à un match de foot amical entre l'équipe de ma ville et celle de Nantes, j'ai été le témoin de comportements racistes de la part des suppor

- ou organiser un concert, une expo, une campagne, un atelier de citoyenneté pour éduquer les enfants, etc.

When writing an article, choose an attention-grabbing headline for your piece.

Think about who your audience is.

Try to cover the points: who? what? when? where? why?

Include your own personal opinions, why you think it is important to fight racism.

la haine
la bêtise
la xénophobie
la peur
la différence
la dignité
la tolérance
la discrimination religieuse
la méconnaissance de l'autre
l'ignorance
l'égalité

le respect
le racisme institutionnalisé
le métissage
l'enrichissement
les droits de l'homme

abominable
impardonnable
écœurant
injustifiable

agir
menacer qqn
mettre fin à
confronter qqn
éduquer
avoir l'esprit ouvert
partager avec autrui
avoir le même statut
conjuguons nos efforts!
apprenons à + inf
il s'avère que
s'investir

- t Parler d'immigration et d'intégration
- g **Mal** ou **mauvais**?
- s Exprimer son désaccord

7 · Terre d'accueil et nouveaux horizons

Immigrer? C'est tout simplement s'installer dans un autre pays. Est-ce si simple pourtant? Un nouveau pays, une **1 (nouveau)** culture, une nouvelle langue. Sera-t-on accepté? Demeurera-t-on toujours un «immigré»? Pas si simple en fait … Et puis tout dépend des raisons pour **2 (lequel)** un immigré a quitté son pays. Autant de personnes, autant de raisons. Un immigré peut avoir quitté son pays d'origine:

- pour des raisons économiques: les conditions de vie du pays d'accueil sont meilleures, le coût de la vie **3 (être)** moins cher, ou encore il est plus facile de trouver un emploi.
- pour des raisons d'éducation: lorsque le pays d'accueil offre de meilleurs cursus scolaires ou universitaires, de meilleures formations **4 (professionnel)**, un meilleur avenir.
- pour des raisons **5 (politique)**: pour les réfugiés politiques, les demandeurs d'asile qui ne se sentent plus en sécurité dans leur pays.

Dans ce cas, les candidats à l'immigration sont, le plus souvent, **6 (forcé)** de quitter leur pays, c'est une question de vie ou de mort. Tous les candidats à l'immigration ne le sont donc pas volontairement.

Lire 1 **Complétez l'article avec la forme correcte des mots entre parenthèses.**

Lire 2 **Trouvez dans l'article …**

1 le contraire de: émigrer difficile ancien pires contre son gré
2 le synonyme de: restera en réalité quand futur en sûreté

Écrire 3 **Traduisez le premier paragraphe en anglais.**

Parler 4 **À deux. Imaginez que demain vous partiez vous installer en Australie définitivement.**

- Comment serait votre vie là-bas?
- À quels problèmes seriez-vous confrontés en tant qu'immigré? Pourquoi?
- Pensez-vous que vous vous intégreriez facilement? Pourquoi?

le style de vie	la langue
la nourriture	la culture
le climat	les amis
les traditions	le marché du travail
l'éducation	la musique
la famille	la religion

Thierry Lhopitault

Je suis actuellement professeur à l'Université de Los Angeles (UCLA). Auparavant, j'ai aussi enseigné à Stanford et à Princeton. De plus en plus de diplômés quittent la France pour travailler à l'étranger. Cette «fuite des cerveaux» est plutôt inquiétante pour la France.

Il faut du courage pour s'installer dans un nouveau pays. La famille est loin, on doit s'adapter à un climat différent, une nourriture et des traditions différentes, mais cela ouvre également de nouveaux horizons, c'est l'occasion de prendre un nouveau départ. Dans un sens, c'est un choc culturel. Chacun a ses propres valeurs, un bagage culturel bien à lui. Dans un nouveau pays où les valeurs sont différentes, il faut se définir de nouveau, il faut être prêt à tout recommencer à zéro, faire un réel effort pour s'intégrer. Cela peut être effrayant, mais en même temps, cela offre une mine d'opportunités. C'est une sorte de renaissance, l'occasion de se réinventer.

Personnellement, j'aime beaucoup la société américaine. C'est une société très ouverte dans laquelle chacun peut trouver sa place. Ce qui est certain, c'est que j'y ai trouvé la mienne!

Lire 5 **Répondez à ces questions en anglais.**

1 What did he do in Princeton?
2 What issue does he raise?
3 What expression does he use for that issue? What does it mean?
4 What do you need to set up in a new country?
5 What do you have to adapt to?
6 What opportunities does it offer?

Écrire 6 **Traduisez ces phrases en français.**

1 Some people leave their country of origin for economic reasons.
2 Others leave their home country for political reasons, sometimes against their will.
3 You need courage to set up, to adapt and integrate in a new country.
4 A lot of people leave France to work in other countries.
5 The brain drain is a significant problem which becomes more and more worrying.
6 Being an immigrant offers the opportunity to redefine oneself.

Écouter 7 Écoutez ce reportage sur l'immigration des musulmans aux États-Unis et écrivez le numéro des cinq phrases qui sont vraies.

1 Les musulmans américains sont bien intégrés dans la société nord américaine.
2 Les musulmans américains se sentent attachés à leur pays d'origine.
3 Le niveau de vie moyen des musulmans américains est meilleur que celui de la majorité des Américains.
4 Certains musulmans américains ont plus de mal à s'affirmer comme tel depuis les attentats du 11 septembre 2001.
5 62% des musulmans américains pensent que la qualité de vie est meilleure aux États-Unis que dans les pays musulmans.
6 43% des personnes sondées considèrent qu'il vaudrait mieux adopter les traditions américaines.
7 Pour beaucoup d'entre eux, abandonner sa religion serait la pire des choses.

Grammaire

Adjectifs ou adverbes? (*adjectives or adverbs?*)

adjectives	comparative	superlative
bon (*good*)	meilleur	le/la/les meilleur(e/s/es)
mauvais (*bad*)	pire	le/la/les pire(s)

adverbs	comparative	superlative
bien (*well*)	mieux	le mieux
mal (*badly*)	plus mal	le plus mal

Take note also of these idiomatic expressions:

Le mieux serait de …	*The best thing would be to …*
Le pire serait de …	*The worst thing would be to …*
C'est pour le mieux …	*It's for the best …*
Pour le meilleur et pour le pire …	*For better and for worse …*

Lire 8 Choisissez le bon mot.

1 Il vaut **meilleur / mieux** faire des études supérieures.
2 Les immigrés sont **de pire en pire / de mieux en mieux** éduqués.
3 Ils peuvent postuler à un **mauvais / meilleur** poste.
4 Dans le passé, **la plus mal / la pire** des choses c'était d'arriver sans diplôme.
5 Les conditions de vie étaient **meilleures / mauvaises** dans le pays d'accueil.
6 Les systèmes éducatifs des pays d'origine sont **meilleurs / meilleures** qu'avant.
7 Le système d'immigration a également changé puisqu'il privilégie les personnes qui sont les **mieux / meilleur** qualifiées.

Parler 9 À deux, dites si vous êtes d'accord avec ces personnes. Justifiez vos réponses.

Arielle: *Si on est immigré, on a tendance au début à se regrouper souvent entre personnes d'une même communauté pour s'entraider. C'est une bonne chose!*

Didier: *Les immigrés devraient adopter les coutumes du pays où ils veulent vivre. C'est particulièrement vrai pour la deuxième génération issue de l'immigration.*

Than: *En tant qu'immigré, il est essentiel de participer à la vie communautaire dès le début.*

Angela: *Il faut absolument que les immigrés parlent la langue du pays où ils s'installent.*

Ibrahim: *Les immigrés doivent soutenir l'équipe de foot de leur pays d'accueil et non pas celle de leur pays d'origine.*

Fodé: *Les immigrés doivent respecter les valeurs de leur patrie d'adoption.*

Je ne suis pas (entièrement) d'accord avec vous
tout à fait d'accord, d'autant plus que …
d'accord pour dire que …
de cet avis. D'ailleurs …

Je suis d'un avis contraire
Je ne partage pas votre avis
Je proteste
Je n'admets pas que …
Je ne parlerais pas de …

Contrairement à vous, je pense que …
Puis-je exprimer mon désaccord?

You need to express your disagreement politely but firmly. Explain **why** you disagree with a certain point of view. It is not enough simply to say 'I don't agree'.

Écrire 10 Répondez en français à une des questions suivantes. Écrivez entre 240 et 270 mots.

1 Regardez cette image. Racontez l'histoire de ces deux jeunes gens.
2 Continuez cette histoire en utilisant les temps du passé ou du futur.
Je suis arrivé(e) tard le soir. Le lendemain, la ville me paraissait tellement grande que j'ai eu peur tout de suite. Je voulais absolument rentrer chez moi, mais comment?
3

> Vous voulez voyager et travailler à l'étranger pendant un an? Rejoignez notre équipe dynamique et enseignez l'anglais à des gens qui en ont besoin!

Préparez votre candidature à ce poste.

When writing a creative essay, it is essential that you devise a clear structure and that you use language which is both accurate and complex. Do not fall into the trap of thinking a creative essay is easier than a discursive essay.
Make a proper plan and include structures to impress your teacher.

t Parler de l'usage et du trafic de drogue

g Le plus-que-parfait

s Utiliser le bon registre

8 · En finir avec la drogue

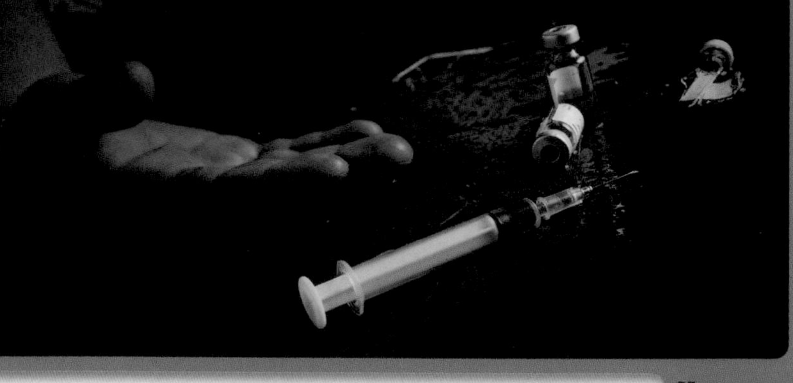

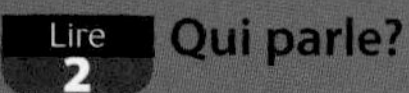

Lire 1 **Dans les propos ci-contre, trouvez l'équivalent de ces expressions idiomatiques:**

1 to lose control
2 hypocritical
3 drug addict
4 consumption
5 hell
6 faded away
7 leave me alone
8 to cough one's lungs up
9 thrown out of my flat
10 I didn't have a penny left

Lire 2 **Qui parle?**

1 Acheter de la drogue? Ça va pas la tête, je ne veux pas gaspiller mon argent!
2 Je consomme des drogues douces, mais jamais de drogues dures.
3 Je ne supporte pas les effets du haschisch, je préfère rester maître de moi-même.
4 Mon père et moi, on ne partage pas la même définition de la dépendance.
5 La drogue, c'était une solution immédiate à tous mes problèmes.

à l'examen

Use the correct register for your work. Who is your audience? You will not write an article in the same way you write emails or text messages, and you will not speak to an examiner like you talk to your friends. The oral exam is a formal discussion.

Impress the examiner by using idiomatic expressions in your work, but don't use slang.

Je ne supporte pas l'idée de perdre le contrôle de moi-même. Si toi, tu as décidé de te droguer, c'est ton problème, mais lâche-moi les baskets. Pour moi, la drogue c'est «non merci».

Vanessa, 17 ans

Quand papa fume quarante cigarettes par jour et qu'il crache ses poumons le matin, je me dis qu'il est hypocrite de me traiter de toxicomane parce que je fume parfois un joint le week-end.

Paul, 17 ans

Je ne sais pas très bien pourquoi mes parents s'inquiètent de ma consommation de hasch. On se retrouve parfois le samedi avec des copains, on fume un joint et on regarde une vidéo. Mais je ne toucherai jamais à l'héroïne ou à quoi que ce soit d'autre. Je ne suis pas stupide!

Mathieu, 17 ans

On était en train de me jeter de mon appartement. Je ne savais pas où aller. Je n'avais plus un sou. L'enfer quoi. J'ai volé une carte de crédit. Grâce à elle, j'ai pu acheter quelques doses d'héroïne. Juste après l'injection, tous mes problèmes se sont évanouis. La vie m'a paru simple et facile. Plus rien d'autre ne comptait que ce sentiment de calme et sécurité. L'ennui, c'est que ça n'a pas duré…

Tina, 19 ans

Je trouve que se droguer est complètement idiot. Je préfère garder mon argent pour autre chose. Inutile d'insister.

Max, 18 ans

Lire 3 **Traduisez ce que dit Mathieu en anglais.**

When you are translating, be precise. Don't move too far from the French, take great care to translate only what is there, but do make things sound idiomatic in English and make sure that what you are writing makes sense. Look at the meaning of phrases or groups of words and also the meaning of the whole sentence. Pay attention to tenses, articles and negatives.

On était **en train** de me jeter … ***I was being thrown out*** *of …*

→ The passive works better in English. The nuance of **en train** is translated by a past continuous.

Je **n'**avais **plus** un sou. *I did**n't** have **a** penny **left**.*

J'ai volé une carte de crédit. Grâce à **elle**, j'ai pu … Plus rien d'autre ne **comptait**.
***I stole** a credit card. Thanks to **it** … Nothing else **mattered**.*

→ **elle** refers to the credit card, so use *it*.
→ Use the correct past tense (perfect tense for actions, imperfect tense for description, atmosphere, feelings).

Écouter 4 **Écoutez cet entretien avec Maryse à propos de sa fille Karine, puis répondez à ces questions en anglais.**

1 Why did Maryse go to the parents group?
2 What does Maryse say about Karine's addiction?
3 What was the relationship between Maryse and Karine like before Maryse went to the group?
4 How did Maryse's approach change after attending the group?
5 What did Maryse's husband wish to do?
6 Why did Maryse resist this?
7 What has been the outcome for Karine?

Écrire 5 **Mettez les verbes entre parenthèses au plus-que-parfait.**

1 Karine (**essayer**) de décrocher mais elle (**rechuter**).
2 Elle (**ne pas entrer**) dans un centre de désintoxication.
3 Elle (**se mettre à**) voler.
4 Si Maryse (**donner**) de l'argent à Karine, elle aurait acheté de l'héroïne.
5 Le père de Karine en (**avoir**) assez.
6 Maryse et son mari (**ne jamais imaginer**) qu'ils se trouveraient dans une telle situation.

Grammaire

Le plus-que-parfait (*the pluperfect tense*)

The pluperfect refers to an action which precedes another action or event in the past.

Use the imperfect form of the auxiliary verb (**avoir** or **être** as appropriate) + and the past participle.

passer	aller	s'installer
j'avais passé	j'étais allé(e)	je m'étais installé(e)
il/elle/on avait passé	il/elle/on était allé(e)	il/elle/on s'était installé(e)
ils/elles avaient passé	ils/elles étaient allé(e)(s)	ils/elles s'étaient installé(e)(s)

It is often used in a **si** clause as follows: **Si** + pluperfect, conditional perfect
Si je l'**avais mise** à la porte, elle **se serait retrouvée** en marge de la société.

Lire 6 **Complétez le texte avec les mots de la liste. Attention, il y a deux mots de trop.**

Une large majorité d' **1** __________ ne consomment jamais de drogues. Parmi ceux qui en **2** _________, la quasi-totalité use de drogues douces, et la plupart n'y recourt qu'une fois ou deux pour **3** ________.

D'une manière générale, lorsqu'un adolescent consomme de la drogue, c'est pour les mêmes **4** _________ que celles qui incitent un adulte à fumer ou à boire: il veut avoir un sentiment de détente et diminuer ses inhibitions (**5** _______ sa **6** _______ par exemple ou diminuer ses angoisses). Certains adolescents touchent à la drogue pour tester leurs limites. D'autres **7** _________ vivre quelque chose d'illégal, donc d'excitant … Beaucoup ne savent pas **8** _______ à la pression des copains. Un petit nombre consomme de la drogue pour explorer de **9** ___________ sensations et connaître ses effets sur leur **10** _____ et leur psychisme.

raisons vaincre corps rejeter inconvénients essayer souhaitent timidité adolescents prennent résister nouvelles

Parler 7 **À deux, décidez si ces jeunes sont pour ou contre la dépénalisation de certaines drogues. Avec qui êtes-vous d'accord?**

Fichier Edition E-mail Communiquer Services Sécurité Fenêtre Mot-clé Déconnexion Aide
Lire Ecrire AIM SMS Chat Sécurité Aide Styles
Accueil Rechercher Favoris
Bienvenue

Christophe: Si le marché de la drogue était légal, on pourrait plus facilement le surveiller.

Laëtitia: Si on avait dépénalisé le cannabis il y a quelques années, on n'aurait pas enfermé autant de consommateurs dans la délinquance et mis dans le même sac les usagers occasionnels et les grands toxicomanes.

KitKat: On commence par les drogues douces, et puis on passe aux drogues dures … La dépénalisation de l'usage, mais surtout de la vente de drogues douces pourrait avoir des conséquences graves pour notre société.

Titouche: Les peines de prison pour les consommateurs de drogues ne sont pas une solution, il faut s'attaquer à la source.

Toria: D'accord, le trafic de drogue entraîne de la délinquance, mais je ne vois pas comment la dépénalisation du cannabis améliorerait la situation.

Suzie: Notre société est trop laxiste, il faut enfermer tous les drogués, les dealers, du plus petit trafiquant au plus gros bonnet.

Maria: Pour une poignée de dollars, des jeunes filles jouent le rôle de «mule», elles risquent leur vie en avalant des capsules pleines de drogue pour passer les frontières. Si la vente était autorisée et régulée, on ne mettrait plus leurs vies en danger.

Écouter 8 **Écoutez ces cinq autres jeunes parler du même sujet. Qui est contre?**

Faut-il dépénaliser l'usage des drogues douces? Êtes-vous pour ou contre la légalisation du cannabis?

Exprimez votre point de vue à ce propos (environ 100 mots).

le trafic/la vente/l'usage de drogue
dépénaliser/légaliser/condamner/punir
donner une amende/envoyer en prison
forcer à faire une cure de désintoxication

- **t** Examiner la prison et les peines alternatives
- **g** Le conditionnel
- **s** Adopter une position

9 · La prison, seule option?

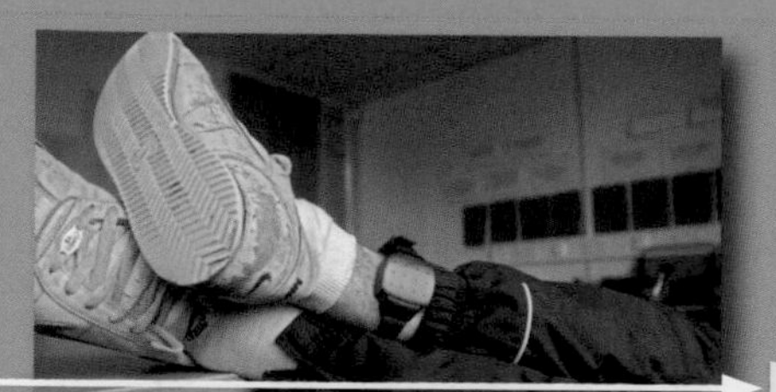

Parler 1 **À deux, décidez pour chaque délit de la punition adéquate.**

Prenons par exemple … → pour ce crime une punition adéquate serait …

- un meurtre/un assassinat/un homicide
- un vol
- une agression
- un acte de délinquance mineur
- un acte de vandalisme
- le trafic de drogue
- la consommation/la vente de drogue
- un cambriolage/un braquage
- une fraude
- un détournement de fonds
- des violences sexuelles

- une amende
- un bracelet électronique
- une peine de prison ferme
- une peine de prison avec sursis
- une peine de substitution
- un séjour dans un centre de semi-liberté
- l'hospitalisation en hôpital psychiatrique
- des TIG (Travaux d'Intérêt Général)
- la réclusion à perpétuité

Écouter 2 **Écrivez la lettre de l'expression qui convient le mieux pour compléter les phrases.**

1 Avant Rémy …
  - **a** méprisait les dealers.
  - **b** consommait et revendait de la drogue.
  - **c** passait son temps dans un centre de réhabilitation.

2 Après avoir été arrêté, Rémy …
  - **a** s'attendait à recevoir une peine de substitution.
  - **b** s'attendait à recevoir une amende.
  - **c** pensait qu'il irait en prison.

3 Rémy déclare que quand on se drogue …
  - **a** on est inconscient de ce qu'on fait.
  - **b** on sait exactement ce qu'on fait.
  - **c** on se sent très puissant.

4 Il avait également …
  - **a** volé des choses et agressé des gens.
  - **b** cambriolé des maisons.
  - **c** tué quelqu'un à coup de couteau.

5 Rémy est persuadé que si on accordait la même possibilité à d'autres …
  - **a** ils iraient tous à l'université.
  - **b** ils en tireraient profit aussi.
  - **c** ils récidiveraient tout de suite.

When you are having a debate with someone, listen carefully to their argument in order to find the counter-argument. Take time to phrase your response convincingly.

Parler 3 **À deux, considérez ces points de vue et dites si vous êtes:**

A tout à fait d'accord **B** d'accord dans une certaine mesure
C pas du tout d'accord

1 Si on utilisait des peines alternatives à l'emprisonnement, par exemple des peines de substitution, en milieu ouvert, des amendes, des travaux d'intérêt général, cela permettrait de réduire le nombre de détenus dans les prisons.

2 On devrait enfermer tous les délinquants. Ils doivent comprendre les conséquences de leurs actes, qu'en fin de compte ils sont responsables de leurs actions.

3 La prison devrait servir à dissuader, à neutraliser, à punir ou réhabiliter. En fait, elle fait souffrir, c'est tout …

4 La prison échoue à réhabiliter. Qui plus est, elle nourrit la criminalité. Si on donnait des peines de restitution par exemple des peines de travaux d'intérêt général, il y aurait moins de récidivisme.

5 J'éprouve beaucoup de frustration devant les décisions de justice. Je préférerais voir ces lourdes peines transformées en mesures de prévention et d'éducation des jeunes.

6 Les peines de substitution sont souvent considérées comme une marque de laxisme, mais le taux de récidive après ces peines est inférieur à celui observé après une peine de prison. On pourrait y recourir plus souvent.

7 Il faudrait enfermer les petits voyous et jeter la clé. Voilà!

8 À mon avis, on ferait mieux d'aider les jeunes à se réinsérer dans la société car pour l'instant l'incarcération ne sert qu'à augmenter la criminalité.

9 Certains pensent qu'un traitement sévère empêche les récidives. Pourtant, les études montrent que la plupart récidive après leur libération. Et en plus, l'incarcération nous coûte très cher. La meilleure solution serait de privilégier les peines de substitution.

10 La peine de mort existe toujours dans certains pays. On devrait la supprimer, c'est un crime contre l'humanité.

Lire 4 Trouvez dix exemples du conditionnel dans les opinions page 52. Traduisez les exemples en anglais.

Écrire 5 Écrivez les verbes entre parenthèses au conditionnel.

1 On croyait que le juge le (**condamner**) à trois mois de prison ferme.
2 Selon une source proche de l'enquête, ils (**abolir**) l'usage des bracelets électroniques l'année prochaine.
3 On dit que vous lui (**rendre**) visite au parloir tous les mois.
4 Le juge a dit qu'il (**demander**) une peine de réclusion à perpétuité.
5 Grâce aux empreintes digitales, on (**savoir**) déjà qui est le coupable.
6 Selon une source, les criminels (**se cacher**) à l'étranger.

Écrire 6 Traduisez ces phrases en français.

A lot of people would prefer to give alternative punishments. They think that there would be less reoffending. The number of detainees would be reduced. These people believe that we would do better to try to rehabilitate delinquents. But some people think we should lock them up and throw away the key. According to them, if we locked all the delinquents up, they would understand the consequences of their acts.

Grammaire

Le conditionnel (*the conditional*)

It usually translates as *would* … and refers to events that are not certain to occur. To form it, take the future tense stem of the verb and add the imperfect tense endings.

je -ais	nous -ions
tu -ais	vous -iez
il/elle/on -ait	ils/elles -aient

They would like → to lock up: enfermer → future stem: enfermer → + *they* ending **-aient** = conditional: **ils enfermeraient**

Remember many common verbs have irregular future stems.
aller/j'**ir**ais, avoir/j'**aur**ais, être/je **ser**ais, faire/je **fer**ais, pouvoir/je **pourr**ais, falloir/il **faudr**ait, vouloir/je **voudr**ais, devoir/**je devr**ais

Watch out! **on devrait** = *we should/ought to*
on pourrait = *we could*

The conditional is often used:
- in **si** clauses. **Si** + imperfect tense, conditional
  Si on **rétablissait** la peine de mort, cela **irait** à l'encontre des droits de l'homme.
- for allegations, or for information that is not confirmed in news reports for example.
  La police **pense** qu'il **serait** à la tête de ce gang.

Parler 7 Lisez cet article et adoptez une position. Rédigez votre opinion à l'écrit puis faites un débat en classe.

La prison sans barreaux

En Corse, une prison à ciel ouvert, unique en Europe, accueille des détenus presque tous condamnés pour viol, pédophilie ou inceste.

Vous êtes au centre de détention de Casabianda, à 70 kilomètres de Bastia. Une prison unique en Europe dont les détenus sont à 81% des délinquants sexuels.

Ici on peut faire de la planche à voile, du VTT et même du golf. Pour l'administration pénitentiaire, Casabianda est une prison modèle qui contrebalance l'image des prisons françaises, vétustes et surpeuplées. Pour d'autres, en accordant un régime de faveur à ceux que la société considère comme des monstres, Casabianda est une aberration.

Les 194 cellules sont individuelles. Ce sont les détenus eux-mêmes qui ferment leur porte, avec la clé qu'ils gardent en permanence autour du cou.

à l'examen

When you are taking a clear stance, you need to be fairly categorical. Prepare strong arguments with justification and use phrases showing how convinced you are.

C'est une évidence
Il est évident que …
Il est clair que …
C'est irréfutable/indiscutable
Ceci est indéniable/incontestable
Ce qui est certain, c'est que …
Sur ce point, je suis formel(le).
Cela va de soi
Cela crève les yeux

La pauvreté et la précarité *Poverty and precariousness/insecurity*

un chef d'entreprise	*company director*
un salarié	*employee*
un fossé	*gap*
un indicateur	*indicator*
un écolo	*eco-freak*
le compte en banque	*bank account*
le pouvoir d'achat	*buying power*
le commerce équitable	*fairtrade*
le loyer	*rent*
le troisième âge	*the elderly*
l'épanouissement	*fulfilment*
les deux roues	*two-wheel*
les sans-abri, les SDF	*homeless people*
les privilégiés	*the privileged*
les retraités	*pensioners*
les analphabètes	*illiterate people*
les clochards	*tramps*
les ivrognes	*drunkards*
les demandeurs d'emploi	*job seekers*
les ménages	*households*
la chaleur	*heat*
la société de consommation	*consumer society*
la croissance	*growth*
la jet-set	*jet-setters*
la pauvreté, la misère	*poverty*
la liste d'attente	*waiting list*
la notoriété	*fame*
la réinsertion	*rehabilitation*
la précarité, l'instabilité	*insecurity*
l'exclusion	*exclusion*
l'expulsion	*eviction*
l'addition	*bill*
les inégalités	*inequalities*
les bouches d'aération	*air vents*
indésirable	*undesirable*
inhumain	*inhuman*
révoltant	*unfair, disgusting, outrageous*
inacceptable	*unacceptable*
récompensé	*rewarded*
scandaleux	*outrageous*
indéniable	*undeniable*
inconcevable	*inconceivable*
obsédé (par)	*obsessed (by)*
libre	*free*
dépendant	*dependent*
branché	*trendy*
démuni	*deprived*
vétuste	*run-down*
sinistré	*victim of a disaster*
valide	*able-bodied*
ambitieux	*ambitious*
constraint	*forced to*
provisoire	*temporary*
piégé	*trapped*
désespéré	*in despair, hopeless*
vulnérable	*vulnerable*
indigne	*unacceptable*
sinon	*otherwise*
forcément	*necessarily*
lorsque	*when*
supprimer	*to remove*
arroser	*to water/to hose*
traiter comme du bétail	*to treat like animals*
atteindre	*to reach*
avouer	*to admit*
donner le vertige	*to make you feel dizzy*
mettre en colère	*to make someone angry*
arriver à	*to manage, to succeed*
nourrir	*to feed*
contribuer	*to contribute*
joindre les deux bouts	*to make both ends meet*
changer les mentalités	*to change attitudes*
entretenir un rapport sain avec	*to maintain a healthy relationship with*
critiquer	*to criticise*
mendier, faire la manche	*to beg*
avoir les moyens de	*to be able to afford, to have the means to*
expulser	*to evict*
marginaliser	*to marginalise*
ignorer	*to ignore*
gêner	*to embarrass*
pêcher	*to fish*
rapporter	*to bring in money*
manger à sa faim	*to eat one's fill*
se débarrasser	*to get rid of*
se donner la peine de	*to go to the trouble of*
s'investir	*to put a lot of oneself into*
s'enrichir	*to become rich*
se remplir les poches	*to line one's pockets*
se faire remarquer	*to draw attention to oneself*
se ruiner	*to lose everything*

Aides et allocations — *State Benefits*

un camion, un fourgon	*a truck, a van*
un moyen	*a means, way*
le soutien	*support*
le bénévolat	*voluntary work*
le SMIC	*guaranteed minimum wage*
le RMI	*minimum benefit*
le logement social	*social housing*
les bénévoles	*voluntary workers*
les colis alimentaires	*food parcels*
les revenus	*wages*
la solidarité	*solidarity*
la fraternité	*fraternity, friendship*
les allocations, les aides sociales	*state benefits*
les associations	*organisations*
fonder	*to create, found*
garantir	*to guarantee, ensure*
recueillir des fonds	*to collect money*
accueillir	*to welcome*
lutter, combattre	*to struggle against*
régler le problème	*to solve the problem*
avoir recours à	*to resort to*
avoir la force de	*to have the strength to*
avoir de la peine à	*to struggle to*

La délinquance — *Delinquency*

un ressentiment	*resentment, bitterness*
le cadre de vie	*environment*
le taux	*rate, level*
le facteur	*factor, consideration*
l'ennui	*boredom*
l'échec scolaire	*underachievement, failure at school*
l'entretien	*maintenance*
les chiffres clés	*key figures*
une zone	*an area*
la ghettoïsation	*ghettoisation*
la rénovation	*revitalisation, renovation*
les statistiques	*statistics*
les difficultés d'insertion	*integration problems*
les ressources	*financial resources*
frappé	*stricken*
perplexe	*baffled*
mis à l'écart	*put aside*
défavorisé	*disadvantaged*
issu de	*coming from*
voire	*or even*
respecter	*to respect*
hériter	*to inherit*
laisser qqn sans voix	*to leave someone speechless*
éprouver un sentiment d'injustice	*to feel a sense of injustice*
toucher	*to affect*
avoir tendance à	*to tend to*
avoir de mauvaises fréquentations	*to keep in bad company*
se méfier de	*to be wary of, not to trust*
surmonter un obstacle	*to overcome an obstacle*

Les crimes et les délits — *Crimes and offences*

un meurtre, un assassinat	*a murder*
le vol	*theft*
le viol	*rape*
le recel	*handling stolen goods*
le vandalisme	*vandalism*
le cambriolage, le braquage	*robbery*
l'abus de confiance	*breach of trust*
les dégradations	*damage, deterioration*
les stupéfiants	*drugs*
une agression (au couteau)	*an assault, attack (stabbing)*
une interpellation	*an arrest, a questioning*
la fraude	*fraud*
la violence (envers)	*violence (towards)*
la délinquance juvénile	*juvenile delinquency*
la pédophilie	*paedophilia*
la torture	*torture*
l'infraction	*offence, violation*
l'escroquerie	*fraud*
les agressions sexuelles	*sexual assaults*
arrêté pour coups et blessures	*arrested for assault and injury*
mis en cause, suspecté	*suspect*
grave	*serious*
voler	*to steal*
commettre un crime	*to commit a crime*
récidiver	*to reoffend*

Les peines — *Punishment, sentence*

un bracelet électronique	*electronic tag*
un établissement pénitentiaire	*prison, penal institution*
le casier judiciaire	*criminal record*
le parloir	*visitors' room*
les TIG	*community work*
une peine de prison	*prison sentence*
une peine alternative	*an alternative sentence*
une mesure éducative	*educational measures*
une amende	*a fine*
une cellule	*a cell*
la prison ferme/avec sursis	*prison sentence with no remission/suspended sentence*
la réclusion à perpétuité	*life sentence*
la peine de mort	*death penalty*
la réinsertion	*rehabilitation*
mis à l'épreuve	*on probation*
condamné à	*convicted, sentenced to*
en garde à vue	*in custody*
derrière les barreaux	*behind bars*
mettre sous les verrous	*to send behind bars*
enfermer	*to lock up*
dissuader	*to dissuade, to put off*

Les émeutes — *Riots*

un affrontement	*confrontation, clash*
le bilan	*report, assessment, toll*
le niveau	*level*
L'état d'urgence	*state of emergency*
l'absentéisme	*truancy*
l'ordre public	*law and order*
les mineurs	*people under 18*
les services de police	*police services*
les pouvoirs publics	*the authorities*
les pompiers	*firemen, fire brigade*
les voyous	*thugs, delinquents*
une bande, un gang	*a group, a gang*
une vague de violence	*wave of violence*
la gendarmerie	*police*
la municipalité	*city council*
la racaille (fam)	*scum*
la veille	*day before*
la reconnaissance	*recognition*
la couverture médiatique	*media coverage*
les institutions, les autorités	*institutions, authorities*
électrocuté	*electrocuted*
réputé	*renowned/reputable*
pourri (fam)	*rubbish (fam)/rotten*
effrayant	*frightening, alarming*
lamentable	*deplorable*
cagoulé	*wearing a balaclava, a hood*
sans précédent	*unprecedented*
au sein de	*within*
en quête, à la recherche (de)	*in pursuit of, seeking*
brûler	*to burn*
rétablir le calme	*to restore order*
déployer	*to deploy*
mener (à)	*to lead (to)*
traîner	*to hang around*
attiser les flammes	*to stir up, to fuel*
faire l'amalgame	*to lump together*
bosser/glander (fam)	*to work hard/to muck around*
s'étendre	*to spread*
s'apaiser	*to calm down*
s'aggraver	*to deteriorate*
s'étonner	*to be surprised*
s'en sortir	*to make it through, get out of it*

Une affaire — *A case*

un rapport	*report*
un porte-parole	*spokesperson*
le témoin	*witness*
les experts	*experts*
les coupables	*culprits*
une enquête	*inquiry*
une injure	*insult*
la condamnation	*conviction*
les victimes	*victims*
tenace	*persistent*
voilé	*veiled*
soupçonné	*suspected*
interpellé	*taken in for questioning*
poursuivi	*prosecuted*
puni par la loi	*punished by the law*
en toute impunité	*with impunity*
porter plainte	*to file a complaint*
condamner	*to convict, to punish*
appréhender	*to arrest*
relâcher	*to release*

Une société multiculturelle *Multicultural society*

un atelier	*workshop*
un immigré	*immigrant*
un autochtone	*native*
un génocide	*genocide*
un stéréotype	*stereotype*
le mélange	*mix*
le brassage	*intermingling*
le métissage	*mix of different races*
le malaise	*malaise/uneasiness*
l'antisémitisme	*anti-semitism*
l'esclavage	*slavery*
les préjugés	*prejudice*
les Français de souche	*French born and bred*
une campagne	*campaign*
une minorité ethnique	*ethnic minority*
la dignité	*dignity*
la beauté/la laideur	*beauty/ugliness*
la citoyenneté	*citizenship*
la nation	*nation*
la discrimination raciale	*racial discrimination*
la xénophobie	*xenophobia*
la diversité culturelle	*cultural diversity*
la tolérance/l'intolérance	*tolerance/intolerance*
l'égalité	*equality*
étranger	*foreign*
remarquer	*to notice*
mériter	*to deserve*
humilier	*to humiliate*
embellir	*to improve*
enrichir	*to enrich, to enhance*
combattre	*to fight*

Émigration, immigration, intégration *Emigration, immigration, integration*

un réfugié politique	*political refugee*
un demandeur d'asile	*asylum seeker*
le pays d'accueil/d'origine	*host/home country*
une communauté	*community*
la patrie	*motherland*
la fuite des cerveaux	*brain drain*
la candidature	*application*
qualifié	*qualified*
dès	*from*
contre son gré	*against one's will*
demeurer	*to remain*
parler la langue	*to speak the language*
privilégier	*to favour, to give priority to*
s'installer	*to settle*
s'intégrer	*to integrate*
s'affirmer	*to assert oneself*
se sentir en sécurité	*to feel safe*

L'usage et le trafic de drogue *Drug use and trafficking*

un toxicomane	*drug-addict*
un dealer, un gros bonnet	*drug dealer, a top man*
un joint, une dose	*joint, a hit*
le haschich, le cannabis	*hashish, cannabis*
le trafic de drogue	*drug trafficking*
l'enfer	*hell*
une mule	*drug mule, smuggler*
la consommation	*consumption*
la dépendance	*dependency, habit*
les drogues douces/dures	*soft/hard drugs*
laxiste	*relaxed*
ne pas supporter	*to not be able to stand*
rester maître de soi	*to remain in control*
toucher à l'héroïne	*to use heroin*
décrocher	*to give up*
faire une cure de désintoxication	*to be in rehab*
légaliser, dépénaliser	*to legalise, to decriminalise*
risquer, mettre en danger	*to risk, to put in danger*
s'évanouir	*to faint*
se mettre à	*to start*

Épreuve orale

Once you have chosen the issue to be debated in the first part of your A2 oral examination, it is time to prepare your **introduction** in which you can immediately show that you have done some **wide reading** and have gained an **awareness of the issue and its implications** and in which you can put forward some of your arguments to **make clear what standpoint you are adopting**.

- Make sure your introduction does not exceed **1 minute**.
- Prepare the **introduction in note form**. If you write out the whole introduction and learn it off by heart, it may sound over-prepared and if you lose your way in such a rehearsed presentation, it is often difficult to regain your composure.
- **Do not give away all your arguments immediately.** Concentrate on one or two main ones.
- Work from your notes to practise delivering a **natural-sounding** presentation.
- Ensure you state your point of view clearly.

Écouter 1 **Écoutez et complétez les notes de ce candidat qui se prépare à argumenter en faveur du rétablissement de la peine de mort.**

- un attentat, un meurtre
- la peine de mort, la peine capitale
- une forme de dissuasion
- une peine alternative
- inhumain, cruel
- commettre un crime
- faire une erreur judiciaire
- récidiver
- être présumé innocent
- être sûr de soi
- exécuter (par injection/par pendaison/par électrocution)
- œil pour œil, dent pour dent

Lire 2 **Lisez ces arguments pour et contre la peine de mort. Lesquels de ces arguments un candidat qui est en faveur de la peine capitale pourrait-il utiliser?**

1 Une personne qui a commis un crime affreux mérite la mort aussi, œil pour œil, dent pour dent.
2 Si on tue un meurtrier, on est coupable du même crime que lui.
3 Les peines alternatives ne sont pas efficaces. En prison on mène la belle vie et il est possible de s'évader.
4 On ne peut pas être 100% certain que la personne est coupable.
5 La prison à perpétuité est une punition plus insupportable.
6 C'est une forme de dissuasion. Dans les pays où la peine capitale existe, il y a moins de crimes.
7 La famille de la victime a le droit de voir le meurtrier mourir.
8 On ne veut pas la justice, on veut se venger.
9 Une erreur judiciaire est toujours possible. Dans ce cas-là on ne peut pas réparer la faute.
10 Cela coûte trop cher de garder quelqu'un en prison à perpétuité.
11 Personne n'a le droit de prendre une vie. C'est Dieu qui donne la vie, seul Dieu peut l'ôter.
12 Il n'est pas nécessaire de garder quelqu'un en prison pendant des années.

Parler 3 **À deux. Trouvez d'autres arguments que vous pourriez utiliser lors d'un débat sur la peine de mort.**

Écouter 4 **Écoutez l'introduction de ce nouveau débat.**

1 Quel est le sujet du débat?
2 Quel est le point de vue du candidat?
3 Que devrait dire l'examinateur pour exprimer le point de vue contraire?
4 Quels autres arguments (pour et contre) pourrait-on utiliser?

In the introduction, the continuing debate and, indeed, throughout the test, you will need, above all, to express your opinions.

- Continue to use familiar expressions such as **je pense, je crois, à mon avis.** However, to gain higher marks for quality of language, try and use more sophisticated expressions, and make sure that you do not use any expression more than once.
- To get variety, learn other debating and discussion expressions.
- Practise using them naturally by incorporating them appropriately into what you say.

Parler 5 **À deux, assurez-vous que vous connaissez les expressions ci-dessous. Chacun votre tour, utilisez l'une de ces expressions pour formuler un argument sur l'un des sujets de débats mentionnés. Votre adversaire doit essayer de contrer votre argument.**

Pour ou contre la vidéosurveillance?

Pour ou contre la chasse au renard?

Pour ou contre l'Internet?

Pour ou contre les cours de langues obligatoires au collège?

POUR OU CONTRE LES VOLS À BAS PRIX?

Exemple:
- ● **Incontestablement** il est nécessaire de contrôler le nombre de renards, parce qu'ils nuisent au travail des fermiers.
- ■ **Certainement, mais** la chasse n'est pas le meilleur moyen de le faire.

À mes yeux
En ce qui me concerne
Incontestablement
Je considère que
J'estime que
J'ai le sentiment que
Je suis (intimement) convaincu/persuadé que
Je partage l'opinion selon laquelle
Je ne suis pas le/la seul(e) à penser que
Il me paraît évident que
Il me semble que
Il est manifeste que
Tous ces facteurs semblent indiquer que

Je vois ça autrement
Je trouve surprenant/scandaleux que
Je ne suis pas d'accord avec
Je vous concède que … mais …
Je doute que
Il est inexact de dire que
Il n'a pas été démontré que
On a tort de croire que
Certains exagèrent quand ils affirment que
D'autres vont trop loin en disant que
Vous oubliez peut-être que
Admettons que … il faut prendre en compte …
Permettez-moi de rétorquer que …

Écrire 6 **Pour chaque argument de l'exercice 2 avec lequel vous êtes d'accord, écrivez une phrase incluant l'une des expressions ci-contre. Vérifiez que votre argument est solide et contient un exemple.**

Make your arguments more effective by using illustration and quoting examples. Learn suitable phrases to introduce your illustration, such as those given on the right.

… est le parfait exemple de …
… en est la preuve
on peut donner comme exemple …
À titre d'exemple je citerais …
Prenez par exemple …
En effet …
… illustre parfaitement ce que je viens de dire
… montre à quel point cela est vrai
Du point de vue de …
Au cours de mes recherches/lectures
D'après les résultats d'une étude que j'ai lus
Récemment j'ai entendu à la radio
J'écoutais un podcast sur … quand j'ai entendu

Épreuve écrite

The first exercise on the A2 writing paper, to which you should devote about 30 minutes, will consist of a short translation of roughly 80 words from English into French. This will **test your knowledge of straightforward vocabulary** and **your ability to apply the rules of French grammar** which you have learnt. There will be a chance for you to show mastery of the items you learnt and practised in your AS year of study and grammatical points which are considered more appropriate to A2 will also feature highly.

- **Translate accurately the *meaning* of the passage.** Avoid losing marks by not rendering the sense of the entire passage into French.
- Do not alter the wording of the original passage.
- Do not attempt to make a literal word for word translation but convey the meaning of every single word.
- Use French idioms to produce the most **fluent**, accurate rendering you can.
- Be on the lookout for misleading vocabulary items between the two languages.

Lire 1 **Étudiez les copies de ces trois étudiants différents. Laquelle est la meilleure? Corrigez-la.**

I have lived in this village for more than two years, but when I was younger, I lived in the suburbs of a big city. Obviously there are fewer shops here but the little supermarket next to the school provides the inhabitants with all they need

Copie A

J'ai habité dans ce village pour plus que deux ans mais il y a beaucoup de temps j'ai demeuré dans les banlieues d'une grande cité. Obvieusement il y a moins de magasins ici mais le petit supermarché près du college fournit les inhabitants avec tous ce qu'ils ont besoin de

Copie B

J'habite dans ce village depuis plus de deux ans mais quand j'étais plus jeune j'habitais dans la banlieu d'une grande ville. Èvidemment il y a moins de magasins ici mais le petit supermarché à côté de l'école fournit aux habitants tout ce dont ils ont besoin

Copie C

J'habbite dans cet village pendant plus que deux ans mais quand j'étais plus jaune j'habbité dans les banlieux d'une grand ville. Evidentement il y ont moins de boutiques ici mais la petite supermarché à côte de l'école fournissent les habitants avec leurs besoins

Learn from the idiomatic French you encounter to produce natural, correct translations.

1 Read the whole passage through carefully.

2 Make notes of any difficulties before attempting a translation.

3 Look to see if there is any unknown or difficult vocabulary and use the context and grammatical knowledge to work it out.

4 Decide if the nouns are masculine or feminine, singular or plural, this in turn could affect the adjectives.

5 Identify which tense each verb should be in and what the subject of the verb is.

Lire 2 **Pour noter la traduction, le texte est divisé en petites sections. Il faut que toute la section soit correcte pour avoir le point. Quelle note aurait chacune de ces copies?**

I have lived / in this village / for / more than / two years / but when I was younger / I lived / in the suburbs / of a big city /. Obviously / there are fewer shops here / but the little supermarket / next to the school / provides / the inhabitants with / all / they need …

After the translation task, you need to write an essay. Decide which type of writing you are going to do: a creative or discursive essay.

If you choose creative writing, you have three possibilities:

1 give an imaginative reaction to a picture

2 write a story by continuing a short extract

3 or write a newspaper article based on a given headline.

Whichever you choose:

- Creative doesn't mean surreal and far-fetched! Write a plausible account with a sensible outcome.
- It's easy to go over the limit when carried away by your creativity, count your words! Maximum 270 words!

Écrire 3 **Traduisez le texte en suivant les conseils.**

Question 1

Translate the following passage into French.

When I was young, I lived in the suburbs of a large town in the north of the country but now my wife and I have a little house near the coast which I prefer. Last night I heard on the television that there had been a violent riot in the place where I used to live. A large crowd of young people threw stones, burnt cars and attacked shopkeepers. Although the situation is now calm, the police think that the protesters will again be on the streets this evening.

The picture stimuli usually include a central character or several characters involved in a variety of situations.

- You could write an account in the third person or you might pretend to be one of the people involved.
- While planning your response think about the picture in French. In order to do this, ask yourself questions about the picture in French.
- Formulate the answers to your questions in note form, then build these notes into a full answer.

Parler 4 **Regardez cette image et répondez aux questions.**

1 Où cette scène se passe-t-elle?
2 Quand?
3 Qui est cette personne? Que fait-elle?
4 Qu'est-ce qui s'est passé juste avant cette scène? Pourquoi?
5 Que va-t-il se passer dans les dix prochaines minutes?
6 Qu'est-ce que le personnage va devenir?
7 Quels obstacles lui faudra-t-il surmonter à l'avenir?

In **the continuation of a story** you must continue in a similar style and sustain the atmosphere already created but you have more freedom to imagine the characters and scenario. You can also reuse the same set of questions to help you as in exercise 4 to come up with your scenario.

Make up the narrator, your characters, e.g. male, female, young, old.

Take note of the tense. How is it best to go on?

J'ai hésité un moment devant cette porte. J'ai respiré profondément plusieurs fois, j'ai boutonné ma veste et, d'une main tremblante, j'ai ouvert la porte.

Think of ways to maintain the initial atmosphere and how to make it evolve.

Identify key words or elements, e.g. buttoning up a jacket = a formal or serious situation.

Écrire 5 **Écrivez la suite de cette histoire. Basez votre essai sur ce plan ou inventez votre propre histoire.**

- *Jeune immigré sud-américain.*
- *Au commissariat de police.*
- *Appelé pour un entretien avec un policier.*
  Se sentir mal à l'aise.
  Entrer dans la pièce.
  Deux policiers derrière un bureau. Description.
- *Tremble, en sueur.*
- *Dialogue. Situation sérieuse dans le quartier. Trafic de drogues avec l'Amérique du Sud. Plusieurs personnes suspectées, arrêtées. La police a besoin d'un interprète. Invité à participer à ce travail difficile. Invitation acceptée. Sortir du bureau. Attendre avant d'éclater de rire.*
- *Dernière ligne : c'est moi le chef de la bande de trafiquants!*

Try to add a little twist to your story to interest your reader!

In **the newspaper account based on a headline** a sub-heading may give a little more detail. The question will probably concern an incident of the sort which would feature in a newspaper.

- No-one expects you to be able to write like a professional journalist but try to capture the tone of a typical newspaper report.
- Include eye-witness accounts where appropriate.
- Set the scene in a detached, matter of fact way.

Écouter 6 **Écoutez la description de cet incident qui a été diffusé à la radio. Prenez des notes pour établir les faits. Écrivez une version pour un journal.**

Vol à main armée près de l'Hôtel de Ville à Paris

Une employée de banque complice des braqueurs

Module 3 · objectifs

t Thèmes

- Examiner la pauvreté dans le monde
- Parler de la transmission du sida et des campagnes de prévention
- Parler d'un conflit mondial
- Comprendre la Résistance en France
- Parler d'un génocide
- Parler de l'immigration et des sans-papiers
- Débattre du dopage dans le sport
- Parler de la technologie et du futur

g Grammaire

- Les verbes impersonnels
- Le discours indirect
- Le verbe **devoir**
- Les expressions avec **avoir**
- Le conditionnel passé
- La voix passive
- La position des adjectifs
- Les pronoms indéfinis

S Stratégies

- Comment analyser et évaluer
- Écrire une brochure
- Écrire un article de journal
- Rédiger des fiches de recherche ou de révision
- Améliorer sa prononciation
- Écrire une histoire
- Analyser une image
- Prendre parti et défendre son point de vue
- Demander des explications, des précisions
- Réfuter un argument
- Peser le pour et le contre, évaluer les avantages et les inconvénients
- Écrire un essai (2)

- e Examiner la pauvreté dans le monde
- g Les verbes impersonnels
- s Comment analyser et évaluer

1 · Survivre avec moins d'un euro par jour

Écouter 1 **Écoutez ce reportage sur la pauvreté dans le monde. Complétez les phrases selon le sens du passage.**

1 Il y a 20 ans, il y avait …
- **a** plus de personnes considérées comme très pauvres.
- **b** le même nombre de personnes considérées comme très pauvres.
- **c** moins de personnes considérées comme très pauvres.

2 Une personne est considérée comme très pauvre …
- **a** lorsqu'elle gagne moins de vingt et un euros par jour.
- **b** lorsqu'elle gagne moins de dix euros par semaine.
- **c** lorsqu'elle gagne moins d'un euro par jour.

3 Les pays riches n'aident …
- **a** pas du tout les pays pauvres.
- **b** pas vraiment les pays pauvres.
- **c** jamais les pays pauvres.

4 800 milliards d'euros par an …
- **a** sont dépensés par les pays pour les forces militaires.
- **b** sont consacrés au développement des pays pauvres.
- **c** sont consacrés au développement de l'Éthiopie.

5 En Chine et en Asie, la pauvreté …
- **a** est stable.
- **b** est en hausse.
- **c** est en baisse.

6 En Afrique, les pauvres sont …
- **a** de moins en moins nombreux.
- **b** de plus en plus nombreux.
- **c** deux fois plus pauvres qu'il y a 20 ans.

1 **La moitié des deux millions d'habitants de Port-au-Prince vivent en dessous du seuil de pauvreté.** L'absence de services et d'infrastructures de base les empêche de participer à la vie publique. **Les jeunes de ces bidonvilles, en particulier, n'ont qu'un accès limité aux opportunités sociales et éducatives et aux possibilités d'emploi.**

Pour répondre à ces problèmes, l'Unesco a lancé plusieurs projets d'amélioration des espaces publics. Dans le cadre de ces programmes, les jeunes reçoivent une formation d'artisan et de chef de projet dans des domaines tels que le travail du bois, le travail du métal et l'utilisation du ciment. **De nombreux jeunes étant illettrés, une solution innovante a été élaborée sous la forme de vidéos d'une durée de 15 minutes**, diffusées aux exclus au moyen d'une unité mobile de projection.

2 **L'Organisation mondiale de la santé (OMS) estime à 20 millions le nombre d'enfants souffrant en permanence de malnutrition aiguë sévère.** Chaque année la malnutrition est à l'origine de la moitié des décès des enfants de moins de cinq ans.

Dans les pays en développement, 146 millions d'enfants de moins de cinq ans ont un poids insuffisant, soit un enfant sur quatre. Soixante millions d'enfants de moins de cinq ans souffrent d'émaciation (près d'un enfant sur dix).

L'Asie du Sud, le Sahel, la corne de l'Afrique sont les régions où la malnutrition et la mortalité infantile sont les plus alarmantes. La moitié des décès d'enfants de moins de cinq ans dans les pays en développement a lieu dans ces régions.

3 **Chaque année les maladies liées à l'eau insalubre et au manque d'hygiène provoquent huit millions de morts.** C'est la première cause de mortalité au monde.

Choléra, typhoïde, hépatite … Ces maladies hydriques provoquent une véritable hécatombe silencieuse particulièrement dans les pays confrontés à une urgence humanitaire. **La diarrhée, qui se traite facilement chez nous, tue à elle seule 1,8 million d'enfants par an.**

Solidarités lutte quotidiennement contre ce fléau dans une quinzaine de pays avec des spécialistes de l'eau et de l'assainissement, des hydrauliciens, des logisticiens, avec le concours de son organisation et de ses partenaires.

En effet, aujourd'hui encore, 1,2 milliard d'êtres humains n'ont pas accès à l'eau potable et 2,6 milliards n'ont pas accès aux conditions élémentaires d'hygiène. Face à ce défi, nous sommes tous concernés.

le seuil	*threshold*
le bidonville	*shanty town*
aigu	*acute*
insalubre	*unsanitary*
une hécatombe	*tragedy, mass murder*
un fléau	*scourge*

Lire 2 **Quelle image pour quel texte?**

When you are doing an exercise such as exercises 1 or 2, there may well be statistics that you could use in your oral exam or in an essay. Find a place to note information that you can use.

Lire 3 **Copiez et remplissez ce tableau en français.**

	Thème?	Problème?	Affecte qui/où?	Cause?	Solution?
1	*Pauvreté*				
2					
3					

Écrire 4 **Traduisez en anglais les phrases en gras dans les articles.**

Lire 5 **Reliez les moitiés de phrase et traduisez les phrases ainsi obtenues en anglais.**

1 En ce qui concerne le projet Unesco, il s'agit de …
2 Puisque beaucoup de jeunes sont analphabètes, il suffira …
3 Il faut trouver …
4 Il importe qu' …
5 Il faut absolument que …
6 Il vaut mieux travailler …

a … une solution au problème de la malnutrition.
b … on mette fin à ce fléau.
c … l'accès à l'eau potable soit universel.
d … de leur montrer la vidéo pour qu'ils comprennent l'essentiel.
e … avec les spécialistes sur place.
f … former les jeunes.

Grammaire

Les verbes impersonnels (*impersonal verbs*)

These verbs exist only in the **il** form. They are generally translated by *it*.

- They can be followed by a noun
  - s'agir de — **Il s'agit** de **la pauvreté** dans le monde.
  - suffir de — **Il suffira** d'**un don** de la part de tous les pays.
- an infinitive verb
  - suffir de — **Il a suffi** d'**éduquer** les populations locales.
  - valoir — **Il vaudrait** mieux les **former** que leur donner de l'argent.
  - falloir — **Il fallait trouver** une solution.
- or **que**
  - importer — **Il importe que** les pays riches aident les pays pauvres.
  - falloir — **Il aurait fallu qu'**on intervienne plus tôt.

Parler 6 **Classez ces opinions selon leur importance pour vous. Comparez votre choix avec celui de votre partenaire.**

1 Il est urgent de fournir des médicaments.
2 Il est capital que tous les enfants puissent aller à l'école.
3 Il est important d'assurer l'accès à l'eau potable à tout le monde.
4 Il est essentiel de construire des hôpitaux.
5 Il faudrait envoyer des équipes de médecins.
6 Il vaudrait mieux éduquer les populations des pays défavorisés.

Écrire 7

Écrivez 200 mots au sujet de la pauvreté dans le monde.

Rédigez quatre paragraphes:

1 la pauvreté
2 la malnutrition
3 l'accès à l'eau potable
4 la course à l'armement

Dans chaque paragraphe, mentionnez qui est affecté et où, quelles sont les causes du problème et précisez s'il existe des solutions.

When you are speaking and especially when you are writing at this level, it is important to avoid narrating or describing. Rather, you should seek to

- **analyse**: consider in detail, identify essential features such as **origins, causes, consequences**.
- **evaluate**: judge or determine the **significance** of something.

It is the distinction between describing the situation and commenting on the situation. Use **facts** such as those you glean from exercise 1 and 2 **to back up your analysis**.

Description: Il y a beaucoup de pauvreté dans le monde.

Analysis: La pauvreté est toujours un problème mondial. Aujourd'hui, 1,1 milliard de personnes pauvres vivent avec moins d'un euro par jour. Ceci est inacceptable.

- t Parler de la transmission du sida et des campagnes de prévention
- g Le discours indirect
- s Écrire une brochure

2 · Halte au sida!

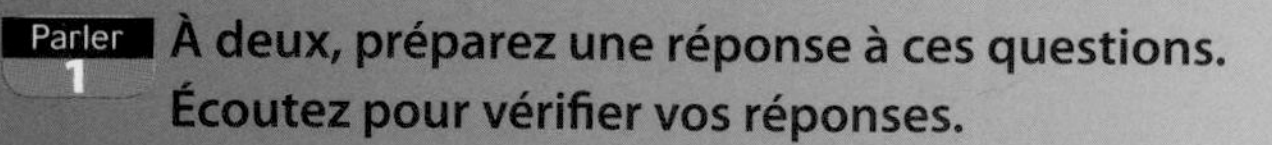

Parler 1 **À deux, préparez une réponse à ces questions. Écoutez pour vérifier vos réponses.**

Vous êtes au courant? À votre avis, c'est vrai ou faux?

1 Il n'existe pas de vaccin contre le sida.
2 Le VIH est la conséquence de la maladie du sida.
3 Dans le monde, une personne meurt des conséquences du sida toutes les 10 minutes.
4 Dans le monde, une personne est contaminée par le VIH toutes les 6 secondes.
5 Plus de 33 millions de personnes sont infectées par le virus du sida dans le monde.

Écouter 2 **Remplissez les blancs.**

Le VIH se transmet via **1** ______ et les fluides corporels, généralement sur une période de trois à dix ans, causant le syndrome d'immunodéficience acquise, ou sida.

2 __________ de transmission du VIH sont les suivants:

- La transmission sexuelle reste la plus fréquente. De plus, **3** _______ de transmission sexuelle est d'autant plus important quand le partenaire est à un stade évolué de la maladie.
- La transmission sanguine peut s'effectuer chez **4** ________________ (partage et réutilisation de seringues contaminées) Elle peut également survenir lors de **5** ____________ ou de piqûre accidentelle (chez le personnel médical).
- La transmission **6** ___________. Elle peut s'effectuer lors de **7** __________ et/ ou au cours de l'accouchement et au cours de l'allaitement maternel.

Aujourd'hui on peut traiter le sida par **8** _______________ de trois antirétroviraux (on parle de trithérapie).

1 «Chacun d'entre nous est concerné directement ou indirectement par le sida», admet **la ministre sud-africaine de la Santé**.

2 «En Afrique du Sud, le sida touche un adulte sur cinq ou 5,3 millions de personnes», confirme **Peter De Greeff**.

3 «Les orphelins du sida seront près de 2 millions en 2010», affirme **Kevin Kelly**. «Ces données ne sont pas chiffrables, pourtant ce sont presque les pires», ajoute-t-il.

4 **Aminata Faye** annonce: «Il faut barrer la route au VIH. L'Occident riche et instruit a réussi à stopper la progression du sida.» Elle ajoute: «La contamination de la mère à l'enfant, par exemple, n'existe plus en Europe. En Afrique, des milliers d'enfants naissent avec le VIH.»

5 **Le porte-parole de Médecins Sans Frontières** déclare à la presse: «Avec près de 40 millions de personnes séropositives estimées dans le monde, le VIH/sida continue de faire des ravages particulièrement dans les pays d'Afrique subsaharienne, qui concentrent une très large majorité des décès et des nouvelles infections.»
«Chaque jour le VIH infecte plus de 6 800 personnes dans le monde et plus de 5 700 personnes meurent du sida, essentiellement parce qu'elles n'ont pas un accès adéquat aux services de prévention et de traitement de l'infection VIH», précise-t-il.
«En 2006, MSF a traité plus de 178 000 patients atteints du VIH/sida et fourni des antirétroviraux à plus de 88 000 personnes», ajoute-t-il.

Lire 3 **Terminez ces phrases en anglais.**

1 In South Africa, Aids affects …
2 In 2010 … will number nearly 2 million.
3 Contamination from mother to child …
4 HIV/Aids continues its devastation, particularly …
5 Every day, HIV…
6 In 2006 MSF treated …

Grammaire

Le discours indirect (*reported speech*)

Just as in English, reported speech requires grammatical changes.

- Personal pronouns and possessives change.
- Tenses change in the subordinate clause. The sequence of tenses is the same as in English.

Main verb	Tense of the verb in direct speech	Tense of the verb in reported speech
1 PRESENT TENSE e.g. elle dit que …	NO CHANGE	NO CHANGE
2 PAST TENSE e.g. elle a dit que …	present or imperfect	imperfect
	perfect or pluperfect	pluperfect
	future or conditional	conditional
	subjunctive	subjunctive

- In questions, **est-ce que** → **si**; otherwise interrogative pronouns are retained.
- Time references change accordingly: **aujourd'hui** → **ce jour-là**, **demain** → **le lendemain**

Écrire 4 **Réécrivez les propos ci-contre au discours indirect.**
Exemple: *La ministre sud-africaine de la Santé a admis que chacun d'entre nous …*

It can be useful to use indirect speech when reporting facts or quoting people in your essays.

Lire 5 **Lisez la fin de cette chanson du groupe FFF et répondez aux questions en anglais.**

1 What is the song about?
2 What frame of mind is the person in at first?
3 What frame of mind is the person in when he/she gets the results?
4 What does he/she mean by the last sentence?

Ce soir j'ai fait le test
Je me fous de tout le reste
Pour nous j'ai fait ce geste
Mais la peur se manifeste
On ne badine pas avec la mort
Mis à mort …
Alors docteur?
Redites-le-moi encore!
Ouais!
Je ne badine plus avec la mort

badiner = plaisanter, prendre à la légère

Écrire 6 **Écrivez une brochure pour exposer les faits essentiels en ce qui concerne le sida et pour donner des conseils généraux. Il faut inclure les points suivants:**

Le sida, t'es au courant?

- Le sida, qu'est-ce que c'est?
- Comment attrape-t-on le sida?
- Combien de personnes sont affectées par le sida?
- Peut-on guérir du sida?
- Que peut-on faire pour stopper la progression du sida?

Parler 7 **Débat en classe. Préparez votre point de vue.**

Êtes-vous pour ou contre l'installation de distributeurs de préservatifs dans les toilettes (des garçons et des filles) dans les collèges et les lycées?

le sida/le VIH	sous-estimer les risques
le préservatif	éliminer les comportements à risque
le symptôme	ne pas relâcher la vigilance vis-à-vis du VIH
la maladie	se protéger
la prévention	se procurer
la révolution sexuelle	se mobiliser contre
la lutte contre le sida	être vigilant/responsable/ autonome
l'abstinence	mieux vaut prévenir que guérir
l'éducation sexuelle	
attraper	
contaminer	
transmettre	

- t Parler d'un conflit mondial
- g Le verbe **devoir**
- s
  - Écrire un article de journal
  - Rédiger des fiches de recherche ou de révision

3 · La seconde guerre mondiale

La France et la Grande-Bretagne s'engagent à respecter les populations civiles... L'ALLEMAGNE LES BOMBARDE

DERNIÈRE ÉDITION

Paris-soir

LUNDI 4 SEPTEMBRE 1939 — DERNIÈRE ÉDITION — 50 cent.

LA GUERRE EST DÉCLARÉE

L'Angleterre depuis ce matin 11 heures
La France depuis cet après-midi 5 heures
sont entrées en état de guerre avec l'Allemagne

Elles n'avaient reçu aucune réponse du Führer à l'ultime démarche qu'en plein accord elles avaient effectuée séparément à Berlin

La France commande...

Depuis onze heures aujourd'hui la guerre est déclarée. La France et la Grande-Bretagne ont tout fait pour épargner au monde cette immense catastrophe. Mais la folie sanguinaire du maître de l'Allemagne l'a voulu. Son monstrueux orgueil, son aveuglement insensé précipitent l'Europe dans le sang. Peu lui importe la mort et la souffrance de millions d'êtres humains; certain d'être

Le délai français a expiré à 17 heures

DE SON BUREAU DE DOWNING STREET

M. N. Chamberlain s'est adressé au peuple britannique :

Écrire 1 **Traduisez ce texte en anglais. Essayez d'abord sans dictionnaire.**

were supposed to — only

Les traités signés après la guerre de 1914–1918 devaient assurer une paix durable en Europe, mais n'ont instauré qu'un équilibre précaire.

Choisissant le parti de la guerre et misant sur la passivité de la France et de la Grande-Bretagne, Hitler entreprend, en Europe, les conquêtes nécessaires à l'expansion allemande, entraînant alors le monde dans la tourmente du conflit.

Le 3 septembre 1939, la Grande-Bretagne et la France entrent en guerre contre l'Allemagne qui, deux jours plus tôt, a envahi la Pologne. La seconde guerre mondiale vient d'éclater.

present participles ...-ing — has/have just

- Make sure you understand the passage fully before starting. The passage has to be in good English but don't stray from the original meaning when making it sound natural. Look at phrases rather than individual words.
- When you are talking about historical events, you can either use a past tense or a historic present. The important thing is to make a choice and be consistent.

Écrire 2 **Complétez les phrases avec la forme correcte de devoir.**

1. On _____ respecter les morts de la deuxième guerre mondiale. (*should*)
2. Les soldats _______ se battre dans des conditions affreuses. (*had to*)
3. Mon grand-père ________ partir au front. (*had to*)
4. Il m'a raconté que certains soldats _______ être envoyés au combat car ils étaient trop jeunes. (*shouldn't have*)
5. Les résistants cachés dans le grenier ________ faire de bruit. (*were not supposed to*)
6. Nous ______ visiter le Mémorial de Caen cet été. (*are to*)

Grammaire

Devoir

The use of **devoir** is quite nuanced. Impress the examiner by showing you can switch confidently from one meaning to the other, in different tenses.

- Les traités **devaient** assurer une paix durable. (*were supposed to*).
- Les Britanniques **ont dû** lutter seuls. (*had to*)
- La France **n'aurait pas dû** accepter la défaite, ni l'occupation. (*should not have accepted*)
- Nous ne **devrions** jamais oublier la Seconde Guerre mondiale. (*should*)
- Mon grand-père **a dû** avoir peur. (*must have been*)
- **Je dois** visiter le Mémorial de Caen cet été. (*I am to*)

La seconde guerre mondiale: dates clés

3 septembre 1939	Déclaration de guerre de la Grande-Bretagne et la France à l'Allemagne
avril–juin 1940	Invasion de l'Europe occidentale par Hitler
mai 1940	Invasion de la France
22 juin 1940	Armistice signé à Rethondes, Régime de Vichy
août–octobre 1940	Bataille d'Angleterre
22 juin 1941	Invasion de l'Union soviétique par Hitler
7 décembre 1941	Attaque de Pearl Harbour par les Japonais
6 juin 1944	Les Alliés débarquent en Normandie (jour J)
30 avril 1945	Hitler se suicide
8 mai 1945	Capitulation de l'Allemagne, fin des hostilités en Europe
6 août 1945	Destruction d'Hiroshima par une bombe atomique
9 août 1945	Destruction de Nagasaki
14 août 1945	Fin de la guerre
24 octobre 1945	Création de l'ONU
20/11–30/09 1945	Le procès de Nuremberg (jugement des crimes de guerre et des crimes contre l'humanité)

Parler 3 **À deux.**

- Regardez les événements importants de la seconde guerre mondiale.
- Utilisez les informations et le vocabulaire donnés pour les résumer.
- Votre partenaire doit déterminer si c'est vrai ou faux, et dans ce cas pourquoi. Exemple:

● *Premièrement, le 3 septembre 1940, la Grande-Bretagne et la France déclarent la guerre à l'Allemagne, ensuite la France est envahie en mai.*

■ *C'est faux: premièrement, la Grande-Bretagne et la France déclarent la guerre à l'Allemagne en septembre 1939 et ensuite, en 1940, la France est envahie.*

Premièrement	En … de la même année
Ensuite	L'année suivante
Par la suite	Trois ans plus tard
Peu de temps après	

Écouter 4 **Écoutez cette femme parler des difficultés de la vie quotidienne en France pendant la guerre. Que dit-elle au sujet …**
1 du drapeau tricolore? 2 de sa maison? 3 de la nourriture? 4 du charbon?

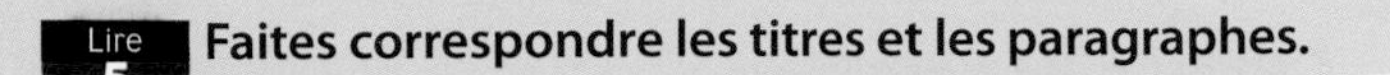

Lire 5 **Faites correspondre les titres et les paragraphes.**

A Le général de Gaulle rejoint Londres pour poursuivre la lutte avec les Britanniques. Le 18 juin, il appelle les Français à la résistance et fonde le mouvement de la France libre.

B À Londres, en Égypte, en Afrique noire, le général de Gaulle parvient à regrouper des volontaires qui, dès décembre, sont au combat contre les forces de l'Axe.

C En juin 1940, la France connaît l'un des pires moments de son histoire. C'est le début du déferlement des troupes allemandes sur le sol français et des milliers de civils se retrouvent sur la route pour fuir l'envahisseur.

D Le 10 juillet, la France vaincue se donne un nouveau régime politique. Le Sénat et la Chambre des députés, réunis à Vichy, donnent tous les pouvoirs au maréchal Pétain.

E La seconde guerre mondiale est une véritable catastrophe pour l'humanité. Jamais une guerre n'a été aussi destructrice.

F Grâce à Pétain, Hitler espère conserver hors du conflit une France qui dispose encore d'un empire colonial et d'une puissante flotte de guerre. L'armistice prévoit une ligne de démarcation entre une zone occupée par l'armée allemande et une zone libre.

If you choose to study a historical period, learn the essential facts: dates, people involved, the causes and the consequences. Try also to set the events in a global context.

Écouter 6 **Écoutez et remplissez les blancs de ces textes.**

Le maréchal Pétain (1856–1951)

À 84 ans, le héros de Verdun devient président du Conseil le 16 juin 1940. Dès le 17, il demande à l'armée française de **1** _______. Chef de l'État français à partir du 10 juillet, il profite de la défaite et de **2** _______ pour installer un régime politique autoritaire à l'opposé des **3** ___________.

Pétain et ses chefs de gouvernement acceptent de **4** _________ avec les Nazis. C'est avec zèle que **5** ________ de Vichy se lance dans la chasse aux juifs et aux résistants.

Charles de Gaulle, général et homme d'État (1890–1970)

Sous-secrétaire à la Défense en juin 1940, il refuse **1** _________ et lance, de Londres, un appel à **2** _________ la guerre contre **3** ________. Soutenu par Churchill, puis par Staline à partir de 1942 mais tenu en suspicion par Roosevelt, il n'en conquiert pas moins l'hégémonie sur **4** _________, qui lui donne la présidence du Gouvernement provisoire de la **5** ____________ en août 1944.

Écrire 7 **Faites des recherches afin d'obtenir les informations clés sur la France pendant la seconde guerre mondiale. Puis utilisez ces informations pour écrire un article de journal sur le bilan de la guerre pour la France.**

Fiche de révision n°1: La France pendant la seconde guerre mondiale
- *dates et événements clés: …*
- *personnages clés: …*
- *bilan de la guerre (nombre de victimes, morts, traumatisme, dommages matériels): …*
- *économie et politique: …*
- *espoirs: …*
- *doutes: …*

Get into the habit of taking notes when reading books or searching the internet. This will help you enormously when you come to prepare a presentation or an essay on a topic.

Écrire 8 **Croyez-vous que la guerre soit un bon moyen de résoudre les conflits entre nations? Justifiez votre opinion. Écrivez entre 250 et 270 mots.**

t Comprendre la Résistance en France
g Les expressions avec **avoir**
s • Améliorer sa prononciation
• Écrire une histoire

4 · L'Armée des ombres

i Culture

Après l'armistice de 1940 la France a été divisée en deux zones: le Nord occupé par l'Allemagne et les Nazis, et la zone libre, au sud, où siège le régime collaborationniste de Vichy avec le maréchal Pétain comme chef du gouvernement.

De Londres, Charles de Gaulle a convié tous les Français à s'unir dans des actes de Résistance contre l'occupant.

Lire 1 **Associez les verbes et les expressions. Décidez lesquelles de ces actions sont des actes de résistance.**

1 participer	a des journaux clandestins
2 distribuer	b des cartes de rationnement
3 faire évader	c des faux papiers ou des bombes
4 unifier	d à un sabotage de pont
5 déporter	e dans la milice
6 s'engager	f des prisonniers de guerre
7 transmettre	g des juifs dans un camp
8 fabriquer	h des informations
9 cacher	i des réseaux de résistance
10 voler	j des résistants

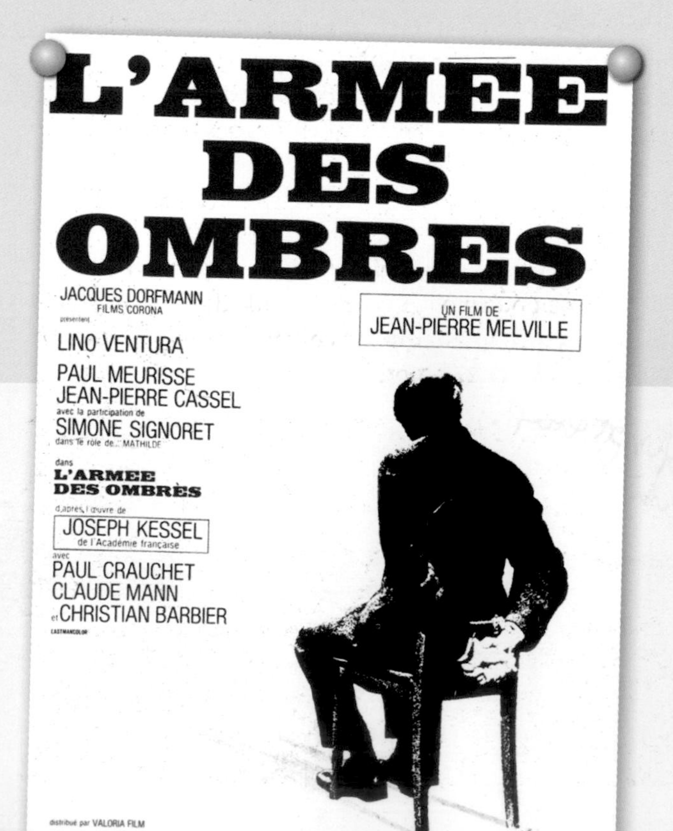

L'Armée des ombres

20 octobre 1942, en France occupée, Philippe Gerbier, soupçonné de pensées gaullistes, est arrêté. Il réussit à s'échapper et retourne à Marseille où est basé le réseau qu'il dirige.

Le bras droit de Gerbier, Félix Lepercq, a identifié le traître qui avait dénoncé son chef. Avec l'aide de Guillaume Vermersch «Le Bison», Félix et Gerbier conduisent le traître dans une maison de Marseille pour l'y exécuter. Ils y retrouvent Claude Ullmann dit «Le Masque», un jeune résistant. Gerbier ordonne à ses hommes de l'aider à étrangler leur captif.

Marqué par l'exécution, Félix s'arrête dans un bar où il rencontre un ancien camarade, Jean-François Jardie. Jean-François accepte l'offre de Félix d'entrer dans la Résistance. Lors de sa première mission à Paris, il fait la connaissance de Mathilde, qui est un membre important du réseau. Sa mission accomplie, Jean-François rend une visite surprise à son frère aîné Luc, qui est philosophe.

Gerbier prépare avec Félix son voyage au quartier général de la France Libre à Londres. Il doit embarquer de nuit dans un sous-marin anglais. Gerbier informe Félix que le chef de leur groupe, dont l'identité est un secret, sera lui aussi du voyage. Jean-François conduit le Grand Patron jusqu'au sous-marin, puis retourne à terre sans jamais avoir vu son passager. Ce n'est que lorsque celui-ci est à bord que nous découvrons que le Grand Patron est en fait son frère.

À Londres, Gerbier et Jardie sont reçus par Charles de Gaulle. Gerbier doit écourter son séjour lorsqu'il apprend l'arrestation de Félix par la Gestapo. Pendant son absence, Mathilde avait pris le commandement. Lorsqu'elle apprend que Félix est détenu par la Gestapo à Lyon, elle met au point un plan d'évasion. Il faut prévenir Félix pour garantir le succès du plan. Jean-François décide de se dénoncer à la Gestapo par lettre anonyme. Ainsi Jean-François se fait arrêter et est jeté dans la même cellule que Félix, qui est dans un état critique.

Écouter 2 **Écoutez ce reportage sur *L'Armée des ombres*, un film sur la Résistance. Répondez aux questions.**

1 What was the reaction to Jean-Pierre Melville's film when it came out?
2 What picture of the Resistance does *L'Armée des ombres* paint?
3 Which acts of resistance are mentioned?
4 What fate do they face if caught?
5 How does the film start and end?
6 How does the film differ from *Saving Private Ryan*?
7 For what reasons might people betray their comrades?
8 What does Melville say about the film?

Prononciation

Pay particular attention to making these sounds French:
-tion, -sion, -ou, -u, -ure, im-, in-, -ure, -gn.

Déguisée en infirmière militaire allemande, Mathilde se présente en ambulance à la prison, avec un ordre contrefait pour le transfert de Félix à Paris. Le médecin de la prison déclare Félix intransportable. Jean-François a tout vu. Il a sur lui une pilule de cyanure et l'offre à Félix pour lui permettre de se suicider.

Gerbier est à son tour pris par la Gestapo. Remis aux Allemands, il est conduit dans le long couloir d'un champ de tir, où un officier SS leur explique la règle du jeu: au signal de l'officier, les prisonniers doivent courir aussi vite que possible vers le fond du champ de tir. Quiconque atteint le mur vivant le restera. Gerbier refuse d'abord de courir mais change d'avis. Au moment où les soldats ouvrent le feu, l'équipe de Mathilde extrait Gerbier de justesse. Le Masque le conduit ensuite dans une ferme abandonnée.

Gerbier reçoit la visite inattendue de Luc Jardie qui est venu chercher conseil auprès de lui après l'arrestation de Mathilde. La Gestapo lui donne le choix: ou Mathilde dit tout sur le réseau, ou bien sa fille sera envoyée en Pologne dans un bordel pour soldats revenus du front russe. Quelques jours après, le 23 février 1943, comme elle le faisait souvent, Mathilde marche dans une rue de Paris, lorsque Jardie et ses hommes s'approchent dans une voiture allemande. Le Bison la tue et prend la fuite.

Le film s'achève sur une série de plans annonçant la fin tragique des quatre hommes: «Claude Ullmann, dit «Le Masque», eut le temps d'avaler sa pilule de cyanure, le 8 novembre 1943. Guillaume Vermersch, dit «Le Bison», fut exécuté dans une prison allemande le 16 décembre 1943. Luc Jardie mourut sous la torture le 22 janvier 1944 après avoir livré un nom: le sien … Et le 13 février 1944, Philippe Gerbier décida, cette fois-là, de ne pas courir.»

Lire 3 **Lisez ce texte. Puis répondez à ces questions en anglais.**

1 Who was Gerbier's right hand man?
2 Where did Félix meet Jean-François?
3 Why did Gerbier have to cut short his stay in London?
4 Why did Jean-François resign from the Resistance?
5 Why did Luc Jardie visit Gerbier?
6 In your view, should they have killed Mathilde?

Don't panic when you encounter longer text during your research. Break it down, look up words in dictionary, sometimes you don't need to look up all of them if you need only to get the gist of the text.

Grammaire

Les expressions idiomatiques avec *avoir* (*idiomatic expressions with* avoir)

There are many idiomatic expressions which use **avoir**. These expressions are often useful when you are giving details in a story.

avoir de la chance	avoir confiance en
avoir raison/tort	avoir peur/honte de
avoir besoin/envie de	avoir hâte de + inf
avoir l'impression de + inf	avoir beau + inf
en avoir ras-le-bol de	avoir lieu
n'avoir qu'à + inf	

Lire 4 **Traduisez ces phrases en anglais. Trouvez les huit phrases vraies.**

1 À Paris, Gerbier a eu l'occasion de s'échapper.
2 Luc Jardie avait hâte de quitter la France.
3 Jean-François Jardie en avait ras-le-bol de la Résistance.
4 Mathilde a l'intention de libérer Félix.
5 Mathilde a beau essayer de convaincre le médecin militaire, mais celui-ci répète que Félix est intransportable.
6 Gerbier a honte de courir.
7 Les membres du réseau avaient eu confiance en Mathilde.
8 Pour sauver sa fille, Mathilde n'a qu'à donner le nom de ses camarades résistants.
9 Mathilde avait l'habitude de se promener dans Paris.
10 L'exécution du Bison a eu lieu dans une prison allemande le 16 décembre 1943.

Parler 5 **À deux, discutez.**

- Pour quelles raisons les gens s'engageaient-ils dans la Résistance?
- Pourquoi d'autres ont-ils choisi de collaborer?
- Selon vous, comment était le quotidien des résistants?
- Quel était souvent leur destin?
- Qu'auriez-vous fait si vous aviez vécu à cette époque?

Écrire 6 **Vous êtes Philippe Gerbier dans une prison nazie. Écrivez pourquoi vous avez décidé de vous engager dans la Résistance plutôt que de collaborer avec l'occupant. Écrivez entre 250 et 270 mots.**

When writing a creative essay, take care to keep the level of your language up. Use varied and interesting vocabulary with a range of structures.

Practise writing descriptions and natural sounding dialogue.

Be imaginative but try not to be too surreal.

The text above gives us pointers:
- it is anchored in a period, there are many historical references;
- events are clearly ordered: **puis/lors de/lorsque/au dernier moment**;
- a range of tenses is used;
- there are lots of examples of relatives pronouns.

t Parler d'un génocide
g Le conditionnel passé
S • Analyser une image
• Prendre parti et défendre son point de vue

5 · Quand le monde tourne le dos …

Écouter 1 **Écoutez l'histoire du génocide au Rwanda et remettez ces événements dans l'ordre.**

1936 1962 1973 1990 1991 6/4/94 7/4/94 11/4/94 21/4/94 Mai 94 Juin 94 Juillet 94

19..	Cessez-le-feu
19..	Une révolution hutu engendre le massacre et la fuite des Tutsi.
19..	Les Belges en charge du Rwanda-Burundi introduisent des cartes d'identité pour différencier les Hutu des Tutsi.
../../..	Déjà des milliers de morts
19..	Le chef hutu s'empare du pouvoir.
... 19..	La Croix-Rouge Internationale estime que 500 000 Rwandais auraient été tués. On parle de génocide.
../../..	Le président est assassiné pour empêcher l'application des accords de paix. C'est le début du massacre des Tutsi.
19..	Les rebelles du FPR (principalement des Tutsi) envahissent le Rwanda.
../../..	La MINUAR est en observation.
... 19..	Le FPR s'empare de Kigali. Fin du génocide, bilan: 100 jours, 800 000 morts.
../../..	Retrait de la MINUAR par le Conseil de sécurité des Nations unies
... 19..	Déploiement des forces françaises

Culture

ONU: **O**rganisation des **N**ations **U**nies: créée en 1945 pour la sauvegarde de la paix et de la sécurité internationale.

MINUAR: Mission d'Assistance des Nations unies au Rwanda.

Écouter 2 **Écoutez et terminez ces phrases en utilisant les mots et expressions donnés.**

1. Le général Roméo Dallaire est allé au Rwanda pour commander …
2. Une fois sur place, il fut pris entre …
3. En moins de cent jours, la guerre au Rwanda allait faire …
4. Roméo Dallaire a commencé à écrire sur ce sujet après avoir attendu …
5. Dans *J'ai serré la main du diable*, il raconte …
6. Selon lui, la communauté internationale a …

la patrie	**plus de 800 000 morts**
les forces de l'ONU	**la Croix-Rouge**
une guerre civile	**3 millions de blessés et de réfugiés**
l'armée	**l'enfer**
sept ans	**tourner le dos**
la paix	**ses hommes**
un génocide	**le courage**

Grammaire

Le conditionnel passé (*the conditional perfect*)

Use it to talk about what would have happened. Use the conditional tense of the appropriate auxiliary + past participle.
j'aurais évité, tu aurais fait, ils auraient agi
elle serait parti**e**, nous serions mort**s**, elles seraient entr**ées**

- To make a supposition in the past use, **si** with the pluperfect (see p51) then the conditional perfect.
  Si l'ONU avait agi plus tôt, nous **aurions réduit** le nombre de morts.
- With **pouvoir** and **devoir** the conditional perfect translates differently:
  Nous **aurions dû** intervenir plus tôt.
  *We **should have** intervened sooner.*
  Nous **aurions pu** sauver plus de vies.
  *We **could have** saved more lives.*

Lire 3 **Cherchez cinq verbes au conditionnel passé. Traduisez-les. Trouvez leur infinitif et justifiez l'accord du participe passé.**

Aurions-nous pu éviter la reprise de la guerre civile et du génocide? En un mot, la réponse est oui. Si la MINUAR avait obtenu les faibles augmentations d'effectifs et de matériel militaires demandées durant la première semaine, aurions-nous pu stopper les exécutions? Oui, absolument. Y aurait-il eu davantage de pertes du côté de l'ONU? Oui, mais les soldats et les pays participants devraient être prêts à payer ce prix pour sauvegarder la vie humaine et les droits humains. Si la MINUAR 2 avait été déployée à temps et telle que requis, aurions-nous pu réduire la durée de la longue période des exécutions? Oui, nous les aurions arrêtées beaucoup plus tôt.

Je crois sincèrement que la pièce manquante du casse-tête fut la volonté politique de la France et des États-Unis. Sans aucun doute, ces deux pays détenaient la solution de la crise rwandaise.

Écrire 4 **Traduisez ce texte en français.**

I keep saying to myself "I could have done this, I could have done that." It's no use.

In an ideal world, the army would have arrived with the Red Cross. We would have welcomed them with open arms. If I had known what it would be like, perhaps I wouldn't have gone. We would not have seen such awful scenes. But soldiers should be ready to confront horror. If they (**on**) had sent us the necessary military material, we could have stopped the executions.

Brent et Stefan aperçurent les premières horreurs du massacre. De l'autre côté de la rue, en face de la mission, une allée entière était jonchée des corps de femmes et d'enfants. Brent et Stefan ont décidé de se rendre à l'église. Stefan est entré, pendant que Brent restait à la porte pour le couvrir et pour garder en vue leur véhicule blindé. Sous leurs yeux s'étalait une scène d'une incroyable abomination, la première scène du genre dont la MINUAR a été témoin: l'évidence d'un génocide, bien qu'à l'époque nous ne savions pas s'il fallait parler d'une telle atrocité. Dans les ailes et à l'intérieur des rangées de bancs se trouvaient les corps de centaines d'hommes, de femmes et d'enfants. Environ quinze d'entre eux étaient encore en vie, mais dans un état épouvantable. Les prêtres donnaient les premiers soins aux survivants. Pazik a trouvé les deux observateurs polonais. En état de choc et accablés, ils avaient du mal à raconter ce qui s'était produit. Le soir précédent, l'AGR avait encerclé le quartier. Puis la Gendarmerie était allée de porte en porte pour vérifier les identités. Tous les hommes, les femmes et les enfants d'origine tutsi avaient été rassemblés et envoyés à l'église. Leurs cris avaient alerté les prêtres et les observateurs de l'ONU, qui étaient arrivés en courant. Ceux-ci ont été capturés à la porte de l'église et poussés contre le mur, le canon d'un fusil contre leur gorge. Sous la menace, ils ont été forcés de regarder alors que les gendarmes ramassaient les papiers d'identité des adultes et les brûlaient. Puis les gendarmes ont laissé entrer un grand nombre de miliciens habillés en civil et portant des machettes, et ils ont remis les victimes aux mains des tueurs.

Avec beaucoup de rires et de vantardise, les miliciens ont avancé méthodiquement de famille en famille et les ont massacrées à coups de machettes. Quelques personnes sont mortes sur-le-champ, tandis que d'autres, avec des blessures horribles, suppliaient pour qu'on les laisse en vie, elles et leurs enfants. Aucun individu n'a été épargné. Les femmes ont été abominablement mutilées. Les hommes frappés à la tête mouraient immédiatement ou agonisaient dans des douleurs atroces. Les enfants suppliaient pour être épargnés, mais ils recevaient le même traitement que leurs parents. Il n'y eut ni pitié, ni compassion, ni hésitation. Les canons des fusils contre la gorge, leurs yeux pleins de larmes et les cris des mourants emplissant leurs oreilles, les prêtres et les observateurs suppliaient les gendarmes de laisser leurs victimes. Comme réponse, on les forçait avec le canon des fusils à relever la tête afin de mieux assister à la scène d'horreur.

Écrire 5 **Lisez ce témoignage de *J'ai serré la main du diable*.**

Selon vous, qui sont Brent et Stefan? Où sont-ils? De quels événements sont-ils témoins? Rédigez en anglais un article de journal qui résume cette scène de génocide. Racontez quelle aurait été votre réaction à la place de Brent et Stefan.

Parler 6 **À deux, analysez cette affiche pour la paix.**

Mark Harfield

À gauche/À droit/En haut/En bas
Au premier/deuxième plan, on voit…
L'œil est attiré par…
Selon les codes collectifs de la société, …
La colombe est le symbole de…
Le blanc est le symbole de…
Le noir représente…
La signification/le message de cette affiche

Parler 7 **Choisissez l'une de ces opinions et préparez vos arguments. Faites un débat en classe.**

When taking a stance, make your choice quickly. Think about your arguments and try wherever possible to include facts to justify your point of view.

Be prepared both to defend your opinion and to react to an opposing point of view.

« Les casques bleus jouent un rôle essentiel dans le monde en maintenant la paix et la sécurité internationale, et en protégeant la population civile en cas de conflit. »

« Les casques bleus ne servent pas à grand-chose. Prenons le cas du Rwanda par exemple. Ça coute énormément d'argent et ils n'ont pas beaucoup de pouvoir en fin de compte. »

- t Parler de l'immigration et des sans-papiers
- g La voix passive
- s Demander des explications, des précisions

6 · Un monde qui bouge

«L'immigration n'est pas un phénomène récent. Elle contribue souvent au développement économique. Voilà des siècles que les gens se déplacent de pays en pays pour trouver du travail. Les grands mouvements de populations ont plutôt été la règle dans l'histoire de l'Europe et ce brassage est une très bonne chose.»

Samir

«Beaucoup d'immigrés travaillent dur et envoient l'essentiel de leur salaire à leur famille restée au pays. Les sommes expédiées par les travailleurs immigrés représentent plus de deux fois la somme versée par les pays occidentaux pour aider le développement des pays les plus pauvres!»

Nastia

«Les gens qui viennent des pays pauvres ont la possibilité de s'enrichir plus vite dans les pays développés que dans leur pays d'origine. Ils constituent une main-d'œuvre qui accomplit des tâches que parfois les habitants des pays développés ne veulent pas entreprendre.»

Aurélie

«Il est impossible de faire face à l'arrivée de nouveaux immigrants et demandeurs d'asile. On ne peut plus les recevoir, il y a déjà trop de chômage en France, sans parler de la crise du logement. À mon avis, les immigrés et les demandeurs d'asile ne s'intéressent qu'aux différentes allocations qu'ils peuvent toucher.»

Antoine

«Le monde bouge de nos jours. Avec le programme Erasmus, les étudiants ont la possibilité de se promener partout en Europe. Ils ont accès aux bourses de mobilité européenne, ensuite ils peuvent décider s'ils veulent s'installer et travailler dans le pays où ils ont choisi de faire leurs études.»

Fatima

«Dans mon pays, ceux qui font la manche dans la rue, ce ne sont pas des immigrés. Chez nous les immigrés font tout pour trouver un travail, même au noir, pour enfin vivre normalement.»

Romain

Lire 1 **Qui parle? Écrivez le bon prénom.**

1 Qui estime que la mobilité des étudiants en Europe favorise l'immigration?
2 Qui croit que l'immigration a toujours existé?
3 Qui est de l'avis que les pays riches n'aident pas autant les pays pauvres que leurs émigrés?
4 Qui est persuadé(e) que les immigrés ne sont pas des mendiants et qu'ils veulent s'intégrer?
5 Qui considère que les pays riches ont besoin des travailleurs émigrés?
6 Qui est convaincu(e) que les immigrés veulent profiter des aides sociales en Europe?

Écouter 2 **Écoutez Kingsley Kum Abang parler de son histoire de clandestin. Répondez aux questions en anglais.**

Deux ans après sa traversée clandestine de l'Afrique subsaharienne puis de l'océan jusqu'en France, Kingsley, un jeune Camerounais de 24 ans, a interprété son propre rôle dans *Paris*, le film de Cédric Klapisch.

1 What was his job in Cameroon?
2 What was Kingley's ambition at the age of 16?
3 What was his impression of Europe?
4 How was he treated when he arrived?
5 Who helped him?
6 How did he find filming?
7 Where does he work now?
8 What does he say about his family in Cameroon?

Lire 3 **Complétez le texte avec les mots donnés (attention aux intrus!).**

Emploi et immigration: vers une convergence des pratiques en Europe?

Ce colloque a été **1** ________ par Brigitte Lestrade, professeure à l'université de Cergy-Pontoise. Une analyse de la place actuelle des **2** _______ dans le système productif national des pays européens sera **3** ________.

L'immigration est **4** ________ de façon de plus en plus négative dans la plupart des pays européens. En raison de la relation supposée étroite entre l'immigration et le marché du travail, l'arrivée des travailleurs migrants est souvent rendue **5** _________ de l'augmentation du chômage dans les pays d'accueil.

Depuis l'ouverture de l'union européenne aux pays d'Europe orientale, la peur d'un afflux massif d'une **6** ______ d'Europe de l'Est bien formée et très bon marché se développe. Dans le cadre d'une bonne conjoncture, les immigrés sont les **7** ________ pour combler les besoins en main-d'œuvre; en période de chômage et de récession, ils sont perçus comme une menace.

En raison du chômage et de la précarité que l'opinion publique associe à l'arrivée de travailleurs étrangers, la plupart des pays européens ont réduit ou vont réduire l'accès de **8** _________ migrants au marché du travail.

entreprise
responsable
bienvenus
organisé
nouveaux
immigrés
perçue
main-d'œuvre
étrangers
arrivée

Grammaire

Le passif (*the passive*)

Use it to focus on different aspects of an event, on the action itself or on the person or thing doing it.

active verb: the subject performs the action
passive verb: the subject is undergoing the action

	Subject	Verb	Object
(active)	Brigitte	a organisé	un colloque
(passive)	Un colloque	a été organisé	

Form the passive by using the appropriate tense of **être** + a past participle. The past participle must agree with the subject.

- present passive: Le colloque **est organisé par** Mme Lestrade. Mme Lestrade **est connue de** tous.
- perfect: Une conférence **a été organisée.**
- future: Une analyse **sera entreprise**.

The French often avoid using the passive when the action in the sentence is performed by a non-specific person:

- by using **on**, e.g. **On** va réduire l'accès de nouveaux migrants au marché du travail.
- by using a reflexive verb, e.g. La situation **s'explique** facilement.

Lire 4 **Trouvez cinq verbes à la forme passive dans l'article sur le colloque.**

Écrire 5 **Réécrivez ces phrases au passif.**

1. On a coupé beaucoup de scènes du film.
2. On a coupé la scène du naufrage par exemple.
3. Arrivé en France, des amis ont hébergé Kingsley.
4. Aux yeux de Kingsley, les pays occidentaux géreront toujours les pays d'Afrique.
5. La lecture des carnets de Kingsley aurait touché Cédric Klapisch.

Parler 6 **Vous allez participer à un colloque sur l'immigration. Préparez votre contribution. Faites un débat en classe. Au cours du débat, utilisez trois des phrases ci-contre pour demander des explications.**

Je n'ai pas saisi le sens de votre question
Je n'ai pas bien compris cet argument
Pouvez-vous m'expliquer … s'il vous plaît?
Pourriez-vous répéter/reformuler …?
Pourriez-vous me donner/citer un exemple précis?
Quand vous dites …, que voulez-vous dire exactement?
C'est-à-dire …?
… est-ce bien cela/correct?

le désespoir   la détresse   la double peine
fuir des conditions de vie affreuses
vivre dans la clandestinité
expulser
régulariser sa situation
obliger/contraindre
subvenir aux besoins de
être exploité/être traité comme
être en situation irrégulière
faire un mariage blanc
travailler au noir
appliquer/renforcer/changer la loi

- t Débattre du dopage dans le sport
- g La position des adjectifs
- s Réfuter un argument

7 · Héros des temps modernes?

Écouter 1 **Complétez ces notes sur les dates clés de l'histoire du Tour de France.**

1790	Premier vélo en ________
1855	Premier essai avec des ________
1869	Première course cycliste avec 100 concurrents
1888	Naissance du ________ en caoutchouc
1903	Premier Tour de France: ________ jours, ________ km
1905	Premières étapes de ________
1919	Premier maillot ________
1930	Premières ________ nationales
	Première caravane ________
____	Premier départ du Tour de France de l'étranger (Amsterdam)
1995	Miguel Indurain est le premier à remporter ________ Tours de France consécutifs.
2005	Lance Armstrong gagne son ________ Tour de France consécutif.
2007	Des soupçons de ________ persistent toujours sur le Tour.

Lire 2 **À deux. Lisez ce reportage sur le dopage et pour chaque question, résumez les arguments-réponses d'Isabelle Queval.**

Lire 3 **Relisez ce reportage et écrivez le numéro des six phrases qui sont vraies.**

1 Isabelle Queval ne croit pas que le dopage affecte le Tour de France.
2 Le dopage n'existe pas que dans le sport.
3 Pour être performant, il faut forcément absorber des vitamines ou des médicaments.
4 Les sportifs de haut niveau, comme les cyclistes, subissent d'énormes pressions.
5 Les athlètes refusent de prendre des médicaments.
6 Le public s'intéresse aux scandales de dopage.
7 Les fédérations internationales devraient travailler ensemble.
8 La France ne s'est jamais impliquée dans la recherche et la lutte contre le dopage.
9 Aux États-Unis, on tolère moins le dopage.
10 Afin de lutter contre le dopage, il faut modifier nos attitudes.

Une journaliste de Plusnews discute avec **Isabelle Queval**, *philosophe, professeure à Paris V et auteure d'un essai sur le dopage.*

Est-ce que le Tour de France peut échapper au dopage?

I.Q. Les «100% propre» du Tour de France, je n'y crois pas du tout. Il est difficile d'imaginer qu'on puisse supprimer le dopage, qui fait partie intégrante de notre société. Le dopage aura toujours de l'avance sur la lutte anti-dopage.

Selon vous, le dopage serait impossible à éviter?

I.Q. Oui. Le dopage sportif n'est qu'une partie émergée de l'iceberg. Que ce soit à l'école, au travail ou dans le sport, le culte de la performance, né dans les années 1960–1970 avec la glorification de l'individualisme, ne s'acquiert qu'à travers un supplément: alimentaire, vitaminique. On consomme des barres vitaminées, des antidépresseurs pour surmonter les obstacles et réussir sa vie.

Cette dimension est exacerbée dans un sport de haut niveau, comme le cyclisme où les coureurs sont soumis à une pression physique et psychologique énorme. Aujourd'hui, il n'y a pas de performance sans médecine. Les athlètes absorbent énormément de médicaments. La performance est l'essence même du sport de haut niveau. Et puis surtout, il y a énormément d'argent en jeu, les droits de retransmission télévisés sont très élevés. Le Tour est un spectacle qui doit être excitant. Les spectateurs eux-mêmes ont un regard ambivalent sur l'athlète dopé, fait d'un mélange de fascination et de répulsion pour la performance. Un Tour de France qui se courrait à 25 km/h n'intéresserait pas …

Que préconisez-vous pour lutter contre le dopage?

I.Q. Il faudrait davantage de concertation internationale entre les organismes: la Fédération française de cyclisme, la Fédération internationale de cyclisme, le Comité international olympique poursuivent tous des intérêts différents. À travers le laboratoire de Châtenay-Malabry, la France fait déjà beaucoup pour la recherche et la législation contre le dopage.

Mais avec la mondialisation du sport, c'est difficile d'élaborer un cadre international. Selon les pays, le dopage est abordé de manière très différente. Aux États-Unis, par exemple, le seuil de tolérance est beaucoup plus élevé. L'idéologie du succès protestant intègre davantage les notions de liberté et de réussite personnelles, quels que soient les moyens d'y parvenir.

Plus largement, il faudrait complètement changer les mentalités. Tant que nous ne sortirons pas de ce culte des chiffres, il sera impossible de lutter contre le dopage.

Lire 4 **Expliquez la position des adjectifs en gras dans ce passage.**

À 23 ans, Mahiedine Mekhissi-Benabbad a brisé son **relatif** anonymat de la plus clinquante des manières. Ce jeune espoir de Reims a parfaitement réussi son coup. Le tout **nouveau** vice-champion **olympique** du 3 000m steeple n'est toutefois pas complètement sorti de nulle part. Champion d'Europe du 3 000m steeple l'an passé, lors de son tour d'honneur aux Jeux Olympiques de Pékin, drapé dans le drapeau **tricolore**, c'est l'une des **premières** choses qu'il lancera à l'un des membres de la Fédération Française d'Athlétisme: «Je t'avais bien dit que j'aurais une médaille, mais personne ne me croyait!»

Grammaire

The following adjectives frequently come before the noun:

grand petit jeune vieux bon mauvais
joli beau premier gros

They are considered as inherent qualities of the noun.
des jeunes stars

Some adjectives change meaning depending on whether they come before or after the noun.

Literal meaning	Figurative meaning
un athlète grand	un grand athlète
un cycliste ancien	un ancien cycliste

Écouter 5 **Écoutez ce jeune homme parler du monde du sport et du dopage. Prenez des notes sur:**

- les raisons pour lesquelles les cas de dopage se multiplient
- le rôle des laboratoires pharmaceutiques
- le rôle des fédérations
- les spectateurs

Parler 6 **Etes-vous d'accord avec le point de vue ci-dessous? Préparez vos arguments pour un débat à deux ou en classe.**

Les scandales liés au dopage se multiplient dans toutes les disciplines sportives. À votre avis, pourra-t-on un jour enfin débarrasser le sport de haut niveau de tout dopage? Quelles mesures et quelles sanctions seraient nécessaires?

la compétition	être prêt à
la toxicomanie	se doper
une course effrénée à la performance	tricher
les sanctions	interdire/autoriser
les amphétamines	mettre en danger/péril
les transfusions sanguines	échapper à un contrôle antidopage
des substances/produits illicites	avoir recours à
un phénomène récent/répandu	battre un record
l'EPO	améliorer ses résultats/augmenter son endurance
le dépistage	développer sa musculature
le sport spectacle médiatisé	s'arrêter à temps
les risques dérisoires/conséquences dramatiques	soulager les douleurs
les effets secondaires	contrôler/tester
les anabolisants	selon les rumeurs

Écrire 7 **Résumez les arguments du débat de l'exercice 6 dans un article d'environ 250 mots.**

Use the phrases below when you refute an argument.

Ça ne tient pas debout.	Je dirais plutôt que …
Ça me paraît difficile à croire.	Ne trouvez-vous pas que …
Ça m'étonne.	Peut-être, mais tout de même …
Hors de question.	Vous voyez bien que …

- t Parler de la technologie et du futur
- g Les pronoms indéfinis
- s • Peser le pour et le contre, évaluer les avantages et les inconvénients
  • Écrire un essai (2)

8 · Jusqu'où irons-nous?

Parler 1 **À deux. À votre avis, ces scénarios sont-ils probables ou pas? Utilisez les expressions données pour formuler vos réponses.**

En 2100 …

1 Les robots feront partie de notre quotidien, certains accompliront les tâches ménagères, d'autres les tâches dangereuses pour l'homme.
2 Tout le monde aura des puces électroniques implantées sous la peau.
3 Chacun d'entre nous aura une carte d'identité ou un passeport biométrique.
4 Toutes les formations professionnelles se feront par vidéo.
5 On pourra localiser n'importe qui, n'importe où, n'importe quand grâce à des centaines de satellites.
6 Passer un séjour dans une station spatiale internationale sera abordable.
7 Quelqu'un aura enfin découvert un traitement contre tous les cancers.
8 On aura développé des matériaux cent fois plus résistants que l'acier.
9 Tout le monde utilisera l'hydrogène comme énergie principale.
10 Les robots seront capables de raisonnement.

Mais non, voyons!
Ça ne se passera pas comme ça!
Hors de question!
Jamais de la vie!
C'est de la folie!

à l'examen

Remember to use the appropriate register. You can use **tu** and familiar expressions with people you would address as **tu**. However the exam is a formal situation during which you should use more formal expressions, e.g. **C'est vrai jusqu'à un certain point mais …**

Écouter 2 **De quel robot s'agit-il? Écrivez la bonne lettre.**

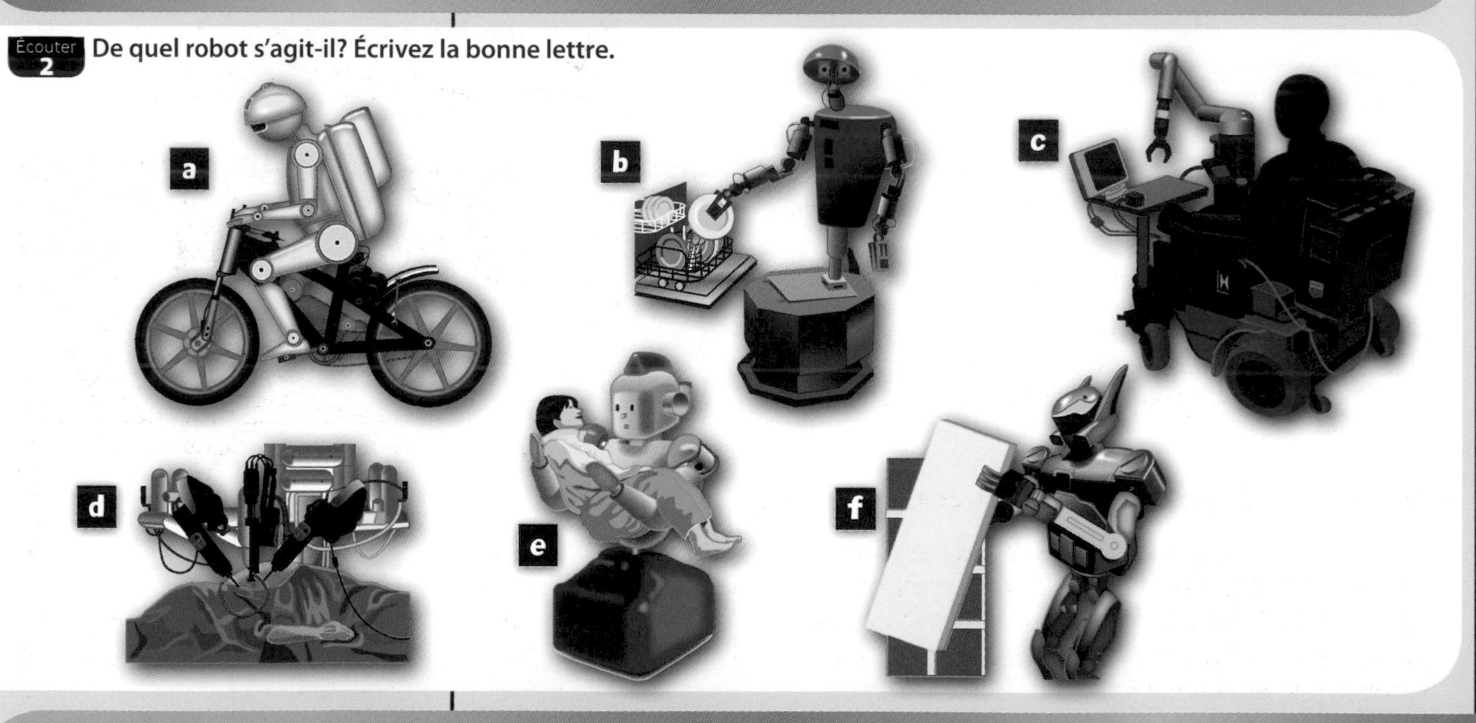

Lire 3 **Complétez le texte avec les mots donnés.**

En règle générale le jeu vidéo est montré du doigt et décrié parce que certains médias, psychologues ou **1** ______ ont décidé que ces activités vidéoludiques étaient **2** ________ et vraiment pas recommandables. Alors pour une fois qu'une étude parle positivement du jeu vidéo, **3** ______ ne va pas s'en priver!
Le très sérieux site de CNN vient de révéler les résultats d'une enquête aussi étrange que stupéfiante sur les liens de cause à effet entre l'adresse des **4** _________ et la pratique du jeu vidéo. Il vient d'être prouvé que les chirurgiens qui jouent à des jeux vidéo sont beaucoup plus efficaces que **5** ______ qui n'y jouent pas. En effet, selon ladite enquête, sur 33 chirurgiens **6** _______, les neuf qui s'adonnent aux jeux vidéo trois heures par semaine au minimum ont réalisé 37% moins d'erreurs que leurs confrères non «gamers», et ont accompli leurs **7** ____________ 27% plus vite. Mais ce n'est pas **8** ______, les pratiquants ont obtenu un score 42% supérieur aux non pratiquants lors du test de chirurgie.

néfastes
handicapés
expérimentés
ceux
tout
soi
on
autres
quiconque
chirurgiens
opérations
interrogés

Lire 4 **Terminez ces phrases en anglais selon l'article de l'exercice trois.**

1 The general attitude towards video games is …
2 CNN has just revealed the results of a study on …
3 According to the study the nine out of 33 surgeons who play games three hours …
4 Furthermore, they carried out their operations …
5 In surgery tests, they also scored …

Grammaire

Les pronoms indéfinis (*indefinite pronouns*)

Indefinite pronouns are used in place of nouns.

They can be the subject or the object of a sentence.
On pourra localiser **n'importe qui**.

Use the following to impress the examiner at A level:
certain(e)s … d'autres … l''un(e) de …
quelques-un(e)s plusieurs (d'entre nous, vous, eux, elles)
chacun(e) (d'entre nous) quiconque*
n'importe qui/quoi/où* (* invariable)

Écrire 5 **Traduisez ces phrases en français.**

1 In 2100 each one of us will have a home robot.
2 Certain people will have three of them.
3 Others will have five maybe!
4 Several of us will be driving with hydrogen.
5 Whoever wants to visit a space station will be able to do it in 2052.
6 Anyone will be able to find someone anywhere.

Parler 6 **Quel genre d'infos pourra-t-on entendre à la télé ou à la radio en 2050? À deux, formulez le texte du bulletin d'information pour les gros titres suivants.**

Exemple:

Première rentrée pour les cartables électroniques!

Première rentrée des classes sans cartable! Finis les problèmes de dos, finies les excuses «j'ai oublié mes devoirs», nos enfants ont maintenant une clé USB à la place de leurs cartables. Ils n'écrivent plus mais tapent sur leur ordi portable, ils envoient directement leurs devoirs par e-mail à leurs professeurs. Certains pensent que cela nuira à l'apprentissage de l'écriture, de l'orthographe.

1 **Un aller simple pour Mars!**
2 ***Le premier homme bionique***
3 Un dîner 5 étoiles dans un petit sachet
4 **Le téléphone élastique**
5 *Plus de voitures!*

Écouter 7 **Écoutez ce texte sur les sites tels que *Facebook*. Prenez des notes en français sur:**

- les sites mentionnés
- les informations que l'on trouve sur ces sites
- l'usage qu'en font les entreprises et les pirates informatiques.

Parler 8 **Que pensez-vous de l'idée d'une carte d'identité biométrique? Préparez-vous à exprimer votre point de vue à ce propos. Ensuite faites un débat en classe.**

«Une carte d'identité informatisée représente un danger pour la liberté individuelle. C'est en quelque sorte un dossier contenant tous vos faits et gestes qui pourrait être utilisé contre vous. Il faut lutter contre à tout prix.»

«Les cartes d'identité électroniques ne portent pas atteinte à la vie privée. Elles aideront l'État à combattre les fraudes, les usurpations d'identité et les actes de terrorisme.»

un fichier central	regrouper des bases de données
une carte à puce	avoir accès à
l'empreinte de l'iris	porter atteinte à
des données personnelles	nuire à
les empreintes digitales	protéger de/contre
enregistrer des informations	

Écrire 9 **La technologie … malédiction ou bénédiction?**

Écrivez entre 240 et 270 mots.

à l'examen

Writing a discursive essay

One approach to planning. Plan four sections. Use your planning time wisely. Think carefully and make a proper plan.
a Introduction
b Section 1: Advantages, benefits, arguments for
c Section 2 : Disadvantages, arguments against
d Conclusion

- Always think carefully about how the title is worded and what exactly it means.
- Brainstorm for/against, advantages/disadvantages.
- Brainstorm key language before you start.
- A clear plan and structure are essential.
- Each paragraph should make a point, avoid repetition.
- Start with the point of view which is opposite to your own; this will give weight to your conclusion.
- Find a balance between factual information and opinions.
- Give examples and statistics if appropriate.
- Show range of vocab, grammar and tenses.
- Write on alternate lines so that you can easily make alterations or corrections without making it difficult for the examiner to read your work.

Culture

CNIL: Commission Nationale de l'Informatique et des Libertés, créée afin de protéger les libertés individuelles des Français des abus liés aux progrès de l'informatique.

Se battre pour survivre *To fight to survive*

un bidonville	*shanty town*	les maladies hydriques	*(water-related) diseases, illnesses*
un domaine	*area, field*	stable	*stable*
un fléau	*scourge*	illettré	*illiterate*
un poids	*weight, influence*	innovant	*innovative, groundbreaking*
un don	*donation*	insalubre	*unsanitary*
des médicaments	*medicine*	alarmant	*alarming*
le développement	*development*	analphabète	*illiterate*
le seuil de pauvreté	*poverty line*	défavorisé	*disadvantaged*
le décès	*death*	en hausse/baisse	*increasing/decreasing*
le choléra	*cholera*	soit	*that is*
le défi	*challenge*	avec le concours de	*with the support of*
l'assainissement	*cleaning up*	considérer	*to consider*
les pays en développement	*developing countries*	consacrer	*to dedicate*
une formation	*training*	lancer un projet	*to launch a project*
une hécatombe	*tragedy, mass murder*	diffuser	*to broadcast, to show*
une urgence humanitaire	*humanitarian emergency*	estimer	*to reckon, to assess*
une organisation	*an organisation*	avoir lieu	*to take place*
la malnutrition	*malnutrition*	provoquer	*to cause*
la mortalité infantile	*infant mortality*	assurer	*to secure*
la course à l'armement	*arms race*	tuer	*to kill*
l'émaciation	*emaciation*	avoir accès (à)	*to have access (to)*
l'hygiène	*hygiene*	intervenir	*to get involved*
l'eau potable	*drinking water*	fournir	*to provide*
les forces militaires	*military forces, army*	se traiter	*to be cured*
les infrastructures	*facilities*		

Le sida *Aids*

un vaccin	*vaccine, jab*	contaminé	*infected, contaminated*
un stade	*stage*	infecté	*infected*
un distributeur de préservatifs	*condom dispensing machine*	adéquat	*appropriate, suitable*
des conseils	*advice*	atteint (de)	*affected (by)*
des patients	*patients*	via	*via, through*
le sida/le VIH	*Aids/HIV*	être au courant	*to know*
le sang	*blood*	traiter	*to treat*
l'accouchement	*delivery, birth*	guérir	*to cure*
l'allaitement	*breast-feeding*	admettre	*to admit*
l'Occident	*the West*	ajouter	*to add*
les fluides corporels	*bodily fluids*	affirmer	*to state*
une seringue	*syringe, needle*	déclarer	*to report*
une piqûre	*injection, jab*	barrer	*to block*
la transmission	*contamination*	faire des ravages	*to wreak havoc*
la presse	*press, journalists*	attraper	*to catch*
la prévention	*prevention*	sous-estimer	*to under-estimate*
les données	*data, facts*	éliminer	*to get rid of*
instruit	*educated*	se procurer	*to obtain, to buy*
séropositif	*HIV positive*	se transmettre	*to be transmitted*

Guerres et conflits — *Wars and conflicts*

Guerres et conflits	Wars and conflicts
un traité (de paix)	*(peace) treaty*
un équilibre	*stability*
un conflit	*conflict*
un armistice	*peace treaty*
un crime contre l'humanité	*crime against humanity*
un empire colonial	*colonial empire*
le débarquement	*the Normandy landings*
le procès	*trial*
le Jour-J	*D-day*
le drapeau	*flag*
le sol	*territory*
le héros	*hero*
le chef de l'État	*head of state*
l'envahisseur	*invader*
les Alliés	*the Allies*
les Nazis	*the Nazis*
les juifs	*Jewish people*
les soldats	*soldiers*
les résistants	*members of the Resistance*
les dommages	*damage*
les civils	*civilians*
une catastrophe	*tragedy*
une flotte	*fleet*
une ligne de démarcation	*dividing line*
la déclaration de guerre	*declaration of war*
la bataille	*battle*
la capitulation	*surrender*
la défaite	*defeat*
la bombe atomique	*atomic bomb*
la tourmente	*turmoil*
l'Occupation	*the Occupation*
les conquêtes	*conquests*
les hostilités	*hostilities*
les troupes	*troops*
caché	*hidden*
morcelé	*divided*
vaincu	*defeated*
entraîner	*to lead to*
entreprendre	*to undertake, to embark on*
entrer en guerre (contre)	*to go to war (against)*
envahir	*to invade*
détruire	*to destroy*
partir au front	*to go to the front*
envoyer au combat	*to send to combat*
avoir peur	*to be scared*
fuir	*to flee*
conquérir	*to conquer*
se battre	*to fight*

La Résistance — *The Resistance*

La Résistance	The Resistance
un sabotage	*sabotage*
un réseau	*network*
un sous-marin	*submarine*
un officier SS	*SS officer*
un plan d'évasion	*a plan of escape*
un bordel	*brothel*
le bras droit	*right hand*
le quartier général	*headquarters*
le siège	*siege*
le champ de tir	*shooting range*
le destin	*fate*
des prisonniers de guerre	*prisoners of war*
une carte de rationnement	*ration book*
une pilule de cyanure	*cyanide*
la Gestapo	*Gestapo*
la cellule	*cell*
la torture	*torture*
soupçonné	*suspected*
contrefait	*counterfeit*
déguisé	*dressed up*
livré	*revealed*
convier	*to invite*
déporter	*to send to a concentration camp*
fabriquer des faux papiers	*to forge papers*
diriger	*to lead*
exécuter	*to execute*
étrangler	*to strangle*
accomplir une mission	*to accomplish a mission*
prévenir	*to warn*
ouvrir le feu	*to open fire*
collaborer	*to collaborate*
avoir raison/tort/peur	*to be right/wrong/scared*
avoir besoin de/envie de	*to need/to feel like*
avoir confiance en/hâte de	*to trust/to look forward to*
avoir beau	*to do in vain*
se dénoncer	*to give oneself up*
s'unir	*to unite*
s'évader	*to escape*
s'achever	*to end*

Les horreurs d'un génocide — *Horrors of genocide*

un massacre	*massacre*
un cessez-le-feu	*cease fire*
un génocide	*genocide*
un casse-tête	*baffling problem*
le bilan	*audit*
le diable	*devil*
le matériel militaire	*military material*
le véhicule blindé	*bulletproof vehicle*
le déploiement/le retrait	*deployment/withdrawal*
le canon d'un fusil	*barrel of a rifle*
les accords de paix	*peace agreements*
les rebelles	*rebels*
les prêtres	*priests*
les survivants	*survivors*
les observateurs de l'ONU	*UN inspectors*
les premiers soins	*first aid treatment*
les casques bleus	*UN peacekeepers*
les cris	*screams*
une révolution	*revolution*
une telle atrocité	*such an atrocity*
une machette	*machete*
la fuite	*flight, escape*
la Croix-Rouge	*the Red Cross*
la Gendarmerie	*the Police*
la guerre civile	*civil war*
la crise	*crisis*
la vantardise	*boastfulness*
la pitié	*mercy*
la compassion	*compassion*
la menace	*threat*
les pertes	*losses*
les douleurs	*pains*
jonché	*scattered across, covered with*
mutilé	*mutilated*
épargné	*spared, saved*
épouvantable	*dreadful*
plein de	*full of*
davantage	*more*
en vie, vivant	*alive*
en état de choc	*shocked*
sur place	*right there*
sur-le-champ	*right away*
assassiner	*to murder, to assassinate*
envahir	*to invade*
raconter	*to tell*
sauver	*to save*
intervenir	*to get involved, to intervene*
éviter	*to avoid*
accueillir à bras ouverts	*to welcome with open arms*
capturer	*to capture*
serrer la main	*to shake hands*
supplier	*to plead*
agoniser	*to agonise*
s'emparer du pouvoir	*to seize power*
se confronter à l'horreur	*to confront the horror*

Immigration et clandestinité — *Immigration and life in hiding*

un phénomène	*phenomenon*
un colloque	*conference*
un afflux	*influx, a wave of*
des mendiants	*beggars*
le salaire	*wages, salary*
les pays développés	*developed countries*
les demandeurs d'asile	*asylum seekers*
une main-d'œuvre	*labour*
une période de récession	*period of recession*
la crise du logement	*housing crisis*
la conjoncture	*situation*
la détresse	*distress*
les allocations	*state benefit*
les bourses	*grants*
clandestin	*clandestine*
bon marché	*cheap*
accomplir une tâche	*to carry out a task*
bouger	*to move*
expédier	*to send*
expulser	*to expel*
faire face	*to confront*
combler	*to fill in*
régulariser	*to regulate/to make official*
subvenir aux besoins de	*to provide for*
appliquer la loi	*to implement the law*
vivre dans la clandestinité	*to live in hiding*
se déplacer	*to move, to travel*
s'enrichir	*to become rich*

Performances sportives *Sporting achievements*

un soupçon	*suspicion*
un scandale	*scandal*
un spectacle	*show*
un contrôle anti-dopage	*drug test*
des antidépresseurs	*antidepressants*
le monde du sport	*world of sport*
le sport de haut niveau	*professional sport*
le maillot jaune	*the leader of the Tour de France*
le dopage	*illegal drug-taking*
le culte de la performance	*performance obsession*
le laboratoire pharmaceutique	*drug lab*
le seuil de tolérance	*tolerance level*
le dépistage	*drug test*
l'anonymat	*anonymity*
les concurrents	*competitors*
les organismes	*organisms*
une étape	*stage, leg*
une médaille	*medal*
des barres vitaminées	*energy bars*
des substances illicites	*illicit substances*
la recherche	*research*
la législation	*legislation*
la toxicomanie	*drug addiction*
la lutte anti-dopage	*the fight against drugs*
les fédérations	*federations, committees*
les sanctions	*disciplinary measures*
les transfusions sanguines	*blood transfusions*
performant	*fit, on top form*
propre	*drug-free*
exacerbé	*heightened, worsened*
clinquant	*flashy*
dérisoire	*trivial*
en caoutchouc	*made of rubber*
en jeu	*at stake*
ça ne tient pas debout	*it doesn't make sense*
remporter	*to win*
subir des pressions	*to be subjected to pressure*
tolérer	*to tolerate*
modifier les attitudes	*to change attitudes*
avoir de l'avance (sur)	*to be ahead (of)*
éviter	*to avoid*
surmonter les obstacles	*to overcome obstacles*
réussir son coup	*to pull it off*
tricher	*to cheat*
battre un record	*to beat a record*
soulager les douleurs	*to relieve the pain*
mettre en danger / en péril	*to endanger*
avoir recours à	*to resort to*
interdire / autoriser	*to ban/to authorise*
s'acquérir	*to be acquired*
se doper	*to take drugs*

L'avenir *The future*

un satellite	*satellite*
un scénario probable	*possible scenario*
un passeport biométrique	*biometric passport*
un ordi(nateur) portable	*laptop*
un sachet	*packet*
un dossier	*file*
un fichier central	*central database*
des matériaux résistants	*resistant materials*
le cancer	*cancer*
l'apprentissage	*learning*
l'orthographe	*spelling*
l'empreinte de l'iris	*iris print*
les empreintes digitales	*digital fingerprints*
les chirurgiens	*surgeons*
les cartables	*school bags*
les pirates informatiques	*hackers*
les actes de terrorisme	*terrorist attacks*
les robots	*robots*
une station spatiale	*space station*
une puce électronique	*electronic chip*
une carte à puce	*chip card*
une étude	*study, research*
une erreur	*mistake*
une clé USB	*memory stick/USB stick*
une atteinte à la vie privée	*invasion of privacy*
une malédiction/bénédiction	*curse/blessing*
des données personnelles	*personal data*
l'énergie	*energy*
l'usurpation d'identité	*ID theft*
implanté	*implanted*
abordable	*affordable*
capable de raisonnement	*able to think*
recommendable	*commendable*
efficace	*efficient*
néfaste	*harmful*
handicappé	*disabled*
expérimenté	*experienced*
interrogé	*questioned/interrogated*
bionique	*bionic*
informatisé	*computerised*
découvrir un traitement	*to find a cure*
montrer du doigt	*to point the finger at*
révéler	*to reveal*
enregistrer	*to record*
nuire à	*to harm*

Épreuve orale

Remember that once you have given your introduction (maximum one minute) the debate will begin in earnest. The examiner will not simply agree with you or ask for an explanation of what you say but will argue robustly the opposite viewpoint.

- In preparation, prior to the examination, formulate strong arguments which you can defend and justify.
- On the day respond confidently. Do not give in meekly but defend your ideas and justify your opinions.

Parler 1 **Discutez avec votre partenaire. Lesquelles de ces expressions pourriez-vous utiliser pendant le débat de votre examen?**

Show the examiner you can use the language of debate, discussion and argument:

- Choose the right register (formal situation)
- Use preferably the **vous** form to address the examiner
- Be ready to respond to the **vous** form when the examiner uses it to you
- Avoid slang
- Be firm and assertive
- Be courteous and polite

1 «C'est vrai jusqu'à un certain degré/point mais …»
2 «C'est ridicule, comment pouvez-vous croire cela?»
3 «T'es fou, non?»
4 «Permettez-moi de vous faire remarquer que …»
5 «C'est une opinion tout à fait dingue!»
6 «Je comprends ce que vous voulez dire mais …»
7 «Soyez réaliste!»
8 «Je vous ferai remarquer que …»
9 «Il y a des gens qui sont pour … Mais je ne crois pas que leurs arguments soient valides.»
10 «Sur quelle planète vis-tu?»
11 «Vraiment j'en ai marre de vous écouter.»
12 «Vous ne tenez pas du tout compte de … ce qui est une erreur.»
13 «Vous oubliez un point très important.»
14 «Cessez de dire des bêtises.»
15 «J'ai de la compassion pour les gens qui … mais …»
16 «J'en ai assez de vos idioties.»
17 «Ceux qui encouragent cette pratique …»
18 «Admettez que …»
19 «Permettez-moi de rétorquer que …»
20 «Enfin, ouvrez les yeux.»
21 «C'est très intéressant, mais moi je pense le contraire.»
22 «Mon Dieu! Quelle blague!»

Whatever stance you take, the examiner must argue against it and the subsequent points you'll make, whatever the views of the examiner!

So you know that when preparing for your exam you also need to:

- think of counter arguments the examiner may use against your ideas.
- prepare ways of refuting such counter arguments.

Écoutez le début d'un débat entre un candidat et un examinateur.

1 Quel est le thème de ce débat?
2 Quelle est la position du candidat?
3 Quels sont ses arguments?

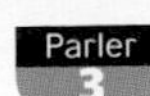

Parler 3 **À deux. Relisez vos notes sur le débat que vous avez écouté.**

- Quelle position doit adopter l'examinateur?
- Quels arguments pensez-vous que l'examinateur a dû utiliser lors de ce débat?

Écouter 4 **Écoutez la suite de ce débat et les arguments que l'examinateur a utilisés. À quels arguments aviez-vous pensé? Auxquels n'aviez-vous pas pensé? Comment contreriez-vous ces arguments?**

Écouter 5 **Ré-écoutez le texte de l'exercice 4. Quelles expressions de l'exercice 1 l'examinateur a-t-il utilisées?**

With so much well-prepared argument and counter argument you will find that the time for the debate will go very quickly!

The examiner will bring the debate to an end by saying something like **Bon, le débat est terminé, parlons d'autres choses**. This is the signal that you are moving into the discussion section where the examiner will no longer have to argue against you.

In the rest of the test continue to:

- use the language of debate, discussion and justification.
- give your opinions as forcefully and as convincingly as possible.

Parler 6 **À deux. Donnez vos opinions sur les thèmes suivants.**

Les fast-foods

- Pourquoi les jeunes aiment-ils manger dans les fast-foods?
- Quels avantages y a-t-il d'y manger pour une famille nombreuse?

Les valeurs du sport et le bien-être

- Qu'est-ce qu'on apprend en faisant du sport?
- En ce qui concerne la santé, quels sont les avantages de faire du sport?

Épreuve écrite

The short passage for translation in the Unit 4 paper contains some language items with which you are familiar from your previous studies and also more complex elements which you encounter at A2, such as the passive voice, less common uses of the subjunctive and compound tenses.

- Whenever you meet such items take note of the formulation so that you can reproduce it, if necessary.
- Think about how these items would be rendered in English.
- Use French idioms to produce the most fluent, accurate rendering you can.

Écrire 1 **Lisez les conseils, puis traduisez ce passage.**

At the beginning / of the war / we lived / in London, / where / my father was / a teacher. / One evening / our house was destroyed / by a bomb / which fell / in the middle of the street. / We returned / from a concert / at my father's school / and found / that the whole building / had been badly damaged. / We were told / that it would be better /to leave, / so we went / to stay / with our grandparents / in the country. / Later my mother regretted / our departure / and thought that / we should have remained / in the city.

When working out the vocabulary, think carefully about the gender of nouns and remember to make all the agreements which follow from them.

Passive voice: show you can form it accurately in all tenses and that you know when to avoid using it.

Lire 2 **Échangez votre traduction avec votre partenaire. Corrigez sa copie et notez-la. (Un point par section correcte).**

For your essay, instead of doing a piece of creative writing, you can choose to write a **discursive essay**.

Choose the discursive essay if you have been trained to do so. There will be four possible titles. Choose the one on which you think you have most to say and for which you know the most appropriate vocabulary.

- Remember that a discursive essay should contain a **balanced discussion of two sides of any issue**.
- By all means come down on one side of an argument but make sure that you show that you are aware that there is an opposite viewpoint, if only to refute it.

Lire 3 **Lisez cette question d'examen. Dans quelle partie de votre essai (introduction, arguments pour, arguments contre, conclusion) pourriez-vous inclure les phrases suivantes?**

Écrivez entre 240 et 270 mots.
Croyez-vous que le mode de vie moderne favorise une bonne santé? Expliquez votre réponse.

1 Il semble que nous soyons en meilleure santé qu'avant.
2 On travaille moins, le travail est moins dur. Plus de loisirs. Possibilité de se reposer.
3 Nourriture plus saine. Produits bios.
4 Succès considéré essentiel. Le stress au travail, dans les études. Le tabac, l'alcool, la drogue.
5 Espérance de vie plus longue, personnes âgées très actives.
6 On devrait être en meilleure santé. Il faut apprendre à profiter de la vie moderne.
7 Famille moins importante. Relations difficiles, plus de divorces.
8 Plus riche. On peut se nourrir correctement.
9 Néanmoins, situation préoccupante, surtout pour les jeunes.
10 Plus d'installations sportives.
11 Toujours pressé. Le fast-food. Moins de repas en famille, l'obésité.
12 Passe-temps favoris sédentaires. La télé et les jeux vidéo. On préfère regarder le sport plutôt que d'en pratiquer un.
13 Vivre confortablement, avancées médicales.
14 Moins de travail manuel, physique. Plus souvent assis à son bureau, devant un ordinateur.

Écrire 4 **Un candidat a commencé à écrire le plan de son essai. Aidez-le à le finir.**

Introduction

Faux, certains jeunes s'y intéressent un peu
- *Très peu de jeunes votent aux élections*

Vrai, les jeunes ne s'y intéressent pas assez
- *Souvent c'est les étudiants qui sont les plus actifs dans le monde de la politique*

Conclusion

Plan your discursive essay to make sure it has an easy to follow shape with a short introduction and a conclusion with, in the middle, the arguments for and against presented clearly and in a logical order.

Écrire 5 **Choisissez l'un de ces trois sujets. Préparez votre plan puis écrivez votre essai.**

- Read all the essay titles carefully before choosing one.
- Identify any key words.
- List opposite arguments.
- Choose whether you'll be for or against.
- Plan what you would put in an introduction and a conclusion.

Now you're ready to write your essay in full.

Écrivez entre 240 et 270 mots.

a Ce qu'on apprend à l'école est-il en lien avec notre monde actuel, avec le 21ème siècle?

b «À l'époque actuelle il n'est plus nécessaire de voyager pour connaître le monde». Que pensez-vous de cette affirmation?

c Un certain nombre de personnes et d'experts estiment que le seul moyen de résoudre les problèmes d'usage et de trafic de drogues, c'est de les légaliser. Qu'en pensez-vous?

Module 4 · objectifs

Thèmes

- Question d'éthique: le clonage
- Question d'éthique: les OGM
- Question d'éthique: l'euthanasie
- Parler de la spiritualité et de la religion
- Parler des fêtes et des traditions
- Examiner le statut et les droits des femmes
- Examiner les motivations des travailleurs humanitaires
- Aborder l'altermondialisme

Grammaire

- Le subjonctif (1)
- Le subjonctif (2)
- Le subjonctif passé
- L'imparfait du subjonctif
- Les verbes suivis de l'infinitif
- L'infinitif passé
- Éviter l'usage du subjonctif
- Les constructions avec **si** (1)
- Les constructions avec **si** (2)

Stratégies

- Vérifier son travail
- Préparer un exposé oral
- Peser le pour et le contre
- Utiliser des expressions idiomatiques
- Utiliser des statistiques
- Exposer son point de vue
- Raconter une histoire en utilisant son expérience personnelle
- Défendre son point de vue
- Traduire de l'anglais au français
- Utiliser son imagination
- Évaluer les avantages et les inconvénients

t Question d'éthique: le clonage
g Le subjonctif (1)
s Vérifier son travail

1 · Manipuler le vivant, est-ce bien raisonnable?

Parler 1 À deux, mettez ces grandes découvertes dans l'ordre chronologique. Écoutez et vérifiez vos réponses.

1895 1898 1953 1955 1973 1978 1988 1996

La structure de l'ADN est découverte en …
Le rayon X est inventé en …
La première manipulation transgénique est réalisée en …
La première greffe d'organe a lieu en …
Dolly, le premier clone est né en …
Le cœur artificiel est mis au point en …
La pilule abortive est disponible en …
Le radium est découvert par Marie Curie en …

Parler 2 Écoutez et imitez.

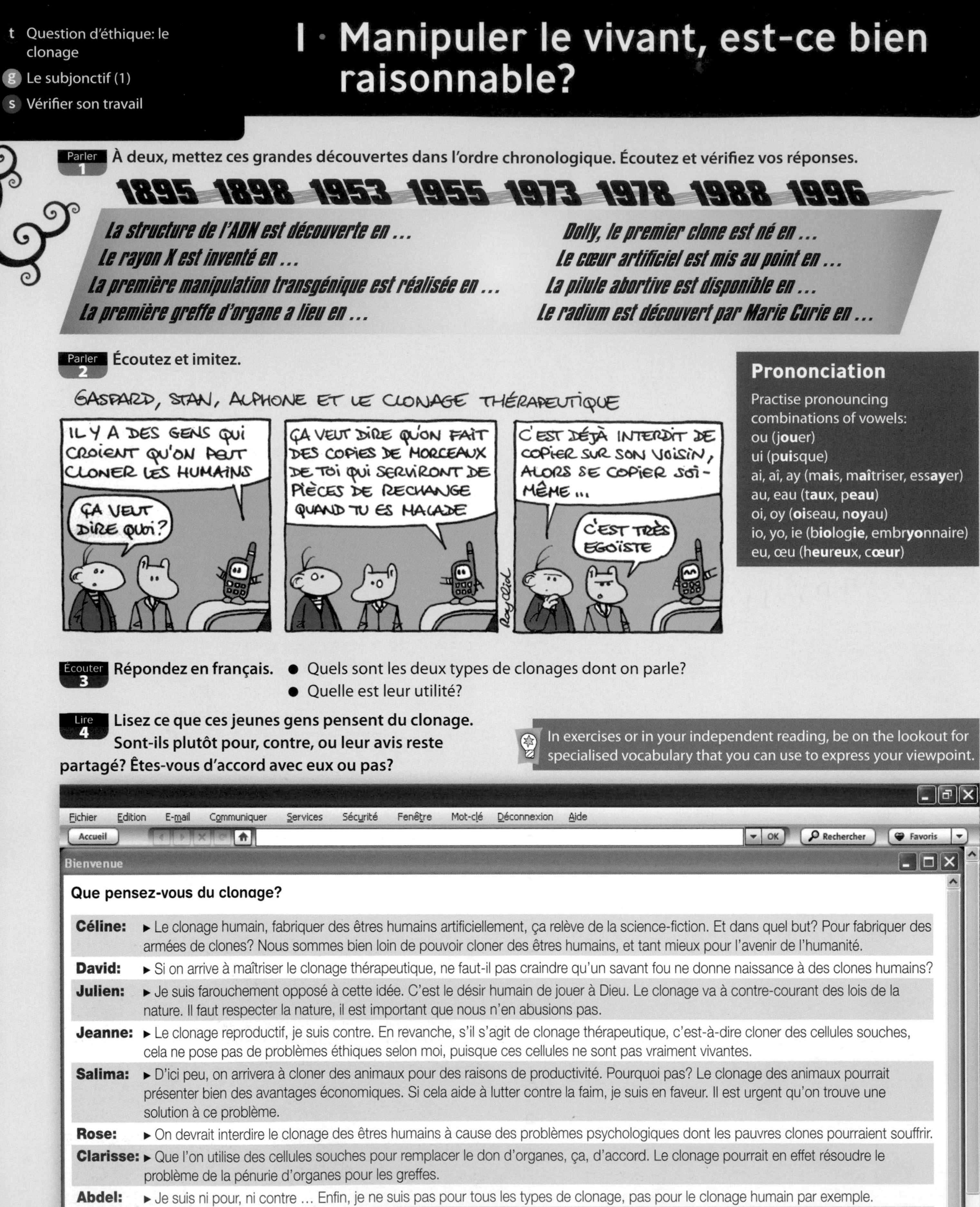

Prononciation

Practise pronouncing combinations of vowels:
ou (j**ou**er)
ui (p**ui**sque)
ai, aî, ay (m**ai**s, m**aî**triser, ess**ay**er)
au, eau (t**au**x, p**eau**)
oi, oy (**oi**seau, n**oy**au)
io, yo, ie (b**io**log**ie**, embr**yo**nnaire)
eu, œu (h**eu**r**eu**x, c**œu**r)

Écouter 3 **Répondez en français.**
- Quels sont les deux types de clonages dont on parle?
- Quelle est leur utilité?

Lire 4 **Lisez ce que ces jeunes gens pensent du clonage. Sont-ils plutôt pour, contre, ou leur avis reste partagé? Êtes-vous d'accord avec eux ou pas?**

In exercises or in your independent reading, be on the lookout for specialised vocabulary that you can use to express your viewpoint.

Fichier Edition E-mail Communiquer Services Sécurité Fenêtre Mot-clé Déconnexion Aide
Accueil OK Rechercher Favoris
Bienvenue

Que pensez-vous du clonage?

Céline: ▸ Le clonage humain, fabriquer des êtres humains artificiellement, ça relève de la science-fiction. Et dans quel but? Pour fabriquer des armées de clones? Nous sommes bien loin de pouvoir cloner des êtres humains, et tant mieux pour l'avenir de l'humanité.

David: ▸ Si on arrive à maîtriser le clonage thérapeutique, ne faut-il pas craindre qu'un savant fou ne donne naissance à des clones humains?

Julien: ▸ Je suis farouchement opposé à cette idée. C'est le désir humain de jouer à Dieu. Le clonage va à contre-courant des lois de la nature. Il faut respecter la nature, il est important que nous n'en abusions pas.

Jeanne: ▸ Le clonage reproductif, je suis contre. En revanche, s'il s'agit de clonage thérapeutique, c'est-à-dire cloner des cellules souches, cela ne pose pas de problèmes éthiques selon moi, puisque ces cellules ne sont pas vraiment vivantes.

Salima: ▸ D'ici peu, on arrivera à cloner des animaux pour des raisons de productivité. Pourquoi pas? Le clonage des animaux pourrait présenter bien des avantages économiques. Si cela aide à lutter contre la faim, je suis en faveur. Il est urgent qu'on trouve une solution à ce problème.

Rose: ▸ On devrait interdire le clonage des êtres humains à cause des problèmes psychologiques dont les pauvres clones pourraient souffrir.

Clarisse: ▸ Que l'on utilise des cellules souches pour remplacer le don d'organes, ça, d'accord. Le clonage pourrait en effet résoudre le problème de la pénurie d'organes pour les greffes.

Abdel: ▸ Je suis ni pour, ni contre … Enfin, je ne suis pas pour tous les types de clonage, pas pour le clonage humain par exemple.

Marek: ▸ Cela représente un nouvel espoir pour traiter, voire guérir des maladies incurables, comme la maladie de Parkinson ou d'Alzheimer, le diabète ou bien même le cancer. Il faut que les scientifiques continuent leurs recherches.

Lire 5 **Complétez cet article avec les mots donnés.**

À quoi servent les cellules souches embryonnaires?

À tester de nouveaux médicaments.

À partir de **1** __________ souches embryonnaires, on peut obtenir des muscles, de la peau ou encore des neurones. Cela permet aux chercheurs d'**2** __________ le développement d'une **3** __________ dans un tube à essai et d'essayer de nouveaux **4** __________ jusqu'à ce que l'un d'eux s'avère **5** __________.

À soigner des organes **6** __________.

En reprogrammant les cellules d'un patient en cellules souches **7** __________, on peut obtenir des morceaux d'**8** __________. L'objectif est de pouvoir greffer ensuite ces tissus chez le **9** __________ au moment où il en a besoin (après un accident cardiaque par exemple).

traitements	**rejetés**	**médecins**
cellules	**patient**	**embryonnaires**
organes	**étudier**	**endommagés**
maladie	**efficace**	**implanté**

Grammaire

Le subjonctif (*the subjunctive*)

The present subjunctive is very common, used after some verbs and phrases to express obligation, necessity, possibility, wishes, doubt, feelings, opinions, preferences.

- after impersonal expressions:
  il est possible/nécessaire/naturel que …
- certain verbs + **que**:
  avoir peur, craindre, interdire, permettre, proposer, recommander, exiger
- certain conjunctions:
  pour que (*so that*), pourvu que (*provided that*), en attendant que (*while, until*)
- in a subordinate clause after **ne … personne qui …**, **ne … rien …**
  Je **ne** connais **personne qui** veuille avoir un clone.

After certain verbs and conjunctions, **ne** is required:
éviter que + ne, craindre que + ne, à moins que + ne, avant que + ne
On doit voter des lois **avant qu'**il **ne** soit trop tard.

Lire 6 **Mettez les verbes entre parenthèses au subjonctif.**

1 Il est capital que l'on (**arrêter**) toutes les recherches sur le clonage humain.
2 Il faut faire des recherches pour qu'on (**pouvoir**) traiter les maladies incurables.
3 J'ai peur qu'un fou dangereux (**se cloner**).
4 Le gouvernement recommande que le clonage (**être**) réglementé.
5 Je crains que le clonage (**transformer**) le monde.
6 Ce laboratoire ne fait rien qui (**être**) illégal.

à l'examen

When you choose a controversial issue for your oral exam, show your understanding of the implications of the topic, including potential risks or dangers and, conversely, any benefits.

Weigh the arguments for and against. Don't choose an issue that cannot be countered. You have to be able to have a discussion.

Watch the news, listen to the radio, podcasts, read papers, articles on line, in French and in English to learn about current or controversial issues. Listen to people's ideas and opinions but do make up your own mind.

Parler 7 **À deux. Utilisez les phrases-clés pour donner votre opinion.**

Êtes-vous pour ou contre …
le clonage végétal
le clonage animal
le clonage humain
le clonage reproductif
le clonage thérapeutique
cloner n'importe qui (un sportif, un homme politique, vous!)
… et pourquoi?

À mon sens/À mes yeux
Je suis catégoriquement opposé(e) à
Je suis consterné(e)/persuadé(e)/convaincu(e)/stupéfait(e)/sceptique
Je ne peux pas m'empêcher de penser que
Je ne vois pas l'intérêt
J'ai un avis partagé

à l'examen

When checking your work, draw up your own list of elements to check. These might include: adjectival endings, agreement, tenses, spelling, gender, verb forms.

Écrire 8 **A-t-on le droit de créer puis de tuer des cellules uniquement pour les besoins de la médecine? Écrivez un essai (entre 240 et 270 mots).**

It is essential to plan a discursive essay carefully.

- Make sure you understand the moral issue.
- What are the moral issues?
- Break down the question to see what needs covering.
- Marshall your arguments for and against.
- Use ideas from the unit as well as your own ideas.
- Give your personal opinion.

- **t** Question d'éthique: les OGM
- **g** Le subjonctif (2)
- **s** • Préparer un exposé oral
  • Peser le pour et le contre

2 · Ni dans mon assiette, ni dans mon champ!

Les *manipulations* génétiques

Les OGM sont des plantes et des animaux dont les gènes ont subi des modifications. Les gènes sont porteurs des informations concernant le développement: la forme des feuilles, la couleur des poils …

Les chercheurs savent identifier chaque gène responsable des différentes caractéristiques. Ils peuvent les extraire d'un organisme vivant et les intégrer dans un autre dès le début de son développement. Il y a création d'un organisme transgénique. Cet être modifié grandira avec d'autres caractéristiques génétiques qui se transmettront à la future génération.

La *lutte* contre la faim

Certains chercheurs pensent que les OGM peuvent diminuer la faim dans le monde et que nous devons saisir cette opportunité d'aider les populations affamées. Les modifications génétiques assurent la croissance des plantes dans des conditions difficiles: sécheresse, pauvreté des sols.

Nouveauté ou tradition?

Les partisans de cette technique arguent qu'elle ne diffère guère des méthodes de sélection millénaires pour les plantes et les animaux. Les militants anti-OGM redoutent les conséquences de croisements contre-nature qui n'auraient jamais eu lieu sans la main de l'homme.

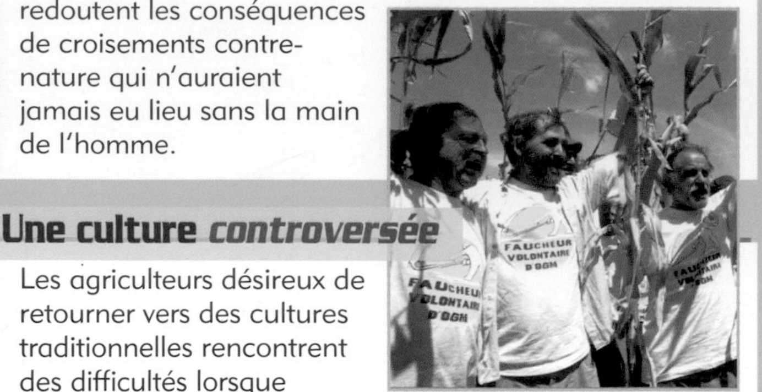

Une culture *controversée*

Les agriculteurs désireux de retourner vers des cultures traditionnelles rencontrent des difficultés lorsque leurs champs se situent dans le périmètre de cultures OGM qui risquent de les polliniser. Il ne peut y avoir de garantie possible de non-propagation génétique.

Lire 1 **Trouvez dans l'article les synonymes de…**

1 les scientifiques
2 passeront
3 à peine
4 combattants
5 sans intervention humaine
6 aridité

… puis l'équivalent en anglais de…

7 have undergone modifications
8 extract from a living organism
9 genetically modified
10 supporters
11 fear
12 seize this opportunity

Lire 2 **Vrai ou faux?**

1 Les gènes déterminent le développement d'un organisme.
2 Les organismes transgéniques sont des organismes qui ont été modifiés génétiquement.
3 La modification transgénique ne se transmet pas de génération en génération.
4 Les personnes en faveur des OGM croient que la manipulation génétique est l'équivalent de la sélection naturelle.
5 Ceux qui sont pour les OGM ont peur des conséquences de la manipulation génétique.
6 Il existe un danger de contamination si les champs d'OGM sont trop proches des champs de cultures traditionnelles.
7 Certains chercheurs pensent que les OGM peuvent éliminer la faim dans le monde.
8 Les OGM ne poussent pas dans des conditions difficiles.

Écouter 3 **À deux, décidez si ces arguments sont pour ou contre les OGM. Ensuite, écoutez le point de vue des deux personnes interrogées et écrivez le numéro des arguments utilisés.**

1 Si le gène de tolérance aux herbicides passait aux mauvaises herbes, celles-ci deviendraient indestructibles.
2 Les OGM sont très résistants, ce qui permet de limiter l'utilisation de pesticides et d'engrais chimiques.
3 Avec les OGM on peut faire pousser des récoltes dans des conditions difficiles, les plantes ont moins besoin d'eau par exemple.
4 Les OGM augmentent la productivité, ce qui veut dire qu'on peut avoir plus de récoltes sur moins de surface.
5 On ne connaît pas encore les effets à long terme des OGM. Il n'y a aucune preuve que les OGM puissent nuire à la santé de l'homme ou à l'environnement.
6 Les OGM menacent l'indépendance des agriculteurs: seul un petit groupe de multinationales vend des semences d'OGM et possède donc le monopole.
7 Les OGM représentent une solution possible au problème de la faim dans le monde.
8 La biodiversité est menacée. Les OGM mettent en danger les insectes et les oiseaux qui se nourrissent de graines.
9 Les OGM sont testés de façon à garantir leur sûreté.
10 Grâce aux OGM, les agriculteurs travaillent moins car ils n'ont plus besoin d'épandre de pesticides.
11 Les aliments qui ont été génétiquement modifiés peuvent être plus nutritifs.

i Culture

En 1998, 1 500 hectares sont consacrés à la culture de plantes génétiquement modifiées, en 2005, 10 000 hectares et en 2007, 20 000 hectares.

Lire 4 **Complétez cet article avec les bons noms de la liste. Attention, il y a deux noms de trop.**

conflit	agriculture	lutte	agriculteur
éducation	révolutions	extension	moutons
arrestations		idées	réunions

Un **1** ________ cultivé, voilà le parcours de José Bové! Avec un père spécialiste en agronomie et une mère professeure, il bénéficie d'une **2** ________ poussée. En 1973, il participe au rassemblement national contre l'**3** ________ du camp militaire dans le Larzac. Avec sa femme Alice, il s'y installe alors et élève des **4** ________, mais ne lâche en rien son côté contestataire, bien au contraire. Il prône une **5** ________ autre. Après la création de la Confédération paysanne en 1987, Bové devient peu à peu le héros de la **6** ________ altermondialiste. Le porte-parole du syndicat multiplie les actions choc vis-à-vis des OGM (arrachage de plants) ou de la «malbouffe» (démontage d'un McDo) qui lui vaudront quelques condamnations et **7** ________ spectaculaires. Son aura va désormais au-delà du cercle agricole. Présent dans les grandes **8** ________ mondiales (comme celle de Seattle en 1999) ou dans les points sensibles de la planète (Palestine, Brésil …) José Bové, moustache au vent et pipe à la bouche, sait se servir du «tout médiatique» de notre société pour défendre ses **9** ________.

Écrire 5 **Traduisez ces phrases en anglais.**

1 Certains agriculteurs cultivent des OGM pour qu'ils puissent augmenter leur productivité et donc leur profit.
2 Les OGM ne sont pas l'unique moyen qu'on ait de résoudre les problèmes de famine.
3 Quoiqu'on dise ou qu'on fasse, les consommateurs continueront d'acheter des produits contenant des OGM, jusqu'à ce qu'un jour il y ait des morts.
4 À moins qu'on me prouve que les OGM ne sont pas dangereux pour la santé, je suis contre.
5 Je suis pour les OGM à condition qu'ils soient testés.
6 Le maïs est la première plante qui ait été génétiquement modifiée.
7 Réagissons et détruisons les produits contenant des OGM avant qu'il ne soit trop tard.

à l'examen

Before a debate about a controversial issue, make sure you have prepared your arguments and thought about the counter arguments that will be put forward.

Show that you can develop your views, defend or justify your opinions.

Speak confidently, naturally and spontaneously.

Try to cover a wide range of relevant points and to use varied vocabulary and structures.

Parler 6 **À quatre, faites un débat sur les OGM. Choisissez un de ces rôles:**

- un scientifique qui est pour les OGM
- un agriculteur qui cultive des OGM pour la première fois
- un député vert opposé aux OGM
- un consommateur opposé aux OGM.

Grammaire

Le subjonctif (2) (*the subjunctive*) (2)

Use the subjunctive

- after these conjunctions:

avant que + ne	*before*
jusqu'à ce que	*until*
bien que, quoique	*although*
afin que, pour que	*so that*
à condition que	*on condition that*
à moins que	*unless*

- after superlatives
  C'est le plus + adjective + que + subj
  le seul   l'unique
  le premier   le dernier

Écrire 7 **Les OGM: solution à un problème mondial majeur ou risque pour la santé publique? Pesez le pour et le contre des OGM. Écrivez un essai (entre 240 et 270 mots).**

à l'examen

Before you start to write consider both sides of the argument and structure your essay accordingly.

Try to cover different areas (e.g. **avantages/dangers liés à l'environnement, bénéfices/problèmes par rapport à la santé, avantages/inconvénients économiques**).

Give examples to back up your case.

- t Question d'éthique: l'euthanasie
- g • Le subjonctif passé
  • L'imparfait du subjonctif
- s Utiliser des expressions idiomatiques

3 · Droit de vie, droit de mort

Le cas de Chantal Sébire rouvre le débat sur l'euthanasie

Éthique. La justice se prononce lundi sur la demande d'euthanasie d'une femme de cinquante-deux ans, atteinte d'une maladie incurable.

C'est un cri de détresse, un de plus dans la longue liste de ceux que la loi française, qui continue de refuser le principe d'une euthanasie active, ne satisfait pas. Victime d'une maladie incurable (l'esthesioneuroblastome), une tumeur évolutive des sinus et de la cavité nasale, qui lui fait vivre d'atroces souffrances, Chantal Sébire, ancienne professeure des écoles et mère de trois enfants a demandé mercredi à la justice le droit d'être euthanasiée par un de ses médecins.

«Aujourd'hui, je suis allée au bout de ce que je peux supporter et mon fils et mes filles n'en peuvent plus de me voir souffrir», avait avoué, le 27 février, à l'AFP, l'ancienne institutrice. «Défigurée par la tumeur qui lui ronge le visage, Chantal Sébire a perdu le goût, l'odorat, la vue», détaille son avocat. Ses souffrances, qualifiées d'«intenses et permanentes», ne peuvent être soulagées par l'administration de morphine, «en raison des effets secondaires de cet antalgique». Bref, la mère de famille vit un calvaire quotidien, dont elle refuse de supporter «l'irréversible dégradation».

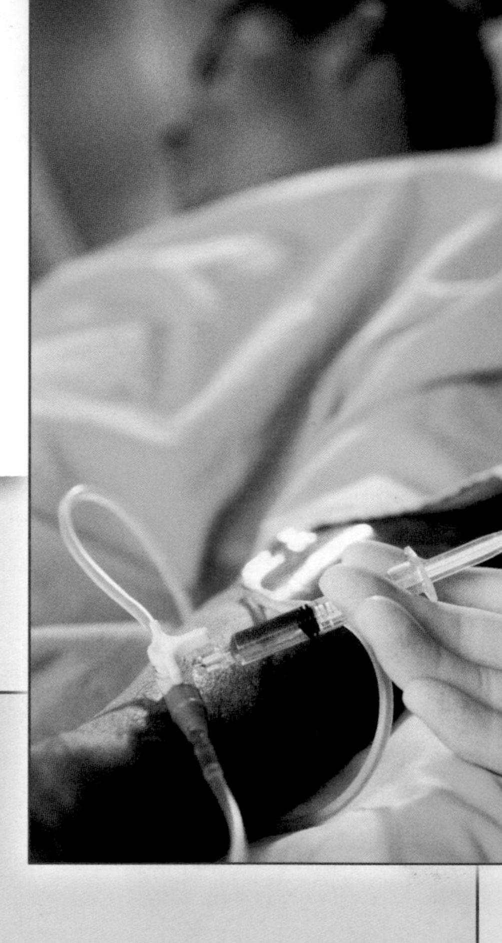

Lire 1 **Répondez en français.**

1 De quoi souffre Chantal?
2 Quelle était sa profession?
3 Que demande-t-elle?
4 À qui?
5 Pourquoi?
6 Quelle est la position de la France par rapport à l'euthanasie?

Lire 2 **Trouvez la bonne définition.**

1 l'euthanasie
2 l'euthanasie passive
3 le suicide médicalement assisté
4 l'euthanasie active
5 les soins palliatifs
6 l'euthanasie volontaire
7 l'euthanasie non volontaire

a C'est lorsque l'on procède selon les vœux du malade.
b C'est quand on aide quelqu'un à mourir en lui fournissant les informations ou les moyens nécessaires.
c C'est le refus ou l'interruption des traitements pour maintenir en vie.
d Ce sont les soins qui permettent d'atténuer les douleurs, d'améliorer la qualité de vie.
e C'est quand le malade en phase terminale demande qu'on l'aide à mourir.
f C'est lorsque l'on donne la mort par injection à un patient pour qui il n'y a plus aucun espoir de guérison, sur sa demande, pour mettre fin à ses souffrances car il ne peut le faire lui-même.
g C'est lorsque l'on ne sait pas ce que le malade désire.

L'euthanasie oppose le respect de la liberté de chacun de disposer de son corps comme il l'entend et le respect de la vie qui interdit de tuer quelqu'un même avec leur consentement.

Écouter 3 **François de Closets est l'auteur d'un essai sur l'euthanasie *La dernière liberté*. Écoutez son interview et notez en anglais les questions que lui pose le journaliste.**

Écouter 4 **Réécoutez l'interview et notez en anglais les réponses de François de Closets.**

i Culture

En France, l'euthanasie est contraire au serment d'Hippocrate, à l'éthique des médecins, à la loi. Elle est punie par le Code Pénal qui en fait un homicide volontaire.

En revanche, en Belgique, l'euthanasie a été légalisée en 2002, et en Suisse, le suicide médicalement assisté est autorisé.

Lire 5 **Complétez les expressions avec le bon verbe et traduisez-les.**

choisir
légaliser
prolonger
injecter
perdre
mourir
avoir
être
être
mettre fin à
exprimer le désir d'
ne plus supporter

1 _________ le droit de vie ou de mort
2 _________ en finir avec la vie
3 _________ la vie à tout prix
4 _________ l'euthanasie
5 _________ la douleur
6 _________ une substance léthale
7 _________ l'envie de vivre
8 _________ entouré de ses proches
9 _________ son heure
10 _________ un acharnement thérapeutique
11 _________ à bout
12 _________ dans la dignité

> Impress the examiner by using idiomatic expressions.
>
> e.g. faire la une = *to make the front page*
> e.g. choisir son heure = *to choose one's time*

Grammaire

Le subjonctif passé (*the past subjunctive*)

It is used when the verb in the subordinate clause happened before the verb in the main clause.

Put the auxiliary verb in the present subjunctive and add the past participle of the main verb.
Je suis heureux qu'elle soit venue.
Bien qu'ils aient compris qu'on ne peut pas le guérir, ils espèrent toujours.

Écrire 6 **Traduisez ces phrases en français.**

1 Prolonged artificial life support is inhuman.
2 We must recognise the right to die with dignity.
3 A person should be in charge of his life and have the right to choose when to die.
4 It is necessary to respect the wishes and the religious convictions of each person.
5 A patient who is suffering is not capable of making a decision about euthanasia.
6 I am surprised that they haven't forbidden euthanasia because to authorise it is to legalise murder.
7 Although they choose to help people, the role of doctors is not to administer lethal substances.
8 In France up to now I doubt that we have treated humans at the end of their lives as well as animals at the end of their lives.
9 You're happy that you have had the time to talk about it with your mum.

Parler 7 **Faut-il légaliser l'euthanasie? Organisez un débat en classe. Préparez vos arguments. Écoutez bien et notez les arguments de vos camarades de classe.**

POUR

- un droit comme celui de refuser toute transfusion sanguine
- éviter les euthanasies clandestines ou à l'étranger
- mourir dans son sommeil semble moins atroce que mourir d'un arrêt respiratoire
- refuser de dépendre de machines, d'autrui
- ne pas vouloir vivre dans un état végétatif

CONTRE

- il faut mourir de mort naturelle
- on ne décide pas d'être vivant, on ne doit pas décider de mourir
- ma religion/foi ne le permette pas
- personne ne devrait avoir le droit de vie ou de mort sur quelqu'un d'autre
- cela pourrait encourager le suicide de personnes souffrant moralement
- certains meurtres pourraient être maquillés en euthanasie

Écrire 8 **Vous êtes journaliste. Rédigez un article résumant les arguments du débat sur l'euthanasie (entre 240 et 270 mots).**

Grammaire

Le subjonctif imparfait (*the imperfect subjunctive*)

This is a literary form that you need to recognise, not to use.

Take the **il** form of the past historic, remove **-t** from **-ir** and **-re** verbs and add the endings: **-sse, -sses, -accent t, -ssions, -ssiez, -ssent**

aimer → j'aimasse — être → nous fussions
finir → tu finisses — avoir → vous eussiez
croire → il crût — prendre → ils prissent

Lire 9 **Lisez ces paroles de chanson et donnez l'infinitif des verbes en gras.**

L'imparfait du Subjonctif

Paroles: Claude Steiner *Musique:* Sylvain Richardot

Dès le moment que je vous **vis**
Beauté torride vous me **plûtes**
De l'amour qu'en vos yeux je **pris**
Aussitôt vous vous **aperçûtes**

À l'imparfait du subjonctif
Vous m'**avez fait** un drôle d'effet
Au présent de l'indicatif
Vos yeux **étaient** plus que parfaits

Ah **fallait**-il que je vous **visse**
Fallait-il que vous me **plussiez**
Qu'ingénument je vous le **disse**
Qu'avec orgueil vous vous **tussiez**

Fallait-il que je vous **aimasse**
Fallait-il que je vous **voulusse**
Et pour que je vous **embrassasse**
Fallait-il que je vous **reçusse**

- **t** Parler de la spiritualité et de la religion
- **g** Les verbes suivis de l'infinitif
- **s** Utiliser des statistiques

4 · En quête de soi

1 Êtes-vous superstitieux/superstitieuse?

2 Lisez-vous votre horoscope? Fréquemment?

3 Vous croyez aux anges gardiens?

4 Est-ce que vous croyez à une vie extra-terrestre? aux OVNI?

5 Croyez-vous à la vie après la mort? À la réincarnation?

6 Croyez-vous aux fantômes?

7 Avez-vous déjà fait du spiritisme?

8 Vous avez déjà assisté à un cours de méditation ou un stage de sophrologie?

9 Consulteriez-vous une voyante pour connaître votre avenir?

10 Pensez-vous que vous partagez les mêmes principes et valeurs que vos parents? Que vos amis?

11 Êtes-vous croyant(e)?

12 Êtes-vous pratiquant(e)?

13 Vos croyances influencent-elles votre vie de tous les jours?

Parler 1 À deux, répondez à ces questions.

Écouter 2 Écoutez et complétez le texte.

Métaphysique étoilée

Les nuits d'été sont propices à la méditation métaphysique. J'aime **1** _________ dans l'herbe, face au ciel et **2** ___________ par lui à ma vraie dimension. Rien de plus apaisant … ou de plus terrifiant. Cela fait plus de cent mille ans que l'*Homo sapiens* s'interroge sur «ce silence éternel de ces espaces infinis». Toutes les religions **3** ______ de ce doute vertigineux.

Pas une cathédrale, pas un temple, pas une mosquée ne peut **4** _____ avec la puissance spirituelle d'un ciel d'été. Sous un ciel alpin, normand ou provençal, nous sommes ramenés aux mêmes questions que nos lointains ancêtres de Lascaux: que faisons-nous dans cet univers démesuré? Y a-t-il un après?

Si **5** ____________ méditer sur ces questions, ne vous étendez pas dans l'herbe cet été.

Écrire 3 Traduisez ces phrases en français.

1 I love to look at the sky and to meditate on existence.
2 My friends prefer to go to nightclubs.
3 But I hope to become a priest.
4 The other day I saw my mother talking to my father.
5 I heard her say 'He is very religious you know …'
6 My father replied 'We have to let him find his own path'.

Grammaire

Les verbes suivis de l'infinitif (*verbs followed by the infinitive*)

Many verbs do not take a preposition (**à**, **de**) when followed by an infinitive:

modal verbs	vouloir, pouvoir, savoir
verbs expressing **intention**	désirer, croire, espérer, compter
verbs expressing **opinions**	penser, adorer, haïr
verbs referring to **senses**	écouter, entendre, regarder, sentir, voir,
verbs **causing an effect**	faire, laisser
verbs expressing **movement**	aller, monter, rentrer, retourner, venir

When a compound tense is preceded by a direct object, the past participle of those verbs agrees with the direct object, e.g. Je **les** ai vu**s** flotter dans les airs.
Except with **faire** and **laisser** + infinitive, there is no agreement.
Je **les** ai **fait** baptiser quand ils étaient encore bébés.

Parler 4 **À deux, formulez une phrase à partir de ces statistiques. Votre partenaire doit dire si votre phrase est vraie ou fausse.**

Vary the way in which you give statistics. Use the following key language. Only use each expression once.

d'après/selon ce sondage/cette enquête
le nombre/la proportion/les chiffres
plus de (+ chiffre) = *more than* (+ *figure*)
plus que = *more than*
de plus en plus/de moins en moins
augmenter proportionnellement
une large proportion (de)/un pourcentage important
la majorité (de)/la plupart (de)/une minorité (de)
la moitié/le tiers/le quart (de)/une personne sur trois

Sondage

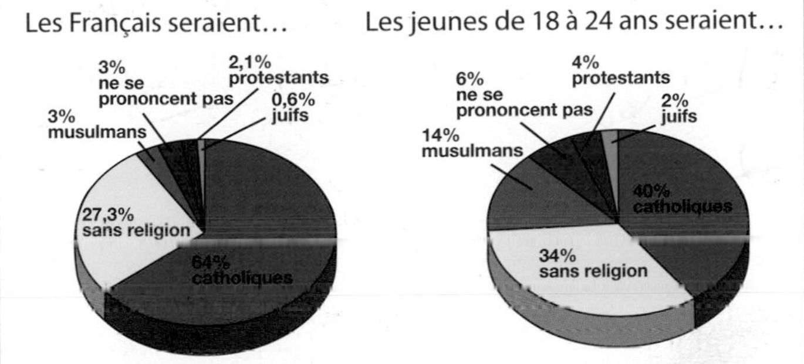

Lire 5 **Remplissez les blancs avec un des verbes de la liste. Ensuite, traduisez le texte en anglais à partir de «Le second …».**

La quête spirituelle

Le monde dans lequel nous **1** ________ est plein de contrastes. Parfois dur et hostile, il est aussi source d'émerveillement et de joie. La vie peut être tour à tour pénible ou passionnante. On peut **2** ________ seul, même entouré d'une foule de gens. En règle générale, la vie et l'univers demeurent pour nous un grand mystère. Depuis l'aube des temps, les hommes **3** ____________ sur leur origine, sur le sens de la vie et de la mort. C'est de cette longue quête spirituelle que **4** ________ les multiples religions du monde. On peut **5** ________ deux grands courants. Le premier **6** _________ le monde avec ce qu'il a d'essentiellement bon, tout en s'attachant à en corriger les défauts. Le second considère que la réalité est spirituelle et cherche à libérer l'âme du monde matériel et du cycle éternel de la naissance, de la mort et de la réincarnation. Les religions nous proposent des manières de penser et des croyances. Elles nous enseignent des rites et nous aident à atteindre l'harmonie avec le monde.

sont nées	se sont mis d'accord	accepte	s'entendre
vivons	se sont interrogés	se sentir	distinguer

Écouter 6 **Écoutez ces quatre jeunes et notez ce qu'ils disent sur:**

- leur religion
- les cérémonies mentionnées
- l'opinion sur leur foi

When quoting an individual, try to vary the verbs that you use, finding synonyms for **dire**. Use: **constater, affirmer, déclarer, prétendre, expliquer, signaler**.

Parler 7 **Écoutez et répétez.**

la relig**ion**	les convict**ions**	les pr**in**cipes
le christian**isme**	les croy**an**ces	l'ath**éisme**
le p**é**ch**é**	l'Isl**am**	musulm**an**

Prononciation

Try to sound as French as possible. Watch out for words which look similar to English ones. You must pronounce these accurately: **isme**, **-tion**; nasals: **an**, **on**, **in**, **en.**

Parler 8 **À deux, commentez cette image.**

1 Que voyez-vous sur l'image?
2 Expliquez la légende.
3 Trouvez-vous cette image drôle? Pourquoi/Pourquoi pas?

André Bouchard

- Tu crois qu'il y a de la vie ailleurs sur un autre canapé, toi?

Écrire 9 **Pourquoi les sectes ciblent-elles les jeunes? Écrivez entre 240 et 270 mots.**

besoin de croire en quelque chose	le sens
s'interroger sur la foi	le gourou/l'adepte
recruter/conditionner/manipuler/profiter/exploiter	l'endoctrinement/le lavage de cerveau
se servir de/se laisser abuser	la méditation
en marge de	la liberté religieuse
en quête de réponses	la liberté de pensée et d'action
vulnérable/isolé	l'intolérance

- **t** Parler des fêtes et des traditions
- **g** L'infinitif passé
- **s** • Exposer son point de vue
  • Raconter une histoire en utilisant son expérience personnelle

5 · Fêtons-ça!

Écouter 1 **De quelle photo s'agit-il? Notez l'occasion et un autre détail.**

Parler 2 **À deux, répondez aux questions suivantes.**

1. Faire la fête, qu'est-ce que cela veut dire pour vous?
2. Pourquoi les gens se réunissent-ils?
3. Pourquoi les jeunes aiment-ils faire la fête?
4. Est-il possible de faire la fête avec des gens que l'on ne connaît pas?
5. Les jeunes font-ils la fête partout de la même manière?
6. À votre avis, pourquoi certains jeunes consomment-ils de l'alcool ou de la drogue quand ils font la fête?

l'ambiance
les mœurs/les coutumes
se retrouver entre copains
avoir le sentiment d'appartenance à un groupe
perdre le contrôle de soi
enlever les inhibitions
empêcher de
consommer avec modération
être saoul/ivre/avoir la gueule de bois
se souvenir de
ce n'est pas indispensable

Écrire 3 **Réécrivez ces paires en une seule phrase en utilisant *avant*, *sans*, *après* et l'infinitif passé.**

1. Ne sors pas de table! Finis ta soupe!
2. Tu ne sortiras pas. Range ta chambre.
3. Les enfants ont mis leurs chaussons sous le sapin de Noël. Ils sont partis se coucher.
4. Ma sœur a eu mal au ventre. Elle a mangé trois parts de galette des rois.
5. Chez moi on ne commence jamais à manger. On se lave d'abord les mains.
6. Chez nous on n'entre pas. On enlève d'abord ses chaussures.
7. Ma tante ne se couche jamais. Elle fait d'abord sa prière.
8. Ils se sont aperçus qu'ils étaient sous le gui. Puis ils se sont embrassés.

Grammaire

L'infinitif passé (*the perfect infinitive*)

The perfect infinitive is formed using the auxiliary of the main verb + the past participle.

auxiliary	+ past participle of main verb
avoir	vu fait
être	allé (+ agreement) parti

Fichier Edition E-mail Communiquer Services Sécurité Fenêtre Mot-clé Déconnexion Aide

Accueil OK Rechercher Favoris

Bienvenue

Si on faisait la fête ...

Nadja: ▸ Moi, j'adore les festivals de cinéma et il y en a beaucoup en France: Cannes, Deauville, Rennes... Il y en a plein et pour tous les goûts. J'aime beaucoup parce qu'on découvre des jeunes talents et ça me permet également de voir des films qui sont peu diffusés. Je m'organise et puis presque tous les mois je vois des films dans des endroits différents.

Romain: ▸ J'adore les festivals de musique, et surtout celui des Transmusicales de Rennes. Ils y passent de la bonne musique. J'y suis allé l'an dernier et j'y retourne en décembre prochain, c'est clair!

Théo: ▸ Moi, Je viens de Nîmes, où tous les ans fin septembre, tout le monde sort dans la rue pour la Feria, une véritable institution! On boit un peu, on danse aussi et puis on va voir des corridas: l' homme face au taureau, quel spectacle! C'est vraiment la meilleure des fiestas!

Jeanne: ▸ Pour moi, la corrida c'est une barbarie, la pauvre bête. Ce n'est pas une fête qui m'intéresse. Y étant allée une fois, je n'y retournerai pas. À mes yeux la meilleure des fêtes, c'est la Gay Pride de Paris. Il y a une ambiance formidable et la musique est excellente. Tout le monde se réunit contre la discrimination et je trouve que c'est bien que les mentalités évoluent de nos jours.

Samir: ▸ Moi, je ne me suis jamais autant amusé qu'en faisant les vendanges dans le Sud, à Aix. On rencontre des gens intéressants tout en gagnant de l'argent. On mange ensemble le soir, souvent on joue de la guitare ensemble. On se lève tôt, on travaille dur, on fait la fête et puis on recommence le lendemain.

Lire 4 Copiez et remplissez ce tableau en français.

Fête	Ville	Détails

Parler 5 Expliquez à votre partenaire votre point de vue sur:

- la corrida
- la chasse
- l'alimentation végétarienne
- les jeunes et la fête
- les jeunes et les traditions.

Culture

En France, beaucoup de fêtes et de jours fériés sont des fêtes d'origine catholique. Avant les gens ne travaillaient pas les jours de fête et ils pouvaient donc aller à l'église. De nos jours, de plus en plus de gens travaillent et de plus en plus de magasins restent ouverts les jours fériés. Aujourd'hui, les gens étant de moins en moins religieux, on ignore parfois l'origine de certaines traditions.

Écouter 6 Reformez les phrases et remettez-les dans l'ordre du passage.

1 Tout le monde
2 Jack Lang a
3 87% des Français
4 La fête de la Musique
5 Lors d'un sondage 5 millions de personnes

a joue d'un instrument.
b déclarent s'ouvrir à de nouvelles musiques ce jour-là.
c voulu mettre l'accent sur la musique classique.
d veut faire partie de la Fête de la Musique.
e ont déclaré qu'ils faisaient de la musique.
f chantent tous les jours sous la douche.
g a réussi à changer les mentalités.
h eu l'idée de la fête de la Musique en 1981.

Écrire 7 Écrivez entre 240 et 270 mots à partir de cette image. Incluez un élément que vous allez puiser dans votre expérience personnelle.

- t) Examiner le statut et les droits des femmes
- g) Éviter l'usage du subjonctif
- s) Défendre son point de vue

6 · Les droits des femmes

1910 (a) · 1911 (b) · 1917 (c) · 1918-20 (d) · 1944-45 (e) · 1960 (f, g) · 1968 (h) · 1975 (i) · 1977 (j) · 2005 (k)

Parler 1 **À deux, faites correspondre les dates et les événements.**

1. 8 mars: un million de femmes manifestent en Europe
2. Droit de vote en France, en Italie
3. France: loi Veil sur l'avortement
4. Journée des femmes proposées par l'Allemande Clara Zetkin à Copenhague
5. 8 mars: Journée internationale des femmes officialisée par l'ONU
6. 8 mars: défilé d'ouvrières russes à St-Petersbourg contre la guerre
7. Ellen Johnson Sirleaf (Libéria), 1ère femme élue présidente en Afrique
8. Droit de vote au Royaume-Uni, en Russie, en Allemagne, aux États-Unis et autres.
9. 1ère pilule contraceptive vendue aux États-Unis (1967 en France)
10. Valentina Terechkova (URSS), 1ère femme dans l'espace
11. Sirimavo Bandaranaike 1ère femme Premier Ministre au monde

Écouter 2 **Remplissez les blancs avec les mots de la case ci-contre.**

Le XXème siècle a été marqué par un **1** ________ sans précédent d'émancipation des femmes. La distribution traditionnelle des rôles **2** _________ (sphère familiale et domestique pour les femmes, sphère **3** _______ pour les hommes) a été largement remise en cause. Depuis 1946, le principe d'égalité entre les hommes et les femmes est **4** ________ dans notre Constitution. Ces conquêtes sont **5** _______ le fruit de mouvements féminins et féministes. Pour autant, la place des femmes reste **6** ____________ par la domination masculine. Les **7** _______ subsistent et les inégalités se **8** ___________.

principes · conditionnée · stéréotypes · notamment · uniquement · perpétuent · mouvement · sociaux · égaux · publique · inscrit

Prononciation

Take care when you pronounce **e** with different accents. Make sure the difference can be heard.

l'in**é**galit**é**	l'**é**mancipation
la sph**è**re familiale	ces conqu**ê**tes
vous avez **été**	vous **ê**tes

Karima: insoumise, dévoilée et menacée

D'origine marocaine, Karima brise le silence pour raconter son parcours pour la conquête du droit à disposer librement de sa vie et de son corps.

Dans *Insoumise et dévoilée*, elle décrit les faits marquants de son enfance et de sa jeunesse: placement en institution, sévices corporels, obligation de porter le voile, mariage forcé … Sans haine et sans reproche, Karima raconte le comportement subitement violent, intransigeant et souvent irrationnel de son père, croyant, devenu fondamentaliste.

Le samedi 15 mars, Karima présentait à la presse son récit autobiographique.

Elle y a expliqué sa démarche d'écrivaine et pourquoi elle est à nouveau menacée de mort. Elle a également rappelé son profond respect pour l'Islam. Une religion de paix que certains adeptes instrumentalisent pour asservir les femmes.

Avant même la sortie de son livre, Karima recevait des menaces explicites sur le blog de son éditeur. Malgré ces menaces, jugées sérieuses par les autorités judiciaires, Karima tient bon et *Insoumise et dévoilée* sort comme prévu.

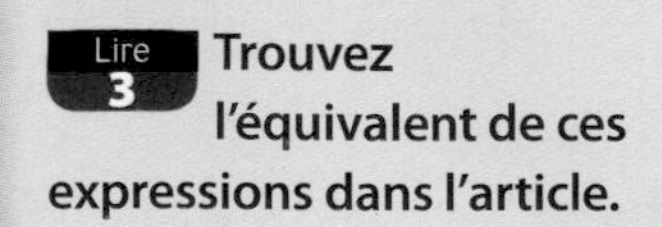

Lire 3 **Trouvez l'équivalent de ces expressions dans l'article.**

1. rebelle
2. l'obtention
3. brutalités
4. soudainement
5. religieux
6. tolérance
7. opprimer
8. ouvertes

Lire 4 **Décidez si ces phrases sont vraies ou fausses selon l'article.**

1 Karima vient d'Algérie.
2 Petite, elle avait choisi de porter le voile.
3 Son père n'a pas toujours été un religieux extrémiste.
4 Karima pense que l'on ne devrait pas se servir de l'Islam pour opprimer les femmes.
5 Karima n'a pas publié son livre comme prévu à cause des menaces.

Écouter 5 **C'est en 1989 que l'affaire du foulard a commencé, voilà vingt ans que cela dure. Zahra et Sihem sont de deux avis opposés. L'une est pour le port du foulard, l'autre est contre. Écoutez leur discussion. Notez leurs arguments en anglais.**

Parler 6 **À deux, adoptez deux positions opposées sur le port du foulard à l'école. Qui a les meilleurs arguments et défend le mieux son point de vue?**

Défendre son point de vue

Non, je ne partage pas ce point de vue
(Bien) au contraire
Comme je l'ai déjà dit
J'ai déjà constaté que
Contrairement à ce que dit
C'est incontestable que
C'est faux de prétendre que
En définitive

Grammaire

Éviter l'emploi du subjonctif (*avoiding the subjunctive*)

You can avoid the subjunctive by using:

- impersonal expressions — **il est important de** + infinitive
- impersonal verbs — **il faut** + infinitive
- constructions with **si** — **Si** on est tolérant, on respecte l'autre.

Écrire 7 **Réécrivez ces phrases afin d'éviter l'emploi du subjonctif.**

1 Il est nécessaire que l'on protège les droits des femmes.
2 Il est important qu'on établisse certains principes.
3 Si nous voulons lutter pour les droits des femmes, il faut que nous abordions le droit à l'avortement.
4 Il est impossible de parler d'avortement sans que l'on parle de moralité.
5 Il faut que nous prenions en compte les intérêts de la mère et ceux du fœtus.

Parler 8 **À deux, décidez si ces arguments sont pour ou contre l'avortement.**

1 Une femme a le droit de disposer de son corps comme elle le veut.
2 Il vaut mieux supprimer un fœtus que d'avoir un enfant malheureux, privé d'amour et dont on ne s'occupe pas.
3 À mon avis, le droit d'avorter librement et l'accès à la contraception a amélioré l'état de santé général des femmes.
4 Supprimer l'avortement, c'est du fanatisme religieux.
5 L'avortement est toujours traumatisant et comporte toujours un certain risque, par exemple celui de ne plus jamais avoir d'enfant.
6 Tuer un fœtus va à l'encontre des droits de l'homme.
7 Je partage le point de vue religieux selon lequel toute vie est sacrée. Tout naturellement, cela me conduit à penser que l'avortement est immoral. Tuer un être humain, c'est un péché.
8 L'IVG, quand la femme enceinte se retrouve seule, qu'elle est trop jeune ou trop âgée, qu'elle a déjà une famille nombreuse, s'il y a eu viol ou si l'enfant va être handicapé, dans ces cas-là, je le conçois.
9 Le fœtus n'a ni système nerveux, ni conscience, ce n'est pas une personne à part entière.
10 Une femme n'a pas le droit de disposer de la vie de son enfant. L'avortement, c'est une pratique barbare.
11 Supprimer l'avortement libre mènera inévitablement à une hausse du nombre d'avortements clandestins.
12 Si une femme n'a pas de situation sociale, s'il n'y a pas de père, supprimer un fœtus est une décision difficile et responsable et non pas égoïste comme certains le pensent.

Écrire 9 **«Un avortement est un meurtre.»**

Quelle est votre réaction? Exprimez votre point de vue (entre 240 et 270 mots).

- t Examiner les motivations des travailleurs humanitaires
- g Les constructions avec **si** (1)
- s • Traduire de l'anglais au français
  • Utiliser son imagination

7 · Citoyens du monde

Quel(le) citoyen(ne) solidaire êtes-**vous**?

Il y a mille façons de s'engager pour la solidarité internationale, toutes complémentaires. Et vous, quel serait plutôt votre profil?

1 Enfant, vous étiez du style à:
- ● vous présenter comme délégué(e) de classe
- ✱ aller faire les courses pour votre grand-mère
- ◆ donner des leçons de tri sélectif à vos parents

2 Vous faites plutôt des dons:
- ✱ en réponse à une situation d'urgence
- ◆ en contractant une épargne solidaire
- ● par versement régulier à des associations

3 Pour vous, la solidarité c'est d'abord une affaire:
- ✱ d'humanité
- ● de justice
- ◆ d'égalité

4 Face à une actualité dans un pays en crise, vous pensez plus pertinent:
- ● d'écrire au gouvernement français pour qu'il apporte de l'aide à ce pays
- ◆ de privilégier l'achat de produits provenant de ce pays
- ✱ de se proposer comme bénévole dans une association

5 Dans l'idéal vous choisissez votre voyage touristique plutôt en fonction de:
- ✱ la possibilité de découvrir le mode de vie de la population locale
- ● l'intérêt géopolitique pour la destination
- ◆ le coût écologique du transport et du séjour

6 Être citoyen pour vous, c'est avant tout:
- ◆ choisir ✱ partager ● réagir

7 En faisant vos courses, vous êtes surtout attentif(ve):
- ◆ à l'offre en produits locaux, bios et équitables
- ● à la publicité mensongère sur les prix, les produits
- ✱ aux conditions de travail des salariés des magasins

8 Quelle citation vous ressemble le plus?
- ◆ «Penser global, agir local»
- ✱ «Nous n'héritons pas de la Terre de nos ancêtres, nous l'empruntons à nos enfants.» (Antoine de Saint-Exupéry)
- ● «Qui veut faire quelque chose trouve un moyen. Qui ne veut rien faire trouve une excuse.» (proverbe arabe).

À partir du nombre de symboles ✱●◆ identiques, vous seriez plutôt un(e) citoyen(ne) ...

✱ humaniste

Avide de rencontres, vous vous sentez citoyen(ne) sans frontières. Pour vous, la connaissance des autres est la base de la solidarité internationale. Vous agissez en citoyen(ne) solidaire par les voyages solidaires, les chantiers internationaux, le bénévolat, les événements interculturels, le parrainage.

● militant(e)

La citoyenneté est pour vous d'abord une attitude d'engagement, basée sur la compréhension du monde. Vous avez pris la mesure du pouvoir du citoyen quand il est bien informé, et tentez de l'utiliser à tout moment. Vous agissez en citoyen(ne) solidaire par des campagnes de pétition, la défense des droits de l'homme, les manifestations, les lettres d'interpellation, le vote, les forums de discussion.

◆ consom'acteur(trice)

C'est à chaque moment de la vie quotidienne que s'exprime votre solidarité internationale, en faisant des choix de consommation et de vie respectueux des personnes et de l'environnement. Vous agissez en citoyen(ne) solidaire par la consommation responsable de produits équitables et biologiques, en optant pour une épargne solidaire ou un tourisme éthique.

Parler 1 **À deux, faites ce quiz et découvrez votre profil.**

Écouter 2 **Écoutez Frédéric Mounier, président de la Délégation catholique pour la coopération. Mettez ces phrases dans l'ordre du texte.**

1 Si on ne limite pas le nombre de projets, on risque de ne pas être efficace.
2 Si on part en mission humanitaire, on ne va pas forcément sauver le monde.
3 Si vous partez en mission avec un but réaliste, vous aurez plus de chances de l'atteindre.
4 Si vous avez des problèmes personnels, ne partez pas en mission humanitaire!
5 Si tu pars en mission dans un pays avec une culture différente de la tienne, cela t'ouvrira l'esprit et te servira plus tard dans ta vie.
6 Si nous partageons notre savoir avec les gens qui en ont besoin, on arrivera à mieux les aider.

Écrire 3 **Réécrivez les phrases de l'exercice 2 (*si* + imparfait, conditionnel).**

Grammaire

Les constructions avec si (1) (*si clauses*)

The sequence of tenses in main and subordinate clauses is important. Get them right, learn the following pairings.

si + present or perfect	present, future or imperative
si + imperfect	conditional

Moi, Charlotte, en mission humanitaire...

Janvier

J'ai décidé de partir en mission humanitaire. Depuis longtemps, je pense à donner de mon temps aux plus pauvres. J'ai besoin d'une pause dans ma vie d'étudiante: trouver sa voie, faire des choix, ce n'est pas évident. Pour cela, je veux m'ouvrir sur le monde. Prendre du temps, me retrouver seule dans un pays où je n'ai aucun repère et être utile, faire de l'humanitaire. J'aimerais travailler avec des enfants, j'aime leur joie de vivre. Et je suis curieuse de savoir comment se passe réellement le travail des associations sur le terrain.

Février

J'ai été contactée par les «Enfants du Soleil» qui s'occupent d'enfants des rues à Madagascar. Ils recherchent des jeunes volontaires. Je suis bien dans mes baskets, j'ai la tête sur les épaules. Ça leur a plu, je pars comme bénévole. Maintenant que je sais où je pars, j'y pense tout le temps. Mais avant le départ, j'ai des tonnes de choses à faire: papiers, vaccins, lire des guides ...

Mars

Déjà une semaine! Enseigner le français à ceux qui ne savent pas écrire leur propre langue est un vrai défi. Les rues sont sales et la pauvreté est partout. Je me demande comment je vais affronter ces deux mois. Malgré moi, je compte les jours.

Juillet

Que dire trois mois après? J'ai beaucoup appris. Partir en mission humanitaire, ce n'est pas juste partir. C'est se mettre en danger face à l'inconnu, c'est accepter de bouleverser sa vie. Il y a des souvenirs et des sourires qui ne s'oublient pas ...

Lire 4 Complétez ces phrases en français.

1. Charlotte croit que si elle part en mission humanitaire ...
2. Elle pense que si elle ... qu'elle ne connaît pas, elle apprendra des choses sur elle-même.
3. Elle estime que si elle est sur place, elle pourra observer ...
4. Charlotte est ... de partir.
5. Après huit jours, Charlotte trouve les conditions de vie et de travail ...
6. Charlotte constate que si on part en mission humanitaire, on ...

Culture

Cette île plus grande que la France se trouve au sud-est du continent africain, dans l'océan Indien. À l'origine, elle a été peuplée par des populations venant d'Asie. Elle est ensuite devenue une colonie française avant son indépendance en 1960. La langue française est répandue même si la langue nationale est le malgache.

La moitié des Malgaches vivent avec moins d'un euro par jour.

Écrire 5 Traduisez ce passage en français.

I have been thinking about becoming a volunteer for a long time. If I open myself to the world, I think I will find my path. I would like to work with children, but I don't know where I would go. It must be a real challenge to teach French to children who don't know how to write their own language for example. But I am going to turn my life upside down. I will do it!

When translating from English into French, check the following carefully:

- Adjectival endings – Do you need an extra -**e**? -**es**?
- Agreement of verb forms in subject and number
- Use of tenses – Have you used the correct ones?
- Verb endings – Do they match the subjects?
- Sequence of tenses
- Spelling
- Gender
- Use of **depuis**

For can be tricky to translate:

Depuis longtemps/peu	***For*** *a long time/a short time*
Elle est partie **pour** six mois.	*She's gone* ***for*** *six months.*
Ça fait un mois que je suis là.	*I have been here* ***for*** *a month.*

Écrire 6 Vous avez décidé de partir en mission humanitaire. Donnez de vos nouvelles à votre famille et vos amis sur votre blog. Écrivez entre 240 et 270 mots.

- Imagine your character in detail.
- Who is he/she?
- What is his/her background?
- What is his/her motivation?
- Where did he/she go? How long for?
  Include one happy event, one sad event, one funny event.
- Describe how he/she felt at the end of his/her mission.

- t Aborder l'altermondialisme
- g Les constructions avec **si** (2)
- s Évaluer les avantages et les inconvénients

8 · Je rêvais d'un autre monde

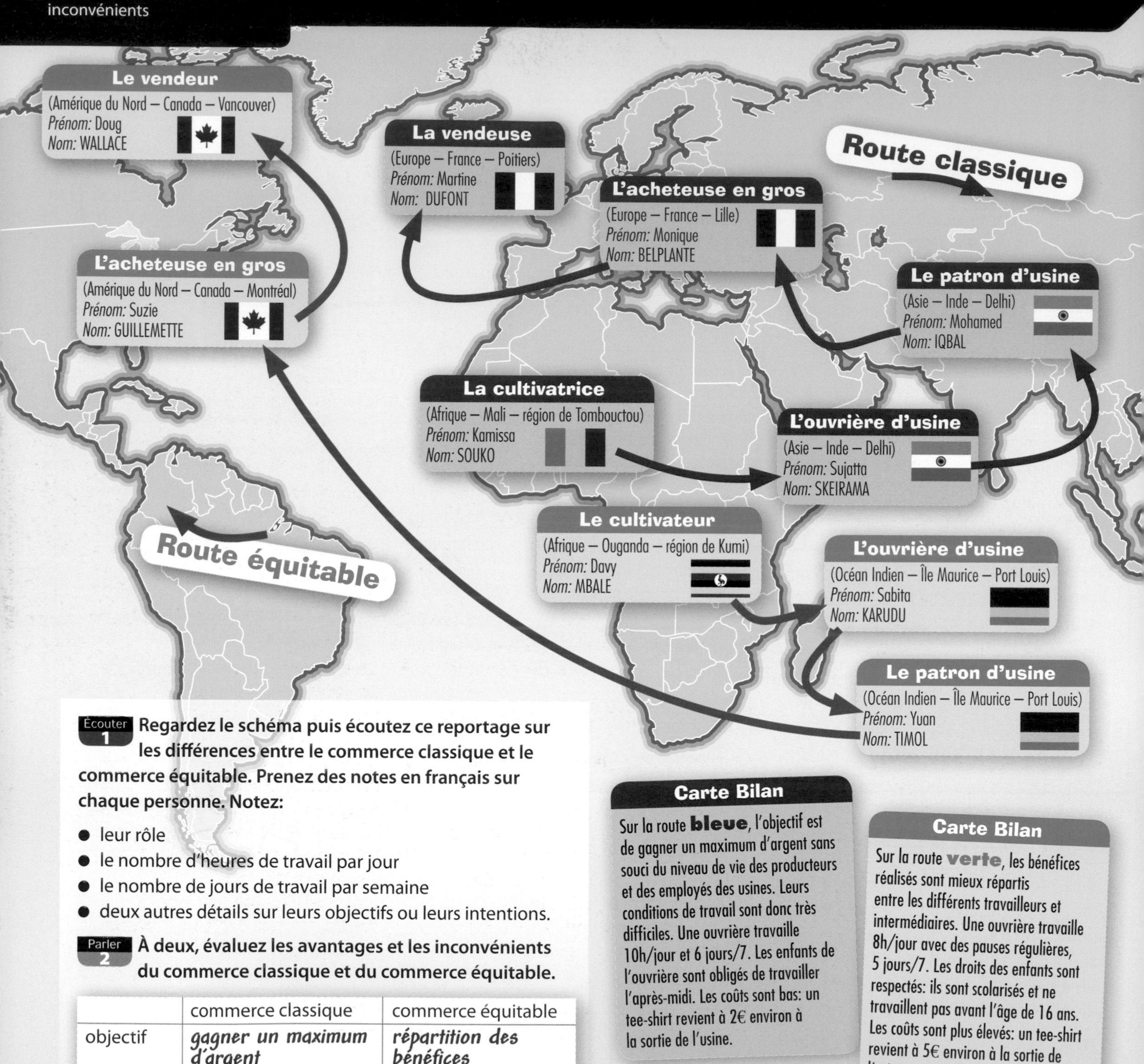

Écouter 1 **Regardez le schéma puis écoutez ce reportage sur les différences entre le commerce classique et le commerce équitable. Prenez des notes en français sur chaque personne. Notez:**

- leur rôle
- le nombre d'heures de travail par jour
- le nombre de jours de travail par semaine
- deux autres détails sur leurs objectifs ou leurs intentions.

Parler 2 **À deux, évaluez les avantages et les inconvénients du commerce classique et du commerce équitable.**

	commerce classique	commerce équitable
objectif	*gagner un maximum d'argent*	*répartition des bénéfices*
conditions de travail		
conditions de vie		
travail des enfants		
coût		

Evaluating means going beyond description. It implies drawing conclusions, understanding and explaining the origins, causes and consequences of something.

Carte Bilan

Sur la route **bleue**, l'objectif est de gagner un maximum d'argent sans souci du niveau de vie des producteurs et des employés des usines. Leurs conditions de travail sont donc très difficiles. Une ouvrière travaille 10h/jour et 6 jours/7. Les enfants de l'ouvrière sont obligés de travailler l'après-midi. Les coûts sont bas: un tee-shirt revient à 2€ environ à la sortie de l'usine.

Carte Bilan

Sur la route **verte**, les bénéfices réalisés sont mieux répartis entre les différents travailleurs et intermédiaires. Une ouvrière travaille 8h/jour avec des pauses régulières, 5 jours/7. Les droits des enfants sont respectés: ils sont scolarisés et ne travaillent pas avant l'âge de 16 ans. Les coûts sont plus élevés: un tee-shirt revient à 5€ environ à la sortie de l'usine.

causes	**conséquence**	**but**
parce que	si bien que	pour + inf
car	alors	afin de + inf
comme	donc	de manière à
puisque	c'est pourquoi	pour/afin que
grâce à	tellement … que	de peur de/que
à cause de		
suite à		
en raison de		
dû à		

Écrire 3 **Traduisez ces phrases en français.**

1 If Madame Souko had cultivated organic cotton, she would have been respecting the earth.
2 If Mr Iqbal had given Mme Skeirama more money, her children would not have been forced to work.
3 If Mr Wallace had not chosen the fairtrade route, he would have compromised his principles.
4 If Mme Belplante had been ready to reduce her profit, their working conditions could have been improved. (use **on** to avoid this passive)
5 If Carlos had bought a fairtrade T-shirt, he would have paid slightly more money for it.

Grammaire

Les propositions avec si (2) (*si clauses*)

The sequence of tenses in main and subordinate clauses is important.
Impress the examiner by using: **si** + pluperfect; conditional perfect.
Si Mme Belplante **avait été** prête à réduire ses bénéfices, **on aurait pu** améliorer les conditions de travail.

To make your French more sophisticated, build up a bank of synonyms for the following: **bien, très, dire, avoir, être, Je pense que ..., il y a.**
Keep adding to your list after every task you do!

Using more sophisticated French implies improving both vocabulary and structure. In exercises or in your independent reading, identify nouns, verbs and structures you can use in your own work.

Culture

Le mouvement altermondialiste est né des événements de 1968, événements qui ont influencé la pensée dans plusieurs domaines. C'est l'esprit de 68 qui a formé la société actuelle (naissance du mouvement féministe et du mouvement écologique, rejet de la censure, acceptation des homosexuels, etc.).

Lire 4 **À deux, notez les noms, les verbes et les expressions que vous pourriez réutiliser dans votre travail écrit.**

Le manifeste de Porto Alegre est une proposition pour un changement de société. Le manifeste présente un socle d'idées qui se veut un socle minimal sur lequel vont s'entendre les mouvements de l'altermondialisme.

Voici leurs propositions:

1 Annuler la dette publique
2 Mettre en place des taxes internationales sur les transactions financières
3 Démanteler progressivement toutes les formes de paradis fiscaux
4 Faire du droit à l'emploi une priorité
5 Lutter contre toute forme de discrimination
6 Prendre des mesures urgentes pour mettre fin au saccage de l'environnement
7 Promouvoir les formes de commerce équitable
8 Garantir le droit à la sécurité alimentaire de chaque pays
9 Interdire la privatisation des biens communs de l'humanité, l'eau en particulier
10 Garantir le droit à l'information
11 Exiger le démantèlement des bases militaires
12 Démocratiser en profondeur les organisations internationales, y faire prévaloir les droits humains

Parler 5 **À deux, relisez les propositions du manifeste de Porto Alegre et expliquez chaque proposition. Avec lesquelles des propositions ci-dessus êtes-vous d'accord? Justifiez votre réponse.**

le commerce équitable
un mouvement social
les droits de l'homme
les droits humains fondamentaux
les OGM
la démocratie
la tolérance
la justice économique
la protection de l'environnement
la «malbouffe»
l'autonomie des peuples
les valeurs humanistes
la liberté d'expression/de la presse
la peine de mort
se battre pour (une bonne cause)
contre (la pauvreté)
combattre (l'injustice)
militer pour/contre
revendiquer/privilégier/favoriser/protéger/garantir/s'assurer
construire un monde meilleur
trouver une alternative à
s'opposer à la globalisation du monde
proposer des alternatives réalistes

Écrire 6 **Peut-on rêver d'un autre monde? Écrivez entre 240 et 270 mots.**

- Décrivez les inégalités de notre monde (citez des exemples).
- Que peut-on faire à l'échelle locale? À l'échelle mondiale?
- Qu'êtes-vous prêt(e) à faire personnellement?

Le corps — *The body*

un cœur artificiel	*artificial heart*	les muscles	*muscles*
un embryon	*embryo*	les neurones	*neurons*
un gène	*gene*	les poils	*hair*
le don d'organes	*organ donation*	les tissus	*skin tissue*
le fœtus	*foetus*	une greffe d'organe	*organ transplant*
le système nerveux	*nervous system*	la peau	*skin*
l'ADN	*DNA*	les cellules	*cells*

Les maladies — *Diseases*

un accident cardiaque	*cardiac event*	une tumeur	*tumor*
un patient	*patient*	endommagé	*damaged*
le cancer	*cancer*	guérir	*to recover*
le diabète	*diabetic*	soigner	*to treat*
une maladie incurable	*an incurable disease*		

Le clonage — *Cloning*

un but/un objectif	*aim*	contre-courant	*against the grain*
un morceau	*a piece*	disponible	*available*
un problème éthique	*ethical issue*	efficace	*effective*
un savant fou	*a mad scientist*	implanté	*implanted*
un tube à essai	*test tube*	inventé	*invented*
le clone	*clone*	mis au point	*developed*
le clonage reproductif	*reproductive cloning*	naturel	*natural*
le clonage thérapeutique	*therapeutic cloning*	persuadé/convaincu	*persuaded/convinced*
l'espoir	*hope*	psychologique	*psychological*
les chercheurs	*researchers*	raisonnable	*reasonable*
les lois de la nature	*laws of nature*	réalisé	*carried out/achieved*
la faim/la famine	*hunger/starvation*	réglementé	*regulated*
la manipulation transgénique	*transgenic manipulation*	sceptique	*sceptical*
la pénurie	*shortage*	artificiellement	*artificially*
la productivité	*productivity*	à mon sens/à mes yeux	*in my eyes/from my viewpoint*
l'humanité	*humanity*	ça relève de	*this comes close to*
l'utilité	*use*	être consterné/ stupéfaite	*to be filled with consternation/ astounded*
les découvertes	*discoveries*		

Farouchement opposé à — *Fiercely opposed to*

abuser (de)	*to abuse*	manipuler	*to manipulate, play with*
craindre	*to fear*	maîtriser	*to master*
exiger	*to demand*	présenter des avantages	*to provide advantages*
fabriquer	*to make*	tester	*to test*
interdire/permettre	*to prohibit/to permit*	voter des lois	*to vote for laws*
jouer à Dieu	*to play God*	s'avérer	*to prove to be*

Les OGM (Organismes Génétiquement Modifiés) — *GMO (Genetically Modified Organisms)*

un consommateur	*consumer*	des pesticides	*pesticides*
un député vert	*MP for the Green Party*	le développement	*development*
des croisements contre-nature	*crossbreeding against nature*	le maïs	*maize*
des herbicides	*herbicides*	le monopole	*monopoly*

le parcours	*course/development*	les insectes	*insects*
le périmètre	*perimeter*	les manipulations génétiques	*genetic modifications*
le rassemblement	*rally*	les mauvaises herbes	*weeds*
le syndicat	*union*	les plantes	*plants*
l'arrachage	*picking*	les semences/les graines	*seeds*
les agriculteurs	*farmers*	altermondialiste	*anti-globalisation supporter*
les effets à long-terme	*long-term effects*	affamé	*starving*
les engrais chimiques	*fertiliser*	contestataire	*anti-authority*
les militants anti-OGM	*Anti-GM militants*	indestructible	*indestructible*
les oiseaux	*birds*	nutritifs	*nutritious*
les partisans	*partisans*	résistant	*resistant*
les sols	*soil*	prône à	*prone to*
une méthode de sélection	*method of selection*	quoiqu'on dise/qu'on fasse	*whatever one says/does*
une réunion	*meeting*	arguer	*to argue*
la biodiversité	*biodiversity*	élever	*to rear*
la création	*creation*	extraire	*to extract*
la croissance	*growth*	garantir	*to guarantee*
la malbouffe	*unhealthy eating*	identifier	*to identify*
la non-propagation	*non-spreading/propagation*	nuire	*to harm*
la preuve	*evidence/proof*	polliniser	*to pollinate*
la santé publique	*public health*	pousser	*to grow*
la sécheresse	*drought*	redouter	*to fear*
l'agronomie	*agronomy*	saisir une opportunité	*to seize an opportunity*
les cultures/les récoltes	*cultivated land/harvests*	subir	*to be subjected to/to submit to*
les multinationales	*multinationals*	transmettre	*to pass on*
les feuilles	*leaves*		

L'euthanasie — *Euthanasia*

un arrêt respiratoire	*respiratory arrest*	l'interruption	*interruption*
un calvaire	*ordeal*	atteint	*affected by*
un état végétatif	*vegetative state*	clandestin	*clandestine*
un homicide	*homicide*	défiguré	*disfigured*
un meurtre	*murder*	entouré	*surrounded*
le consentement	*consent*	irréversible	*irreversible*
Le Code Pénal	*penal code*	maquillé	*covered up*
le goût	*taste*	à tout prix	*at all costs*
le sommeil	*sleep*	en phase terminale	*terminal phase*
le suicide médicalement assisté	*medically assisted suicide*	par injection	*by injection*
l'acharnement thérapeutique	*extraordinary treatment*	sans espoir de guérison	*without hope of recovery*
l'avocat	*solicitor*	aller au bout	*to come to the end*
l'odorat	*smell*	atténuer	*to lessen*
les effets secondaires	*side effects*	avouer	*to declare*
les soins palliatifs	*palliative care/treatment*	choisir son heure	*to choose one's hour*
les vœux	*wishes*	dépendre des machines/d'autrui	*to depend on machines/on others*
une substance léthale	*lethal substance*	donner la mort	*to cause to die*
une transfusion sanguine	*blood transfusion*	être à bout	*to be at the end*
la détresse	*distress*	faire la une	*to make the front page*
la douleur	*pain*	faire les gros titres	*to make the headlines*
la justice	*justice*	fournir	*to provide*
la loi	*the law*	injecter	*to inject*
la morphine	*morphine*	maintenir en vie	*to keep alive*
la vue	*sight*	mettre fin à ses jours	*to end one's days*
l'envie de vivre	*desire to live*	punir	*to punish*
l'éthique	*ethics*	ronger	*to eat away/to gnaw*
l'euthanasie active	*active euthanasia*	soulager	*to relieve*
l'euthanasie (non) volontaire	*(non) voluntary euthanasia*	supporter	*to tolerate*
l'euthanasie passive	*passive euthanasia*		

La spiritualité et la religion *Spirituality and religion*

un ange gardien	*guardian angel*	le spiritisme	*spiritualism*
un doute	*doubt*	l'adepte	*follower, disciple*
un temple	*temple*	l'athéisme	*atheism*
le christianisme	*Christianity*	l'endoctrinement	*indoctrination*
le fanatisme religieux	*religious fanaticism*	l'horoscope	*horoscope*
le gourou	*guru*	l'émerveillement	*amazement*
le lavage de cerveau	*brainwashing*	l'Islam	*Islam*
le mystère	*mystery*	l'univers	*universe*
le péché	*sin*	les fantômes	*phantoms*
le sens de la vie	*meaning of life*	les OVNI (objets volants non-identifié)	*UFOs*

Les principes *Principles*

les rites	*rites*	catholique	*catholic*
les extra-terrestres	*aliens*	croyant	*believer*
une cathédrale	*cathedral*	éternel	*eternal*
une foule	*crowd*	fondamentaliste	*fundamentalist*
une mosquée	*mosque*	hostile	*hostile*
la foi	*faith*	pénible	*painful*
la joie	*joy*	pratiquant	*practising*
la liberté de pensée/d'action	*freedom of thought/action*	spirituel	*spiritual*
la méditation	*meditation*	superstitieux	*superstitious*
la réincarnation	*reincarnation*	depuis l'aube des temps	*since the beginning of time*
la sophrologie	*relaxation therapy*	en quête de	*in search of*
la spiritualité	*spirituality*	baptiser	*to baptise*
l'âme	*the soul*	conditionner	*to condition*
l'harmonie	*harmony*	consulter une voyante	*to consult a clairvoyant*
l'intolérance	*intolerance*	croire à/en	*to believe in*
les cérémonies	*ceremonies*	exploiter, se servir (de)	*to exploit, to use*
les valeurs	*values*	recruter	*to recruit*
les convictions	*convictions*	s'interroger (sur)	*to wonder (about)*
apaisant/terrifiant	*soothing/terrifying*		

Les fêtes et les traditions *Festivals and traditions*

un jour férié	*a public holiday*	les bêtes	*animals*
le contrôle de soi	*self-control*	les corridas	*bullfight*
le sapin de Noël	*Christmas tree*	les coutumes	*customs*
le spectacle	*show*	les inhibitions	*inhibitions*
le taureau	*bull*	les vendanges	*grape harvest*
les chaussons	*slippers*	sous le gui	*under the mistletoe*
les festivals	*festivals*	avoir la gueule de bois	*to be hungover*
les mœurs	*morals/customs*	avoir le sentiment de	*to have the feeling of*
une barbarie	*barbarity*	consommer avec modération	*to consume with moderation*
la chasse	*hunting*	être saoul/ivre	*to be drunk*
la fiesta	*fiesta/party*	faire la fête	*to live it up*
la galette des rois	*Twelfth Night cake*	faire sa prière	*to say one's prayers*
l'alimentation végétarienne	*vegetarian food/diet*	fêter	*to celebrate*
l'ambiance	*atmosphere*	se retrouver entre copains	*to get together with friends*
l'occasion	*occasion*	se réunir	*to get together*

Les droits des femmes *Women's rights*

un mariage forcé	*forced marriage*
un viol	*rape*
l'IVG	*abortion*
les sévices corporels	*physical abuse*
les stéréotypes	*stereotypes*
une personne à part entière	*person in his/her own right*
une pratique barbare	*a barbaric practice*
la conscience	*conscience*
la démarche	*initiative/action*
la moralité	*morality*
la pilule abortive	*abortive pill*
la pilule contraceptive	*contraceptive pill*
l'avortement	*abortion*
l'émancipation	*emancipation*
l'obtention	*obtaining/attaining*
les brutalités	*brutalities*
les inégalités	*inequalities*
égoïste	*selfish*
élu	*elected*
enceinte	*pregnant*
extrémiste	*extremist*
féministe	*feminist*
handicapé	*disabled*
intransigeant	*intransigent*
privé de	*deprived of*
publié	*published*
marqué	*marked by*
rebelle	*rebel*
sacré	*sacred*
traumatisant	*traumatising*
notamment	*notably*
uniquement	*uniquely*
le droit à l'avortement	*the right to an abortion*
le droit de vote	*the right to vote*
le port du foulard	*wearing a headscarf*
menacé de mort	*threatened with death*
asservir	*to subjugate*
briser le silence	*to break the silence*
établir	*to establish*
disposer de son corps	*to use one's body*
manifester/défiler	*to protest/to march*
opprimer	*to oppress*
porter le voile	*to wear a veil*
remettre en cause	*to question again*
subsister	*to survive*
tenir bon	*to hold good*

Le travail humanitaire *Humanitarian work*

un bénévole/ le bénévolat	*volunteer/voluntary work*
un citoyen solidaire	*united citizen*
un délégué(e) de classe	*student representative*
un repère	*reference point*
un versement	*contribution*
le parrainage	*sponsorship*
le profil	*profile*
l'inconnu	*the unknown*
les ancêtres	*ancestors*
les chantiers internationaux	*international networks*
les travailleurs humanitaires	*humanitarian workers*
les forums	*forums*
la joie de vivre	*joie de vivre, joy*
la mission humanitaire	*humanitarian mission*
la publicité mensongère	*misleading advertising*
la solidarité	*solidarity*
les campagnes de pétition	*petitioning campaigns*
équitable	*fair/equitable*
avide de	*eager for*
sur le terrain	*in the field*
avoir la tête sur les épaules	*to have one's head on one's shoulders*
être bien dans ses baskets (fam)	*to be comfortable in one's own skin*
bouleverser	*to disrupt/to change dramatically*
emprunter	*to borrow*
hériter	*to inherit*
ouvrir l'esprit	*to open one's mind*
sauver	*to save*
s'engager	*to get involved*

Le commerce équitable *Fairtrade*

un paradis fiscal	*fiscal paradise*
le niveau de vie	*standard of living*
le patron	*owner/boss/manager*
le saccage	*devastation*
le vendeur	*seller*
les bénéfices	*profits*
les droits des enfants	*childrens' rights*
les intermédiaires	*intermediaries*
les producteurs	*producers*
les salariés	*employees*
les taxes	*taxes*
la cultivatrice	*farmer*
la privatisation des biens	*privatisation of goods*
l'acheteuse en gros	*wholesaler*
l'altermondialisation	*anti-globalisation*
l'ouvrière d'usine	*factory worker*
les conditions de travail	*work conditions*
scolarisé	*in education*
comme/puisque/alors que	*like/since/then*
en raison de/dû à	*because/owing to*
annuler	*to cancel/to annul*
mettre en place	*to put in place*
prendre des mesures	*to take measures/steps*
promouvoir	*to promote*

Le militantisme *Political activism*

le démantèlement	*dismantlement*
la démocratie	*democracy*
la peine de mort	*death penalty*
l'autonomie des peuples	*autonomy of the people*
les bases militaires	*military bases*
à l'échelle locale/mondiale	*local scale/worldwide scale*
la liberté d'expression/de la presse	*freedom of speech/of the press*
combattre	*to fight*
exiger	*to demand/to insist on*
militer pour/contre	*to fight for/against*
revendiquer	*to claim*
se battre pour (une bonne cause)	*to fight for (a good cause)*

Épreuve orale

Écouter 1 **Écoutez ce débat au sujet de la laïcité.**

1 Quel est le thème du débat?
2 Quel point de vue la candidate a-t-elle adopté?
3 Quels arguments a-t-elle préparés?
4 Selon vous a-t-elle bien fait ses recherches et préparé son oral?
5 Quels sont les arguments employés par l'examinateur?

In the A2 speaking test the debate will last for about five minutes in total and will include an introduction with a statement of a definite stance by the candidate, a challenge to the stance by the examiner, **arguments** and **counter-arguments**. A good candidate will show **detailed knowledge** and **awareness of the issues involved**.

After the debate the examiner will lead you into a **general discussion** (6–8 minutes) on **unpredictable** but not totally unfamiliar areas. The examiner will no longer take up an opposite position of their own.

- The examiner will cover another **two or three issues**.
- You will not know in advance what you will discuss but the subjects will be taken from the seven General Topic Areas studied at AS and A2 levels. You will thus be able to show general knowledge and awareness of what is raised.
- Continue to give your **opinions** forthrightly and **justify** them convincingly.

Écouter 2 **Écoutez la suite de l'examen de Sophie, après le débat sur la laïcité. Quels sont les deux sujets dont l'examinateur et Sophie ont parlé? Notez les opinions exprimées par Sophie.**

Parler 3 **Quels sujets de conversation pourraient suivre un débat sur:**

1 l'énergie nucléaire
2 l'introduction de l'euro en Angleterre
3 le végétarisme
4 la censure à la télé
5 la violence des jeux vidéo
6 l'immigration
7 le rétablissement du service militaire

You will have to discuss unpredictable topics but you can be prepared!

- **Practise debating** and **discussing various subjects**. Have **opinions, strong arguments; anticipate your opponents' arguments and your response**.
- The examiner will try to move as seamlessly as possible from the debate into the discussion by choosing a **subject which is linked thematically to what you have been debating**. For example a debate on hunting is more likely to be followed by something like tests on animals which could in turn lead on to cloning or other controversial scientific research rather than by a new topic or issue out of the blue. As YOU choose the debate issue, **anticipate** the sort of topics which might be investigated.

Écrire 4 **Préparez deux questions que l'examinateur pourrait poser sur chacun des sujets de conversation que vous avez envisagé.**

For your A2 oral you will be assessed in four areas. The test will be marked out of a total of 50. The **Response assessment** grid will assess your ability **to speak spontaneously** and to use a **range of vocabulary and structures**.

To score highly in this section which is worth almost half the total marks you need to sound spontaneous. Avoid reciting lengthy chunks of language in a way which makes you sound like a robot. Practise saying your 'set pieces' until you can say them naturally and make them sound spontaneous.

Assessment criteria

1 Response (20 marks)
2 Quality of Language (7 marks)
3 Reading and Research (7 marks)
4 Comprehension and Development (16 marks)

Acquire a good range of general debating vocabulary to avoid the constant repetition of a very small amount of abstract language.
Try not to repeat language when you have used it once, however impressive the word or phrase may be!

Give evidence of your preparation by including a good range of language connected to the issue you have chosen.
Use as much complex language as you can.

Parler 5 **À deux. Votre partenaire choisit un sujet au hasard. Vous avez une minute pour lui donner un maximum de mots et d'expressions en rapport avec ce sujet.**

Exemple:
- *L'énergie nucléaire*
- *une centrale, l'électricité, stocker les déchets, non-polluant, euh ... usine de traitement, fuite de radioactivité, risque d'explosion, Tchernobyl, l'uranium, dangereux, EDF, réacteur ...*

Lire 6 **Cherchez dans ce livre, dans un dictionnaire, dans un journal ou un magazine d'autres mots et expressions que vous pourriez ajouter à la liste.**

Parler 7 **À deux. Votre partenaire vous donne un sujet au hasard. Vous devez essayer d'en parler pendant une minute sans trop de répétition ou d'hésitation.**

Exemple:
- *Parle-moi de ce qu'est le bonheur pour les jeunes.*
- *Eh bien, le bonheur pour eux c'est avant tout ...*

Parler 8 **Practise the sounds which English speakers of French find difficult:**

nasal vowels: s**an**s s**on** cop**ain**
the French ***r:*** **r**ouge, pa**r**le**r**, guita**r**e
the ***i*** *and* ***u:*** elles ont r**i** , ils ont v**u**
the difference between ***é*** *and* ***è:*** j'**é**tais, je me l**è**ve.

Parler 9 **Faites une liste des mots que vous trouvez difficiles. Échangez-la avec quelqu'un d'autre. Avez-vous des mots en commun ou des mots que vous pourriez ajouter à votre liste?**

Exemple: *intéressant* *important* *le pays* *Noël*

When you're focusing on the content, it's easy to neglect the pronunciation. No-one expects you to sound like a native speaker, but to score high marks for the Quality of Language (7 marks), you need to have a **correct pronunciation** and **intonation**.

- Pronounce **clearly** and **accurately** key language connected to your issue but don't deliver pre-learnt speeches.
- **Articulate**, don't try to speak too quickly or your pronunciation and intonation will suffer.
- Get the gender of common nouns, adjectival agreement, word order and, above all, verb forms, right.

Écouter 10 **Vous avez l'intention de débattre du rétablissement du service militaire. Vous avez trouvé un podcast sur l'ADP. Écoutez et notez autant de détails que possible. Avez-vous assez d'informations pour vous faire une opinion? (Sinon, continuez vos recherches).**

You will also be assessed for your **reading and research** (7 marks) so show the examiner:

- that you understand the nature of the issue, its origins or causes, its impact or implications;
- that you have reflected on the issue and made up your mind in an informed way after reading various opinions;
- that you can provide facts and detail to illustrate the points you make.

Écouter 11 **Écoutez les questions de cet examinateur. Notez en anglais ce que l'on vous demande. Sauriez-vous y répondre en français?**

The final category of assessment is **Comprehension and Development** (16 marks). In this area you will be judged on your **ability to understand** what you are being asked and to **respond to the questioning**. The examiner will ask you a range of questions, both basic and more complex.

- Ensure that your answer fits the precise question you are being asked.
- A complex question could contain advanced language forms and/or it could be longer. Listen carefully to all the detail and make a full response.
- Occasionally you may need to ask for clarification or repetition. Do so sparingly and in appropriate French.

Épreuve écrite

The translation task will contain some complex language and a variety of tenses, including compound tenses. Ask your teacher which particular grammar point you should practise.

Lire 1 **Traduisez ces phrases en anglais.**

1. S'il avait fait beau, je serais allé au festival de Glastonbury avec mes amis.
2. Une fois que le câble a été installé chez moi, nous avons cessé de regarder les chaînes publiques.
3. Pourvu que vous ayez plus de 18 ans, vous pouvez consommer de l'alcool dans n'importe quel bar.
4. S'il neige dans l'après-midi, je resterai à la maison.
5. La vie est difficile pour ceux qui sont au chômage.
6. Je ne pense pas qu'il vienne nous voir aujourd'hui.
7. Elle quittera Londres quand elle aura fini ses études.
8. Il m'a dit que sa voiture avait été volée.
9. Je suis content qu'il ait reçu le prix.

Écrire 2 **Réécrivez ces phrases en changeant les parties soulignées.**

Exemple: *S'il avait fait beau, je serais allé voir le feu d'artifice du 14 juillet avec mes amis.*

In your exam you will have to translate such items, not in separate sentences, but as part of a connected piece of English prose.

- Get used to recognising complex grammatical items within a longer piece of writing.
- Continue to approach the passage in the same way as recommended with simpler language: identify the vocabulary you need, think about the gender of the nouns and any necessary agreements, underline the verbs and decide what tense and mood they should be in.

Écrire 3 **Traduisez le passage suivant.**

Yesterday some French students arrived to take part in an exchange. As soon as my partner had settled in at home, I showed her the programme of activities. 'If I had known that we were going to go out so often, I would have asked my parents for more money', Nathalie said, rather sadly. 'Don't worry', I replied. 'Everything has already been paid for. Tomorrow, unless it rains, we are going to visit Stonehenge and then go shopping in Salisbury. When the shops are shut we'll have a pizza and go to the cinema.'

Whether you choose to write the creative writing or the discursive essay, you will be assessed on the same points.

Assessment criteria

1 the **quality and range of language** you use
2 the **understanding of the question** you show
3 the **relevance** of the discussion
4 the **organisation and development** of your essay

Read the question carefully, answer it relevantly, try not to be side-tracked into other issues.

Write as accurately as you can, using a good range of vocabulary, appropriate to the subject matter and write with a reasonable amount of complexity. Allow yourself time to check your language thoroughly.

Lire 4 Lisez la copie de ce candidat et retrouvez son plan.

Écrivez entre 240 et 270 mots.

À votre avis, est-il utile de continuer à explorer l'espace? Expliquez votre réponse.

Le premier homme a marché sur la Lune il y a déjà plusieurs dizaines d'années. Depuis, on continue d'envoyer de temps en temps un engin spatial vers d'autres planètes de notre univers. Cependant, en cette période de difficultés économiques, il est légitime de se demander si cela vaut toujours la peine d'investir autant dans l'exploration et la conquête de l'espace.

Certains affirment qu'il est vital d'essayer de découvrir d'autres planètes. Il se peut que nous ne soyons pas seuls dans l'univers, et aller dans l'espace est la seule façon de prouver l'existence d'autres organismes vivants. Même si la vie n'existe que sur terre, l'exploration de l'espace est nécessaire puisqu'elle nous permet de développer de nouvelles technologies et d'élargir nos connaissances. À l'avenir, les voyages dans l'espace deviendront de plus en plus accessibles à tout le monde. Il est possible qu'à l'avenir on y découvre de nouvelles sources d'énergie ou de nouvelles molécules pour créer de nouveaux médicaments. On trouvera peut-être un endroit où on pourrait se débarrasser de nos déchets nucléaires.

D'autres personnes pensent que les voyages dans l'espace sont trop dangereux. Il y a déjà eu plusieurs accidents dans lesquels des astronautes ont trouvé la mort. Ces gens-là ne croient pas aux extraterrestres et ils pensent que nous n'avons pas besoin de connaître d'autres mondes que le nôtre. Nous avons assez de problèmes à régler sur notre propre planète, il n'est pas nécessaire d'aller ailleurs. On dépense des sommes considérables pour construire des fusées et entraîner des astronautes. Il faudrait plutôt utiliser cet argent pour combattre la pauvreté et la famine, et pour trouver un remède contre le cancer.

À mon avis, la curiosité naturelle de l'homme va sans doute le pousser à continuer à explorer l'espace mais il ne faudrait pas y consacrer trop de nos ressources.

Lire 5 **Lisez les commentaires que ce professeur utilise fréquemment pour noter ses copies. D'après vous, lesquels s'appliquent à cet essai? Quels commentaires ajouteriez-vous et pourquoi?**

Évaluation

1 Trop long
2 Trop court
3 Respect du nombre limite de mots
4 Langue correcte, quelques fautes d'orthographe et de grammaire
5 Trop de fautes de grammaire et de syntaxe qui nuisent à la compréhension
6 Vocabulaire limité, beaucoup de répétitions
7 Vocabulaire relativement riche, varié, adapté
8 Suite de phrases simples, sans lien
9 Structures assez complexes
10 Question mal comprise, la réponse n'est pas pertinente
11 Bonne compréhension du sujet, pas de digressions
12 Arguments clairs, cohérents et pertinents
13 Essai bien organisé
14 Illogique et incohérent, très difficile à suivre
15 Présentation claire en paragraphes
16 Médiocre présentation, renforce l'absence de clarté des arguments

Écrire 6 **À votre tour d'écrire votre essai, répondez à la même question.**

Grammaire

Nouns

Gender

The gender of nouns is fundamental to the French language. Some nouns are clearly masculine or feminine but most are not and these must be learned. There are some rules that can be applied but many of them have exceptions. The following are the easiest to remember:

- All nouns of more than one syllable ending in *-age* are masculine, except *une image*.
- All nouns ending in *-ment* are masculine, except *la jument*.
- Most nouns ending in *-eau* are masculine (exceptions *l'eau* and *la peau*).
- All nouns ending in *-ance*, *-anse*, *-ence* and *-ense* are feminine, except *le silence*.
- Nouns that end in a double consonant +*e* (*-elle*, *-enne*, *-esse*, *-ette*) are feminine.

NOTES

1 Some nouns are always feminine even if they refer to males, e.g. *la personne*, *la vedette*, *la victime*.

2 The names of many occupations remain masculine, even if they refer to women, e.g. *le professeur*. Some can be masculine or feminine, e.g. *un/une dentiste*, *un/une secrétaire*. Other occupations have different masculine and feminine forms:

un boucher	*une bouchère (*and others ending *-er/ère)*
un informaticien	*une informaticienne* (and others ending *-ien/ienne*)
un acteur	*une actrice*
un serveur	*une serveuse*

3 Some nouns have a different meaning according to their gender. These include:

le critique – critic	*la critique* – criticism
le livre – book	*la livre* – pound
le manche – handle	*la manche* – sleeve
	(*la Manche* – English Channel)
le mode – manner, way	*la mode* – fashion
le page – pageboy	*la page* – page
le poêle – stove	*la poêle* – frying-pan
le poste – job set (TV)	*la poste* – post office
le somme – nap	*la somme* – sum
le tour – trick, turn, tour	*la tour* – tower
le vase – vase	*la vase* – mud
le voile – veil	*la voile* – sail

Plural forms

- Most nouns form their plural by adding *-s* to the singular: *la lettre* → *les lettres*
- Nouns ending in *-s*, *-x*, and *-z* do not change in the plural: *la souris* → *les souris*   *le prix* → *les prix*   *le nez* → *les nez*
- Nouns ending in *-au*, *-eau* and *-eu* add an *-x*: *le château* → *les châteaux*   *le jeu* → *les jeux*
- Most nouns ending in *-al* and *-ail* change to *-aux*: *le journal* → *les journaux*   *le vitrail* → *les vitraux* (Exceptions include *les bals* and *les détails*.)
- Most nouns ending in *-ou* add an *-s*, except *bijou*, *caillou*, *chou*, *genou*, *hibou*, *joujou* and *pou*, which add an *-x*.

NOTES

1 Remember *l'œil* becomes *les yeux*.
2 Some words are used only in the plural: *les frais*, *les ténèbres*, *les environs*.
3 French does not add *-s* to surnames: *Les Massot viendront déjeuner chez nous vendredi.*
4 It is best to learn the plural of compound nouns individually, e.g. *les belles-mères*, *les chefs-d'œuvre*, *les après-midi*.
5 *Monsieur*, *Madame* and *Mademoiselle* are made up of two elements, both of which must be made plural: *Messieurs*, *Mesdames*, *Mesdemoiselles*.

Use of nouns

Nouns are sometimes used in French where a verb would be used in English:

Il est allé à sa rencontre. – He went to meet him/her.
Après votre départ. – After you left.
Ils ont vendu la maison après sa mort. – They sold the house after he died.

Articles

le, la, les

These are the French definite articles ('the'). *Le* is used with masculine nouns, *la* with feminine nouns, and *les* with plurals. Both *le* and *la* are sometimes replaced by *l'* before a vowel or the letter *h*.

Some words beginning with *h* are aspirated, i.e. the *h* is treated as though it is a consonant. Words of this type are shown in a particular way in a dictionary, often by * or ', and in these instances *le* and *la* are not shortened to *l'*, e.g. *le héros, la hâte.*

The definite articles combine with *à* and *de* in the following ways:

	le	la	l'	les
à	**au**	**à la**	**à l'**	**aux**
de	**du**	**de la**	**de l'**	**des**

The definite article is often used in French where it is omitted in English. It should be used in the following cases:

- In general statements: *La viande est chère.*
- With abstract nouns: *Le silence est d'or.*
- With countries: *la France, le Japon.*
- With titles and respectful forms of address, particularly with professions: *la reine Elizabeth; le maréchal Foch; oui, monsieur le commissaire.*

Other uses

When referring to parts of the body, French often uses the definite article because the identity of the owner is usually clear from the context:
Elle a levé la main. – She raised her hand.

In cases where the identity of the owner may not be clear, an additional pronoun is needed to show who is being affected by the action. This may be either the reflective pronoun:
Il se frottait les yeux. – He rubbed his eyes.

or the indirect object pronoun if another person is involved:
Il m'a pris la main. – He took my hand.

But when the noun is the subject of the sentence, the possessive adjective is used:
Sa tête lui faisait mal. – His head hurt.

The definite article is often used in descriptive phrases, e.g. *la femme aux cheveux gris.*

Sometimes in French, the definite article is used where English prefers the indefinite article or omits the article altogether, e.g. *à la page 35; dix euros le kilo.*

For the use of the definite article with expressions of time, see page 136.

un, une, des

The indefinite articles *un* (masculine) and *une* (feminine) means both 'a/an' and 'one' in English. The plural form of the indefinite article (*des*) means 'some' or 'any' (see below).

The use of the indefinite article is much the same as in English, with the following exceptions:

- It is not used when describing someone's profession, religion or politics:
  Il est professeur.
  Elle travaille comme infirmière.
  Nous sommes catholiques.
  Je suis devenu socialiste.
- It is not required with a list of items or people:
  Il a invité toute la famille: oncles, tantes, cousins, neveux et nièces.
- It must be included in French where it is sometimes omitted in English:
  Je pars en vacances avec des amis. – I'm going on holiday with (some) friends
- It is not used after *sans*:
  Je suis parti sans valise.

NOTE

Neither the definite article nor the indefinite article is used with a noun in apposition, i.e. when it introduces a phrase, often within commas, that acts as a sort of parallel to the noun:

Paris, capitale de la France, contient beaucoup de beaux musées.
Bernard Hinault, cycliste bien connu, a gagné le Tour de France cinq fois.

du, de la, de l', des

These articles mean 'some' or 'any':

Je vais acheter du poisson, de l'huile et de la farine.
Tu as acheté des fleurs?

There are three occasions when *de* (*d'* before a vowel or *h*) is used instead of the articles *du/de la/de l'/des*, and instead of the indefinite article:

- After a negative (except *ne … que*):
  Il n'y a plus de vin.
  Je n'ai pas de bic.
- With a plural noun which is preceded by an adjective:
  Il a de bons rapports avec sa famille.
- With expressions of quantity:
  J'ai acheté un kilo de sucre.
  Elle a mangé beaucoup de cerises.
  Exceptions: *la plupart des, bien des, la moitié du/de la.*

Adjectives

Agreement of adjectives

Adjectives must agree in **number** (singular or plural) and **gender** (masculine or feminine) with the noun they describe. The form given in the dictionary is the masculine singular; if the feminine form is irregular it will probably be given too.

Regular adjectives – the basic rules

To the masculine singular, add:

- *-e* for the feminine
- *-s* for the masculine plural
- *-es* for the feminine plural.

m. sing	f. sing	m. plural	f. plural
grand	*grande*	*grands*	*grandes*

An adjective whose masculine singular form ends in *-e* does not add another in the feminine, unless it is *-é*.

jeune	*jeune*	*jeunes*	*jeunes*
fatigué	*fatiguée*	*fatigués*	*fatiguées*

Some groups of adjectives, depending on their ending, have different feminine forms:

Masc. ending	Fem. form	Example
-e	remains the same	jeune → jeune
-er	-ère	cher → chère
-eur	-euse	trompeur → trompeuse
-eux	-euse	heureux → heureuse
-f	-ve	vif → vive

An adjective whose masculine singular ends in *-s* or *-x* does not add another in the masculine plural.

Some adjectives that end in a consonant double that consonant before adding *-e*. This applies to most adjectives ending in *-eil*, *-el*, *-en*, *-et*, *-ien*, *-ot* and also *gentil* and *nul*:

l'union européenne; des choses pareilles

(Exceptions: *complet*, *discret* and *inquiet*, which become *complète*, *discrète* and *inquiète*.)

Adjectives ending in *-al* in the masculine singular usually change to *-aux* in the masculine plural. This does not affect the feminine form:

médical, médicale, médicaux, médicales.

Irregular adjectives

The following adjectives have irregular feminine forms:

Masculine	Feminine
bas	*basse*
blanc	*blanche*
bon	*bonne*
doux	*douce*
épais	*épaisse*
faux	*fausse*
favori	*favorite*
fou	*folle*
frais	*fraîche*
gras	*grasse*
gros	*grosse*
long	*longue*
mou	*molle*
public	*publique*
roux	*rousse*
sec	*sèche*

The following adjectives have irregular plural and/or feminine forms:

m. sing	f. sing	m. plural	f. plural
*beau (*bel)*	*belle*	*beaux*	*belles*
*nouveau (*nouvel)*	*nouvelle*	*nouveaux*	*nouvelles*
*vieux (*vieil)*	*vieille*	*vieux*	*vieilles*

* The additional form of these adjectives is used before a singular noun starting with a vowel or *h*, to make pronunciation easier. These forms sound like the feminine, but look masculine. A similar form is found for *fou* (*fol*) and *mou* (*mol*).

Tout has an irregular masculine plural form: *tous.*

NOTES

1. If an adjective describes two or more nouns of different gender, the adjective should always be in the masculine plural:
   des problèmes (m) *et des solutions* (f) *importants*
2. Compound adjectives (usually involving colour) do not agree with the noun they describe:
   la chemise bleu foncé
3. Some 'adjectives' are actually nouns used as adjectives. They do not agree:
   des chaussures marron

Position of adjectives

The natural position for an adjective in French is after the noun it describes. Some commonly used adjectives, however, usually precede the noun. These include:

beau	*joli*
bon	*long*
court	*mauvais*
grand	*nouveau*
gros	*petit*
haut	*premier*
jeune	*vieux*

Others change their meaning – slightly or considerably – depending on their position. These include:

	before noun	**after noun**
ancien	old/former	old/ancient
brave	good, nice	brave
certain	certain/undefined	certain/sure
cher	dear/beloved	dear/expensive
dernier	last (of series)	last (previous)
grand	great	big, tall
même	same	very, self
pauvre	poor (to be pitied)	poor (not rich)
prochain	next (in series)	next (following)
propre	own	clean
pur	mere	pure

NOTES

1 If two adjectives are qualifying the same noun, each keeps its normal position:
une longue lettre intéressante
de bons rapports familiaux

2 If the adjectives both follow the noun, they are joined by *et*:
une maladie dangereuse et contagieuse.

Comparative and superlative

Comparative adjectives

The comparative is used to compare one thing or person with another. There are three types of expression:

plus ... que	more ... than
moins ... que	less ... than
aussi ... que	as ... as

The adjective always agrees with the first of the two items being compared:
Les voitures sont plus dangereuses que les vélos.
Le troisième âge est moins actif que l'adolescence.
Les loisirs sont aussi importants que le travail.

Most adjectives form their comparative by adding *plus*, *moins* or *aussi* as above. There are a few irregular forms:

bon	→	*meilleur*
mauvais	→	*pire*
petit	→	*moindre*

Of these, only *meilleur* is commonly used:
Je trouve que le livre est meilleur que le film.
Pire is used to refer to non-material things, often in the moral sense:
Le tabagisme est-il pire que l'alcoolisme?
Otherwise *plus mauvaise* is used:
Elle est plus mauvaise que moi en maths.
Moindre means 'less' or 'inferior' (e.g. *de moindre qualité*), whereas *plus petit* should be used to refer to size:
Jean est plus petit qu'Antoine.

NOTES

1 'More than' or 'less than' followed by a quantity are expressed by *plus de* and *moins de*:
Elle travaille ici depuis plus de cinq ans.

2 'More and more', 'less and less' are expressed by *de plus en plus*, *de moins en moins*:
Le travail devient de plus en plus dur.

3 French requires an additional *ne* when a comparative adjective is followed by a verb:
La discrimination est plus répandue qu'on n'imagine (or *qu'on ne l'imagine*).

The best way to remember this is to realise that there is an element of a negative idea involved; e.g. we did not think that discrimination was widespread.

Superlative adjectives

To form the superlative ('most' and 'least') add *le/la/les* as appropriate to the comparative. The position follows the normal position of the adjective.
Le plus grand problème de santé de nos jours, c'est le sida.
With superlatives that come after the noun, the definite article needs to be repeated:
Le Tour de France est la course cycliste la plus importante du monde.

NOTE

To say 'in' after a noun with a superlative adjective, use *du/de la/de l'/ des*:
La France est un des pays les plus beaux du monde.

Adjectives such as *premier*, *dernier* and *seul* have the force of a superlative and follow the same rule:
Michel est le premier élève de la classe.

Demonstrative adjectives

Demonstrative adjectives are 'this', 'that', 'these' and 'those':

m. sing	f. sing	m. plural	f. plural
*ce/*cet*	*cette*	*ces*	*ces*

* used before a vowel or *h*

If you need to make a distinction between 'this' and 'that', 'these' and 'those', add *-ci* or *-là* to the noun:

cet homme-ci
cette maison-là

Possessive adjectives

These, like all other adjectives, agree in number and gender with the noun they describe, **not with the owner**:

m. sing	f. sing	plural	linked with
mon	*ma*	*mes*	*je*
ton	*ta*	*tes*	*tu*
son	*sa*	*ses*	*il, elle, on*
notre	*notre*	*nos*	*nous*
votre	*votre*	*vos*	*vous*
leur	*leur*	*leurs*	*ils, elles*

Mon, *ton* and *son* are used before a feminine noun beginning with a vowel or *h*, e.g. *mon amie, ton école*.

Particular care must be taken with *son/sa/ses* and *leur/leurs* to make sure they agree with the noun they are describing:

Elle aime son père. ('Father' is masculine.)
Elle préfère leur voiture. ('Car' is singular, but belongs to more than one person.)

Interrogative adjectives

These must agree with the noun to which they refer.

m. sing	f. sing	m. plural	f. plural
quel	*quelle*	*quels*	*quelles*

They can be used as straightforward question words:

Quel personnage préfères-tu?
Quelle heure est-il?
Quelles sont ses relations avec sa famille?

They are also found as exclamations. The indefinite article, which is required in the singular in English, is omitted in French.

Quel désastre! – What a disaster!
Quelle bonne idée! – What a good idea!

Adverbs

Adverbs are words that give more information about verbs, adjectives and other adverbs. They may be classified into four main groups: adverbs of manner, time, place and quantity/intensity. Adverbs may be single words or short phrases.

Adverbs expressing manner

These are usually formed by adding *-ment* (the equivalent of the English '-ly') to the feminine of the adjective:

léger, légère → *légèrement*

(Exception: *bref, brève* → *brièvement*)

If the adjective ends in a vowel, add *-ment* to the masculine form:

vrai, vraie → *vraiment*

(Exception: *gai* → *gaiement*)

With adjectives ending in *-ant/-ent*, add the endings -*amment/-emment*:

suffisant → *suffisamment*
évident → *évidemment*

(Exception: *lent* → *lentement*)

To make them easier to pronounce some add an accent to the *e* before *-ment*:

énorme → *énormément*
profond → *profondément*

Irregular adjectives of manner include *bien* (from *bon*) and *mal* (from *mauvais*).

NOTES

1 The adverb 'quickly' is *vite*, though the adjective 'quick' is *rapide* (but you can also say *rapidement*).
2 Certain adjectives may be used as adverbs, in which case they do not agree:
Cette voiture coûte cher.
Parlons plus bas.
Vous devez travailler dur.
Les fleurs sentent bon.
3 Other adverbs of manner include *ainsi*, *comment* and *peu à peu*.

Adverbs expressing time, place, quantity and intensity

There are too many adverbs and adverbial phrases to list here. They include:

Time

aujourd'hui	*soudain*
auparavant	*tantôt*
bientôt	*tard*
de bonne heure	*tôt*
déjà	*toujours*
demain	*tout à coup*
immédiatement	*tout à l'heure*
quelquefois	*tout de suite*

Note that *tout à l'heure* can mean 'just now' with a past tense or 'shortly' with a future tense.

Place

à côté	*ici*
ailleurs	*là-bas*
à proximité	*loin*
en face	*partout*

Quantity/Intensity

assez	*un peu*
autant	*plutôt*
beaucoup	*si*
combien	*tant*
fort	*tellement*
peu	*très*

NOTE

Take care to distinguish between *plutôt* ('rather') and *plus tôt* ('earlier').

Position of adverbs

Adverbs usually go immediately after the verb:

Je parle couramment le français.

In the case of compound tenses the adverb goes after the auxiliary verb and before the past participle.

Tu as bien dormi?

This rule may be relaxed if the adjective is long:

Elles ont agi courageusement.

Adverbs of place and some adverbs of time go after the past participle:

Je l'ai trouvé là-bas.
Il est arrivé tard.

Comparison of adverbs

These are formed in the same way as the comparative and superlative forms of adjectives:

Guillaume court aussi vite que Charles.
Édith Piaf chantait moins fort que Sasha Distel.
C'est cette voiture qui coûte le plus cher.

The adverbs *bien*, *beaucoup*, *mal* and *peau* have irregular forms:

	comparative	**superlative**
bien	*mieux*	*le mieux*
beaucoup	*plus*	*le plus*
mal	*pire*	*le pire*
peu	*moins*	*le moins*

NOTES

1 Care must be taken not to confuse *meilleur* (adjective) with *mieux* (adverb):
C'est le meilleur jour de ma vie.
Elle joue mieux que moi.

2 When 'more' comes at the end of a phrase or sentence, French prefers *davantage* to *plus*:
Il m'aime, mais moi je l'aime davantage.

3 Note the following construction in which the article is not required in French ('the more' in English):
Plus on travaille, plus on réussit.

Pronouns

Pronouns are words that stand in the place of nouns. The function of the pronoun – the part it plays in the sentence – is very important. In French, most pronouns are placed before the verb (the auxiliary verb in compound tenses).

Subject pronouns

The subject is the person or thing which is doing the action of the verb. The subject pronouns are:

je	*nous*
tu	*vous*
il/elle/on	*ils/elles*

Direct object pronouns

The direct object of a verb is the person or thing which is having the action of the verb done to it. In the sentence 'The secretary posted the letter.' the letter is the item that is being posted and is the direct object of the verb. The direct object pronouns are:

me	*nous*
te	*vous*
le/la	*les*

Examples:
Je mets la lettre sur le bureau. → *Je la mets sur le bureau.*
Ils ont acheté les billets. → *Ils les ont achetés.*
(For agreement of preceding direct object pronouns, see page 126.)

NOTES

1. *Le* may be used to mean 'so' in phrases such as:
   Je vous l'avais bien dit. – I told you so.
2. *Le* is sometimes required in French when it is not needed in English:
   Comme tu le sais. – As you know.
3. It is sometimes omitted in French when it is used in English:
   Elle trouve difficile de s'entendre avec ses parents. – She finds it difficult to get on with her parents.

Indirect object pronouns

The indirect object is introduced by 'to' (and sometimes 'for') in English. In the sentences 'She showed the photos to her friends' and 'My father bought the tickets for me' the underlined words are the indirect objects of the verb.

The indirect object pronouns which are used to refer to people are:

me	*nous*
te	*vous*
lui	*leur*

Examples:
Elle n'a pas montré l'autographe à ses copains. → *Elle ne leur a pas montré l'autographe.*
Nous vous enverrons l'argent aussitôt que possible.
Mon père va m'acheter une voiture d'occasion.

NOTE

In English, the sentence 'She gave him a book' is the same as 'She gave a book to him'. For both versions, the French is the same:

Elle lui a offert un livre.

Watch out for these common French verbs which are followed by *à* and which therefore require an indirect object pronoun:

demander à	*offrir à*
dire à	*parler à*
donner à	*raconter à*
écrire à	*téléphoner à*

Je lui ai téléphoné pour lui dire que je serais en retard.

Reflexive pronouns

Reflexive pronouns are used with some verbs to describe actions that you do to yourself. (The verbs are known as reflexive verbs – see page 139.)

The reflexive pronouns are:

me	*nous*
te	*vous*
se	*se*

The reflexive pronoun must change according to the subject of the verb:

Je me lave.
Elle s'est débrouillée.

(For agreement of the past participle, see page 127.)

Reflexive pronouns can also be used with verbs to describe actions that people do to each other:

Nous nous téléphonons chaque soir.

NOTE

The reflexive pronoun of a verb in the infinitive must change according to the subject.

Nous allons nous réveiller de bonne heure.

Emphatic pronouns

The emphatic pronouns are:

moi	*nous*
toi	*vous*
lui	*eux* (m. plural)
elle	*elles* (f. plural)
soi (relates to *on*)	

The most common uses of the emphatic pronoun are:

- Whenever emphasis is required:
  Moi, j'adore le cinéma; eux, ils préfèrent le théâtre.
- When the pronoun stands alone:
  Qui a appelé la police? Moi.
- After *c'est* (*ce sont* with *eux* and *elles*):
  C'est toi qui as téléphoné hier?
- In comparisons:
  Sa sœur est plus grande que lui.
- After prepositions:
  chez moi, avec lui, sans eux
- After the preposition *à*, the emphatic pronoun may indicate possession:
  Ce livre est à moi.
- With *même*, meaning 'self':
  Vous êtes allés vous-mêmes parler au PDG?

Pronouns of place

These function like the indirect object pronouns above, but are used for places or things.

y

The pronoun *y* stands for a noun with almost any preposition of place (not 'from'). It most frequently replaces *à/au/à la/à l'/aux* + a place or thing. Its meanings include 'there', 'in it', 'on them', etc.

Tu es allée en Belgique? → Oui, j'y suis allée trois fois.
Qu'est-ce que tu as mis sur la table? → J'y ai mis tes papiers.

With verbs followed by *à* + noun, *y* must always be used, even though the English equivalent would be a direct object pronoun:

Tu joues souvent aux boules? → Oui, j'y joue toutes les semaines.

The pronoun *y* can also be used instead of *à* + verb:

Vous avez réussi à faire ça? → Oui, j'y ai réussi.

en

The pronoun *en* must be used when 'from it' or 'from there' is required. It most frequently replaces *de/du/de la/de l'/des* + a place or thing:

Votre mari est revenu des États-Unis? → Oui, il en est revenu jeudi.

In expressions of quantity, *en* means 'some', 'of it', 'of them'. It refers both to people and things:

Combien de bananes avez-vous acheté? → J'en ai acheté cinq.

The pronoun *en* can also be used instead of *de* + verb:

Souviens-toi de parler à ta mère. → Oui, je vais m'en souvenir.

Order of pronouns

When more than one pronoun is needed in a phrase, there is a specific order that must be adhered to:

me *te* *se* *nous* *vous*	*le* *la* *les*	*lui* *y* *leur*	*en*

Examples:

Elle m'a prêté ses disques compacts. → Elle me les a prêtés.
Vous lui en avez parlé?

Order of pronouns with the imperative

In a positive command, the verb must come first as it is the instruction that is important. The pronoun then follows the verb and is joined to it by a hyphen.

J'ai besoin de ces dossiers. Apportez-les tout de suite!
Allons-y!

If more than one pronoun is used, the direct object pronoun precedes the indirect object. *Me* and *te* are replaced by *moi* and *toi* when they come after the verb:

Apportez-les-moi!

In a negative command, the pronouns come before the verb as usual:

Ne la lui donne pas!

Relative pronouns

qui, que, dont

Relative pronouns relate to the person, thing or fact which has just been mentioned.

Sa copine, qui habitait à côté de chez lui, s'appelait Anne.
C'est la langue que je trouve la plus facile.
Voilà le garçon dont je vous ai parlé.

The choice of pronoun depends on its function in the sentence:

- *qui* ('who', 'which') is used for the subject of the verb following;
- *que* or *qu'* ('whom', 'which', 'that') is used for the object of the verb following.

It may be helpful to remember that if the verb immediately following has no subject, it needs one, so *qui* is used; if it has a subject already, *que* is used.

NOTES

1 *Qui* is never shortened to *qu'*.
2 *Que* can never be omitted as 'that' can in English:
Le film que j'ai vu hier. – The film I saw yesterday.

Dont means 'whose', 'of whom', 'of which'. The word order in a phrase containing *dont* is important.

1	2	3	4
(person/thing referred to)	*dont*	subject + verb	anything else

Examples:
Ce sont des vacances dont je me souviendrai toujours.
Il y avait dans le groupe une fille dont j'ai oublié le nom.

NOTES

Verbs followed by *de* before the noun use *dont* as their relative pronoun:

L'ordinateur dont je me sers est très utile.

ce qui, ce que, ce dont

If there is not a specific noun for the relative pronoun to refer to – perhaps it is an idea expressed in a complete phrase – *ce qui/ce que/ce dont* must be used. The choice is governed by the same rules as above:

Ce qui m'étonne, c'est que la publicité exerce une grande influence de nos jours.
La publicité exerce une grande influence de nos jours, ce que je trouve étonnant.
La publicité exerce une grande influence de nos jours, ce dont je m'étonne.

(The third version is less natural than the first two.)

lequel, laquelle, lesquels, lesquelles

These also mean 'which' and are used after prepositions. They are made up of the definite article + *quel*:

Le café vers lequel il se dirigeait …
Les années pendant lesquelles elle avait travaillé …

After *à* or *de* the first element of this pronoun must be adapted in the usual way for the definite article:

Le problème auquel je réfléchissais me paraissait insurmontable.
Prenez ce petit sentier, au bout duquel il y a une vue splendide.

NOTES

1 *Où* is often used instead of *dans lequel*, *sur laquelle*, etc:
Voilà la rue où j'habite.
2 *Qui* is used after a preposition when referring to people:
L'homme avec qui je suis allé au cinéma.

(This does not apply to *parmi*, for which *lesquels/lesquelles* must be used.)

Demonstrative pronouns

celui, celle, ceux, celles

These are used to refer to things or people previously mentioned. They must agree with the noun they are replacing:

m. sing	f. sing	m. plural	f. plural
celui	*celle*	*ceux*	*celles*

Quel film as-tu vu? → *Celui avec Gérard Depardieu.*

As with demonstrative adjectives, these may have *-ci* or *-là* added for greater clarity or to make a distinction:

Lesquels vas-tu choisir? – Ceux-là.

They are often followed by *qui, que* or *dont*:

Quel film allons-nous voir? – Celui que tu préfères.
Quelles idées sont les plus frappantes? – Celles qui expriment une opinion personnelle.

They may also be followed by *de*, to express possession:

Tu verras mes photos et celles de ma sœur.

ceci, cela (this, that)

These are not related to a particular noun. *Cela* is often shortened to *ça*:

Cela m'agace! – Ça se voit!

Ceci is used less frequently than *cela* and tends to refer to something that is still to be mentioned:

Je vous dirai ceci: que nous devons améliorer les chiffres d'affaire.

c'est and *il est*

Both of these mean 'it is' and are not interchangeable (although in spoken French *c'est* is often used when strictly *il est* is required). Here are some of the rules:

- *Il est* + adjective + *de* + infinitive – refers forward to what is defined by the adjective:
  Il est difficile d'apprendre la grammaire.
- *C'est* + adjective + *à* + infinitive – refers back to what has been defined by the adjective:
  La grammaire, c'est difficile à apprendre.
  or
  Apprendre la grammaire, c'est difficile (à faire).
- *C'est* + noun + adjective:
  C'est un roman intéressant.

Possessive pronouns

As with other pronouns, these agree in number and gender with the noun they stand for.

m. sing	f. sing	m. plural	f. plural	
le mien	*la mienne*	*les miens*	*les miennes*	*(mine)*
le tien	*la tienne*	*les tiens*	*les tiennes*	*(yours)*
le sien	*la sienne*	*les siens*	*les siennes*	*(his, hers)*
le nôtre	*la nôtre*	*les nôtres*	*les nôtres*	*(ours)*
le vôtre	*la vôtre*	*les vôtres*	*les vôtres*	*(yours)*
le leur	*la leur*	*les leurs*	*les leurs*	*(theirs)*

À qui est ce dossier? – C'est le mien.

Interrogative pronouns

There are several interrogative (question) pronouns.

- ***Qui*** means 'who?' or 'whom?':
  Qui veut jouer au tennis?
  Avec qui vas-tu aller à la fête?
- ***Que*** means 'what?':
  Que dis-tu?
- ***Quoi*** also means 'what?' but is used after prepositions:
  De quoi parles-tu?
- ***Qu'est-ce qui*** and ***Qu'est-ce que*** mean 'what?' (='What is it that...?'). Use *qu'est-ce qui* when it is the subject of the verb:
  Qu'est-ce qui vous inquiète?
  Use *qu'est-ce que (qu')* when it is the object:
  Qu'est-ce que tu veux manger?
- ***Lequel***, etc (see page 122) may be used as a question word meaning 'which one(s)?':
  Laquelle des politiques est la plus importante, à ton avis?

VERBS

See tables on pages 137–151 for verb forms.

Modes of address

It is easy to underestimate the degree of offence that can be caused by using the familiar *tu* form of the verb when the *vous* form is appropriate. It is best to take the tone from the person you are speaking or writing to. If in doubt always use *vous*, and wait for the other person to suggest the familiar form.

tutoyer – to call someone *tu*
vouvoyer – to call someone *vous*

It is important not to mix the two forms; care should be taken not to use set phrases such as *s'il vous plaît* at the end of a phrase containing the informal *tu*.

Letter-writing may require the extremely polite subjunctive *veuillez* (instead of *voulez-vous*) which means 'be so kind as to ...'.

Impersonal verbs

Some verbs only exist in the *il* form; they are known as impersonal verbs because no other person can be their subject. All are translated by 'it'. They include weather phrases such as *il neige*, *il pleut* and *il gèle*; also *il faut* ('it is necessary', though usually better translated as 'must') and *il s'agit de*.

There are a few verbs which may be used impersonally although they are complete. These impersonal forms include *il fait* + weather phrases, *il paraît*, *il semble*, *il suffit de* and *il vaut mieux*. *Il reste* (literally 'there remains') is frequently used:

Il ne reste plus de papier. – There's no paper left.

Il existe may be used as a formal alternative to *il y a*:

Il existe beaucoup de musées à Paris.

Verbs with the infinitive

When a verb is followed immediately by a second verb in French, the second verb must be in the infinitive form. Verbs used in this way are divided into three categories:

- Those which are followed directly by the infinitive:
  J'aimerais aller au théâtre.
- Those which are joined by *à*:
  Elle a commencé à ranger les lettres.
- Those which are joined by *de*:
  Nous avons décidé d'acheter votre produit.

There is no easy way of knowing which verbs fall into which group. The following are the most useful:

No preposition	à	de
aimer	*aider*	*arrêter*
aller	*s'amuser*	*cesser*
désirer	*apprendre*	*choisir*
detester	*arriver* (to manage)	*craindre*
devoir	*s'attendre*	*décider*
espérer	*commencer*	*se dépêcher*
faillir (to nearly do)	*continuer*	*empêcher*
falloir (il faut)	*se décider* (to make up mind)	*essayer*
oser	*encourager*	*s'étonner*
pouvoir	*hésiter*	*éviter*
préférer	*inviter*	*s'excuser*
prétendre	*se mettre* (to begin)	*finir*
savoir	*renoncer*	*menacer*
sembler	*réussir*	*mériter*
valoir (il vaut mieux)		*offrir*
venir		*oublier*
vouloir		*proposer*
		refuser
		regretter
		tenter

The following phrases are also followed by *de*:

avoir besoin *avoir envie*
avoir l'intention *avoir peur*

These verbs are followed by *à* + person + *de* + infinitive:

conseiller *permettre*
défendre *promettre*
demander *dire*

Examples:
Le PDG a demandé au secrétaire d'apporter les dossiers.
Mes parents ne me permettent pas de sortir pendant la semaine.
Le médecin lui a dit de revenir le lendemain.

NOTES

1 *Commencer* and *finir* are followed by *par* + infinitive if the meaning is 'by'. Contrast:
Elle a commencé à travailler. – She began to work.
with
Elle a commencé par travailler. – She began by working (and then went on to do something else).
2 When a pronoun is used with two linked verbs, it comes before the infinitive:
Je dois le faire.
3 The infinitive is used after prepositions:
avant de *Il faut réfléchir avant d'agir.*
au lieu de *Fais tes devoirs au lieu d'écouter de la musique.*
en train de *Je suis en train de faire la cuisine.*
pour *Tu es assez intelligent pour comprendre ça.*
sans *Ils sont partis sans me remercier.*

Other verbs with a dependent infinitive

faire

When followed immediately by an infinitive, *faire* means 'to have something done by someone else':

Je repeindrai ma maison. – I'll repaint my house.
Je ferai repeindre ma maison. – I'll have my house repainted.

Other expressions involving *faire* + infinitive include:

faire attendre – to make someone wait
faire entrer – to bring in/show in
faire faire – to have something done
faire monter – to carry up/show up
faire remarquer – to remark (to have it noticed)
faire savoir – to let know
faire venir – to fetch
faire voir – to show

entendre, laisser, sentir, voir

These verbs may be used with the infinitive in a similar way:

Elle a entendu frapper à la porte.
Ne le laisse pas partir.
Tu l'as vu sortir.

NOTES

Entendre dire and *entendre parler* mean 'to hear that' or 'to hear of':

J'ai entendu dire qu'on va mettre en place de nouveaux centres d'accueil.
J'ai entendu parler d'elle.

Perfect infinitive

The perfect infinitive means 'to have (done)':

Je m'excuse d'avoir manqué la réunion.
Je m'excuse d'être partie avant la fin de la réunion.

(For the use of *avoir* or *être* as the auxiliary, see examples on page 126.)

The most frequent use of the perfect infinitive is in the expression *après avoir/être* + past participle, meaning 'after having (done)' or in more natural English, 'after doing':

Après avoir renoncé à la cocaine, il a pu refaire sa vie.
Après être revenue en France, elle a travaillé chez Renault.
Après nous être levés, nous avons discuté de nos projets.

(For agreement of the past participle, see page 127.)

NOTES

The subject of the main verb must always be the same as that of the *après avoir* clause. If it is not, a different construction must be used:

Quand il est rentré, sa sœur est sortie.

Negatives

The negative form of a verb is usually achieved by placing *ne* immediately in front of it and the second element of the negative after it. The most common negatives are:
ne … pas
ne … jamais
ne … personne
ne … plus
ne … rien

Examples:
Elle ne parle pas.
Ils ne fument jamais.
Je n'ai rien à faire.

In compound tenses, the second element is usually placed after the auxiliary verb:
Je n'ai rien fait.

This does not apply to *personne*, which is placed after the past participle:
Ils n'ont vu personne.

With reflexive verbs, *ne* is placed before the reflexive pronoun which is part of the verb:
Elles ne se sont pas dépêchées.

Jamais, personne and *rien* may be used on their own:
Qu'est-ce que tu vas manger? – Rien.

Personne and *rien* may be the subject of the verb. In that case they are placed at the beginning of the sentence, but *ne* is still required:
Personne ne sait quel sera le résultat de l'effet de serre.

Other negatives include:
ne … point
ne … guère
ne … ni … ni
ne … aucun(e)
ne … nul(le)

These last two are in fact adjectives, though their meaning dictates that they cannot be plural. Both may be the subject of the sentence, as can *ni … ni*:
Il n'y a aucune possibilité d'y aller ce soir.
Nul ne saurait nier.
Ni l'un ni l'autre ne peut me persuader.

Ne … que, meaning 'only', is not a true negative. (Contrast *il n'a pas de sœurs* with *il n'a qu'une sœur.*) Its word order does not always conform to that of other negatives since *que* is placed after the past participle in compound tenses:
Tu n'as bu qu'un verre d'eau.

NOTES

1 'Not only' is *pas seulement*.
2 To make an infinitive negative it is usual to place the two elements together in front of the infinitive:
Ils ont décidé de ne pas venir.
Il m'a conseillé de ne plus fumer.

Interrogative forms

In French there are four ways of making a sentence into a question:

1 By far the most popular, particularly in speech, is to leave the word order as it is and add a question mark (in speech, raise the voice at the end):
Statement: *L'énergie nucléaire sera importante à l'avenir.*
Question: *L'énergie nucléaire sera importante à l'avenir?*

2 Use *est-ce que:*
Est-ce qu'on a trouvé un moyen de se débarrasser des déchets?
À quelle heure est-ce qu'on se revoit?

3 Invert the verb and subject. This is straightforward when the subject is a pronoun:
Statement: *Tu es content.*
Question: *Es-tu content?*
but is more complicated if it is a noun, when the relevant subject pronoun must be added:
Statement: *Suzanne est triste.*
Question: *Suzanne est-elle triste?*

4 A specific question word such as *qui?, pourquoi?, quand?* may be used. In informal speech the verb and subject are not always inverted; in practice, and in writing, it is probably better to do so or to use *est-ce que*:

Pourquoi as-tu choisi d'aller au musée?
Quand est-ce que tes parents reviendront?

NOTES

1 When the pronoun and subject are inverted, they count as one word, so in negative sentences they are sandwiched between the two negative elements:
N'est-elle pas contente?
2 *Je* is not normally used like this, except with very short verbs such as *ai-je, suis-je, dois-je* and *puis-je*.
3 When inversion produces two consecutive vowels, *-t-* is added between them to make pronunciation easier:
Va-t-il au café?
Cherche-t-elle les documents?
4 In compound tenses the pronoun and auxiliary verb are inverted, followed by the past participle:
As-tu vu?
Êtes-vous allé?
Se sont-ils levés?

Tenses

For all tenses of regular and irregular verbs, see the verb tables on pages 137–151. Notes on the use and formation of tenses are given below.

Present tense

Use and meaning

The present tense expresses:
- action that is taking place at the moment of speaking;
- a fact that is universally true.

There is only one form of the present tense in French while English has three. For example, *je crois* means:
- 'I think' – the simple present, the most frequently occurring use of the tense.
- 'I am thinking' – there is no separate form of the present continuous in French (but see note 3 under Special uses below).
- 'I do think' – found almost exclusively in the negative ('I do not think') and question ('Do you think?') forms.

Formation

There are three groups (*-er*, *-ir* and *-re*) of regular verb endings and a large number of irregular verbs. For regular verbs, remove the ending from the infinitive and add the appropriate endings:

	-er	**-ir**	**-re**
je	*parl**e***	*fin**is***	*vend**s***
tu	*parl**es***	*fin**is***	*vend**s***
il/elle/on	*parl**e***	*fin**it***	*vend*
nous	*parl**ons***	*fin**issons***	*vend**ons***
vous	*parl**ez***	*fin**issez***	*vend**ez***
ils/elles	*parl**ent***	*fin**issent***	*vend**ent***

A number of irregular verbs can be grouped which makes them easier to learn. These groups are marked in the verb tables.

Special uses

1. In expressions of time with *depuis* and *ça fait*, the present tense is used to express 'have/has been (doing)':
   Il attend son visa d'entrée depuis trois mois. – He has been waiting for his visa for three months.
   (The implication here is that he is still waiting, so the present tense is used.)
   Ça fait un an qu'elle travaille chez Renault. – She has been working for Renault for a year (and is still there).
2. The present tense of *venir* + *de* + the infinitive expresses 'have/has just (done)':
   Nous venons de lancer un nouveau produit. – We have just launched a new product.
3. To underline the fact that someone is in the middle of doing something, the expression *être en train de* + infinitive is used:
   Ils sont en train de chercher leurs papiers.
4. The present tense of *aller* is used with the infinitive (as in English) to describe an action or event that is going to happen:
   Ils vont retourner en France samedi.

Perfect tense

The perfect tense in French is the one on which all other compound tenses are based.

Use and meaning

The perfect tense is used for action in the past which happened only once (or possibly twice or three times but not as a regular occurrence), and has been completed. It is also used if it is known when the action started, when it ended or how long it lasted. It translates the following:
- a simple past tense ('I found').
- a past tense with 'have' or 'has' ('he has found').
- a past tense with 'did' ('I did find', 'did you find?').

Formation

It is composed of two elements: the present tense of the auxiliary verb (*avoir* or *être*) + the past participle (*trouvé*, *fini*, *vendu*, etc). It is essential that both elements are included.

To form the past participle:
- ***-er*** verbs: take off the *-er* and replace with *-é*;
- ***-ir*** verbs: take off the *-ir* and replace with *-i*;
- ***-re*** verbs: take off the *-re* and replace with *-u*.

See the verb tables on pages 137–151 for the many verbs that have an irregular past participle.

Most verbs use *avoir* as their auxiliary; the past participle usually remains unchanged (but see below).

j'ai cherché	*nous avons entendu*
tu as bu	*vous avez cru*
il a ouvert	*ils ont fini*
elle a fait	*elles ont voulu*

Although there is usually no agreement of the past participle of verbs taking *avoir*, if the verb has a direct object, and if that direct object precedes the verb, the past participle agrees with the direct object. There are three types of sentences in which this may occur:
- If there is a preceding direct object pronoun:
  Tu as vu ta mère? – Oui, je l'ai vue hier.

- With the relative pronoun *que*:
  Les articles que nous avons commandés ne sont pas encore arrivés.
- In questions after *quel?* and *combien?*:
  Combien d'affiches a-t-il achetées?

The following verbs use *être* to form their perfect tense:

aller	*partir*
arriver	*rester*
descendre	*retourner*
entrer	*sortir*
monter	*tomber*
mourir	*venir*
naître	

as do their compound forms (*revenir*, *devenir*, *rentrer*, etc).

The past participle of verbs using *être* as their auxiliary agrees with the subject:

je suis allé(e)	*nous sommes descendu(e)s*
tu es venu(e)	*vous êtes arrivé(e)(s)*
il est entré	*ils sont restés*
elle est montée	*elles sont retournées*

NOTE

Verbs taking *être* are intransitive, i.e. they do not have an object. However, *descendre*, *monter*, *(r)entrer* and *sortir*, with a slightly different meaning, may be used with an object; in this case they use *avoir* as their auxiliary, and agreement of the past participle conforms to the rules for verbs taking *avoir*.

Il a monté les valises. – He brought up the cases.
As-tu descendu la chaise? – Oui, je l'ai descendue.

Reflexive verbs also use *être* to form their perfect tense. Agreement is with the subject:

je me suis fâché(e)	*nous nous sommes couché(e)s*
tu t'es baigné(e)	*vous vous êtes reposé(e)(s)*
il s'est promené	*ils se sont réveillés*
elle s'est sauvée	*elles se sont débrouillées*

NOTE

If the reflexive pronoun is not the direct object there is no agreement. This is often the case with a verb that is not usually reflexive.

Ils se sont parlé. – They spoke to each other.
Elle s'est demandé. – She wondered. (Literally, she asked herself: *demander à*.)

Imperfect tense (imparfait)

Use and meaning

The imperfect tense is used for:

- Past action that was unfinished ('was/were doing'):
  Il se promenait vers le café quand il a vu son copain.
- Habitual or repeated action in the past ('used to (do)'):
  Elle prenait le train tous les jours pour aller au travail.
- Description in the past:
  Les oiseaux chantaient; elle était triste; il avait les yeux bleus.

Certain words and phrases indicate that the imperfect tense may be needed. These include:

chaque semaine	*régulièrement*
d'habitude	*souvent*
le samedi	*toujours*

NOTES

Sometimes in English habitual action is expressed by 'would'; 'every day he would get up at six o'clock'. In French the imperfect tense must be used.

Formation

Remove *-ons* from the *nous* part of the present tense, and replace it with the following endings:

je	-ais
tu	-ais
il/elle/on	-ait
nous	-ions
vous	-iez
ils/elles	-aient

The only exception to this is the verb *être* (see page 162).

Special uses

1 *Depuis* is used with the imperfect tense to express 'had been (doing)':
Ils jouaient au tennis depuis une demi-heure. – They had been playing tennis for half an hour (and were still doing so, the action was unfinished).

2 The imperfect tense of *venir* + *de* + infinitive is translated as 'had just (done)':
Il venait d'arriver. – He had just arrived.

Future tense (future)

Use and meaning

The future tense means 'shall (do)' or more often 'will (do)' or 'will be (doing)'.

NOTES

'Will you' is sometimes translated by the present tense of *vouloir*, if it means 'are you willing to?', or if it is a request: *veux-tu fermer la porte?*.

Formation

The following endings are added to the future stem which for regular verbs is the infinitive (*-re* verbs drop the *e*):

je	-ai
tu	-as
il/elle/on	-a
nous	-ons
vous	-ez
ils/elles	-ont

Many verbs have an irregular future stem (see verb tables on page 137).

Special use

When the future tense is implied or understood, it must be used in French, although English prefers the present tense:

> *Je te téléphonerai quand je rentrerai au bureau.* – I'll ring you when I get back to the office.

Words and phrases that may indicate the need for a future tense include:

après que	*dès que*
aussitôt que	*lorsque, quand*

Note that this does not apply to sentences and clauses starting with *si*, in which the tense is always the same as in English.

Conditional (conditionnel)

The conditional is sometimes known as the 'future in the past' because it expresses the future from a position in the past.

Use and meaning

The conditional means 'should', or more often 'would (do)'. It is frequently used in indirect (reported) speech and in the main part of the sentence following a *si* clause whose verb is in the imperfect tense:

> *J'ai dit que je vous retrouverais.* – I said I would meet you.
> *Si je venais demain nous pourrions y aller ensemble.* – If I came tomorrow we would be able to go together.

Because there is an element of the future in it, the conditional is sometimes required to translate a past tense following *quand*, etc:

> *Le patron m'a demandé d'aller le voir quand je serais libre.* – The boss asked me to go and see him when I was free.

The conditional is also the tense of politeness:

> *Auriez-vous la bonté de m'envoyer…* – Would you be kind enough to send me …

Formation

The endings of the imperfect tense are added to the future stem:

*je voudr**ais***	*nous finir**ions***
*tu ser**ais***	*vous ir**iez***
*il enverr**ait***	*ils pourr**aient***

NOTE

To express 'should' in the sense of 'ought to', the conditional tense of *devoir* must be used:

> *Nous devrions nous occuper des SDF.*

Compound tenses

These tenses include the future perfect (*futur antérieur*), the conditional perfect (*conditionnel passé*) and the pluperfect (*plus-que-parfait*). Agreement of the past participle in every case is exactly the same as for the perfect tense. If a verb uses *être* to form its perfect tense, it also does so in the other compound tenses.

Future perfect tense (futur antérieur)

Use and meaning

The future perfect tense means 'shall have (done)' or, more usually 'will have (done)'. As its name suggests, there is an element of both future and past in its meaning:

> *Quand tu rentreras, j'aurais rangé ma chambre.* – By the time you get home I will have tidied my room.

As with the future tense, the future perfect is used when the future is implied but not stated in English, usually when the main part of the sentence is in the future. In this case it means 'have/has (done)':

> *Nous vous ferons savoir dès que nous aurons pris une décision.* – We'll let you know as soon as we have reached a decision.

Formation

The future tense of the auxiliary verb + the past participle.

Examples:

- *avoir* verbs:
  j'aurai envoyé, il aura écrit, nous aurons entendu, elles auront fini.
- *être* verbs:
  tu seras revenu(e), vous serez arrivé(e)(s), ils seront retournés.
- reflexive verbs:
  elle se sera baignée, nous nous serons levé(e)s, ils se seront couchés.

Conditional perfect (conditionnel parfait)

Use and meaning

The conditional perfect tense is used more frequently than the future perfect. It means 'would have (done)'. Its uses are very similar to those of the conditional; it is often required in the main part of the sentence linked with a *si* clause and when a future idea is implied:

S'il avait cessé de pleuvoir nous aurions joué au tennis.
Tu m'as dit que tu reviendrais quand tu aurais trouvé tes papiers (when you had found your papers).

Formation

The conditional of the auxiliary verb + the past participle.

Examples:

- *avoir* verbs:
  j'aurais cherché, elle aurait réussi, ils auraient pu.
- *être* verbs:
  tu serais arrivé(e), nous serions entré(e)s, elles seraient venues.
- reflexive verbs:
  il se serait reposé, vous vous seriez dépêché(e)(s).

NOTE

The conditional perfect tense of *devoir* means 'ought to have' or 'should have':

Tu aurais dû partir plus tôt. – You ought to have left earlier.

Pluperfect tense (plus-que-parfait)

Use and meaning

The pluperfect tense means 'had (done)'. It refers to an action or state that happened before something else in the past tense, i.e. it is one step further back in the past:

Quand je suis arrivé à l'aéroport l'avion avait déjà atterri.

Formation

The imperfect tense of the auxiliary verb + the past participle.

Examples:

- *avoir* verbs:
  j'avais trouvé, il avait réussi, nous avions pris.
- *être* verbs:
  tu étais allé(e), elle était rentrée, ils étaient sortis.
- reflexive verbs:
  il s'était occupé, vous vous étiez sauvé(e)(s), elles s'étaient retrouvées.

NOTES

1. The pluperfect is sometimes used in French where English uses a simple past tense:
   Je vous l'avais bien dit. – I told you so.
2. The use of the pluperfect is becoming less common in English, particularly in speech. It should still, however, be used in French.

Past historic (passé simple)

Use and meaning

This is a formal tense: it is found mainly in literary works and in some formal articles, and it is used for narration. It must be recognised but the A-level student should not need to use it. It has the meaning of a simple past tense and is the formal equivalent of the perfect tense to describe completed actions in the past. It does not mean 'have/has (done)', for which the perfect tense is used. Examples of *tu* or *vous* forms are found only in older literature.

Formation

There are three groups of endings:

- *-er* verbs

je	-ai
il/elle/on	-a
nous	-âmes
ils/elles	-èrent

- *-ir*, *-re* and some irregular verbs:

je	-is
il/elle	-it
nous	-îmes
ils/elles	-irent

- other irregular verbs:

je	-us
il/elle	-it
nous	-ûmes
ils/elles	-urent

For verbs which have an irregular past historic, including *venir*, see the verb tables on pages 137–151.

Passive

Use and meaning

To understand the passive, it is necessary to understand the difference between the subject and object of the verb.

In the sentence 'The secretary writes the letters', the verb 'writes' is an active verb: it is the secretary who is doing the action. To make the verb passive, the letter, which is currently the direct object, must be made into the subject but the meaning of the sentence must remain the same – 'The letters are written by the secretary'. The verb 'are written' is therefore in the passive form.

Formation

The formation of the passive in French is very straightforward. The appropriate tense of *être* is used, + the past participle which agrees with the subject.

- Present tense: *Les lettres sont écrites par le secrétaire.*
- Perfect: *Le projet a été conçu il y a deux ans* ('was devised').
- Imperfect: *Dans les années 60 les trains étaient utilisés davantage* ('were used').
- Future: *Le centre sera ouvert par le président* ('will be opened').
- Conditional: *Il a dit que de nouvelles méthodes seraient employées* ('would be used').
- Future perfect: *Le travail aura été fini* ('will have been finished').
- Conditional perfect: *La décision aurait été prise plus tôt* ('would have been taken').
- Pluperfect: *Les raisons avaient été oubliées* ('had been forgotten').

NOTES

1. The use of *être* to form the passive must not be confused with the use of *être* as the auxiliary verb.
2. Verbs that take *être* to form their compound tenses cannot be made passive, as they do not have a direct object.

Avoiding the passive

French tends to avoid the passive wherever possible; there are two main ways of doing this:

- By using *on* (this is only possible when the action can be performed by a person, and when it is not known – or stated – precisely who that person is):
  On t'a vu au concert. – You were seen at the concert.
  On m'a demandé de remplir une fiche. – I was asked to fill in a form.
  Note that the best way of translating *on* into English is often by using the passive.
- By using a reflexive verb:
  Nos articles se vendent partout en Europe. – Our products are sold everywhere in Europe.

NOTE

Since the passive can only be used with sentences which contain a direct object, it cannot be used with verbs that are followed by *à* + person since these verbs take an indirect object. The sentence 'She is not allowed to go to the cinema on her own' could therefore not be translated into French using the passive because *permettre* is followed by *à*. Another way of expressing it must be found. This might be:

On ne lui permet pas d'aller au cinéma toute seule.
Another possibility, though rather formal, is:
La permission ne lui est pas accordée d'aller au cinéma toute seule.

Imperative

The imperative is used to give commands or to suggest that something be done.

To form the imperative, use the *tu*, *nous* or *vous* forms of the present tense without the subject pronoun. With *-er* verbs, the final *-s* is omitted from the *tu* form:

	-er	**-ir**	**-re**
(tu)	*regarde*	*finis*	*descends*
(nous)	*regardons*	*finissons*	*descendons*
(vous)	*regardez*	*finissez*	*descendez*

There are some irregular forms:
aller – va, allons, allez
avoir – aie, ayons, ayez
être – sois, soyons, soyez
savoir – sache, sachons, sachez

With reflexive verbs, the reflexive pronouns must be retained. It comes after the verb with a hyphen. Note that *te* becomes *toi*:

Assieds-toi! Arrêtons-nous! Amusez-vous!

For the order of pronouns with the imperative, see page 144.

The *il/elle/ils/elles* forms of the imperative ('may he', 'let them', etc.) are provided by the subjunctive.

Elle n'aime pas le vin? Alors, qu'elle boive de l'eau!
Vive la liberté!

NOTES

A very polite command may be expressed by using the infinitive. This is usually found only in public notices:

S'adresser au concierge. – Please see the caretaker.

Present participle

The present participle is formed from the *nous* form of the present tense; remove the *-ons* ending and replace it by *-ant*:
(nous) parlons → *parlant*
(nous) finissons → *finissant*
(nous) attendons → *attendant*

There are some irregulars:
avoir → *ayant*
être → *étant*
savoir → *sachant*

The most common use of the present participle is with *en*, when it means 'by (doing)', 'on (doing)' or 'while (doing)':

En travaillant dur, elle a réussi.
En ouvrant la porte, elle a vu le PDG.
On ne peut pas faire le ménage en regardant la télévision.

The spelling of the participle does not change and the subject of the participle must be the same as that of the main verb.

The participle may sometimes be used without *en*:

Se rendant compte qu'il avait oublié sa carte, il est rentré chez lui. – Realising that he had forgotten his map, he went back home.

NOTES

1. If the present participle is used purely as an adjective, it must agree with the noun it is describing:
   une maison impressionnante
2. The reflexive pronoun changes according to the subject:
   Me levant tôt, je suis allé au bureau à pied.
3. French often prefers to use a relative clause where English uses a present participle:
   Il a vu son collègue qui entrait dans le bureau. – He saw his colleague coming into the office.
   This may also be expressed by an infinitive:
   Il a vu son collègue entrer dans le bureau.

Subjunctive

The ability to use the subjunctive is essential at A-level. Some of its applications are more widespread than others, and it is easy to learn a few of the expressions in which the subjunctive is required and thereby improve one's style. As far as tenses are concerned, modern French generally uses the present, and the perfect is quite often needed. The imperfect and pluperfect subjunctives should be recognised, but not used, at A-level.

Uses

The categories of expression listed below are followed by a verb in the subjunctive. It is worth remembering that the subjunctive is almost always introduced by *que*.

Wishing and feeling

For example:

aimer (mieux) que	*préférer que*
avoir peur que	*regretter que*
avoir honte que	*souhaiter que*
comprendre que	*vouloir que*
être content que	*c'est dommage que*
craindre que	*il est temps que*
désirer que	*il vaut mieux que*
s'étonner que	

Examples:
Je veux que vous m'accompagniez à la conférence.
Il s'étonne que tu viennes régulièrement.

NOTES

1 *Avoir peur que* and *craindre que* both need *ne* before the subjunctive:
J'ai peur qu'il ne se trompe.
2 There is no need to use the subjunctive if the subject of both halves of the sentence is the same. In that case, the infinitive should be used:
Nous regrettons de ne pas pouvoir expédier les articles.

Possibility and doubt

il est possible que
il se peut que (**but not** *il est probable que*)
il est impossible que
il n'est pas certain que
il semble que (**but not** *il me semble que*)
douter que

Examples:

Il semble qu'il y ait une amélioration de la condition féminine.
Je doute qu'il vienne.

NOTES

The subjunctive is used after *croire* and *penser* only when they are in the negative or question forms, so that there is an element of doubt:

Je crois que les femmes ont maintenant les chances égales.
Je ne crois pas que les toxicomanes puissent être facilement guéris.
Penses-tu qu'ils veuillent venir aux centres de réinsertion?

Necessity

Il faut que
Il est nécessaire que

Example:

Il faut que vous renonciez au tabac.

After particular conjunctions

à condition que	*jusqu'à ce que*
afin que	*pour que*
à moins que	*pourvu que*
avant que	*quoique*
bien que	*sans que*
de peur que	

Examples:

Bien que les problèmes de l'adolescence soient grands, on finira par se débrouiller.
Je t'expliquerai pour que tu comprennes les raisons.

NOTES

1 *À moins que* and *de peur que* (and sometimes *avant que*) also require *ne* before the subjunctive.
2 French often avoids the subjunctive by using a noun: *avant sa mort* ('before his/her death').

Talking, commanding, allowing and forbidding

défendre que	*exiger que*
dire que	*ordonner que*
empêcher que	*permettre que*

Examples:

Vous permettez que j'aille au concert?

NOTES

Empêcher also requires *ne* before the subjunctive.

Superlative, negative and indefinite expressions

(Superlatives include *le premier*, *le dernier* and *le seul.*)

Examples:

C'est le roman le plus intéressant que j'aie jamais lu.
Il n'y a personne qui me comprenne.

Whoever, whatever, etc.

où que
quel que
qui que
quoi que

Examples:

D'habitude nos parents nous aiment quoi que nous faisons.
Quels que soient les problèmes, vous réussirez à les résoudre.

Imperative

Used for the third person of the command (see page 131).

Present subjunctive

Formation

The present subjunctive is formed by removing *-ent* from the *ils* form of the present tense and replacing it with the following endings:

je	-e	nous	-ions
tu	-es	vous	-iez
il/elle/on	-e	ils/elles	-ent

Examples:

je mette	*nous disions*
tu vendes	*vous écriviez*
il finisse	*ils ouvrent*

Irregular subjunctives (see the verb tables on pages 137–151) are:

aller	*pouvoir*
avoir	*savoir*
être	*vouloir*
faire	

In addition the following verbs change in the *nous/vous* parts to a form that is exactly the same as that of the imperfect tense. These include:

appeler (+ group – see page 138)

boire	*prendre* (+ compounds – see page 144)
croire	*recevoir* (+ group – see page 144)
devoir	*tenir*
envoyer	*venir*
jeter	*voir*
mourir	

Examples:

je boive	*nous buvions*
tu boives	*vous buviez*
il boive	*ils boivent*

Perfect subjunctive

This is used in all the categories of expression listed above when a past tense is required.

Formation

The subjunctive of the auxiliary verb + the past participle, which conforms to the usual rules of agreement.

Il est possible qu'elle soit déjà arrivée.
Bien que nous ayons pris un taxi, nous sommes arrivés en retard.

Imperfect subjunctive

This is rarely seen in French now. There are three groups of endings, which are directly linked to those of the past historic tense.

Past historic verbs in *-ai*: *-asse, -asses, -ât, -assions, -assiez, -assent*
Past historic verbs in *-is*: *-isse, -isses, -ît, -issions, -issiez, -issent*
Past historic verbs in *-us*: *-usse, -usses, -ût, -ussions, -ussiez, -ussent*

The only exceptions are *venir* and *tenir*: *vinsse, vinsses, vînt, vinssions, vinssiez, vinssent.*

The most useful forms of the imperfect subjunctive to recognise are those of *avoir* and *être*, which are used to form the pluperfect subjunctive:

quoiqu'il eû décidé; à condition qu'il fût parti

Indirect speech

Care should be taken to use the correct tense in indirect (reported) speech. The tense in the second half of the sentence is linked to that of the 'saying' verb and is the same as in English:

- Direct speech:
  J'irai au match avec toi. – I will go to the match with you.
- Indirect speech:
  Il dit qu'il ira au match avec moi. – He says that he will go to the match with me.
  Il a dit qu'il irait au match avec moi. – He said he would go to the match with me.

- Direct speech:
  Les marchandises ont été expédiées. – The goods have been sent.
- Indirect speech:
  La compagnie nous a informés que les marchandises ont été expédiées.
  – The company has informed us that the goods have been sent.

- Direct speech:
  Avez-vous jamais rencontré quelqu'un qui souffre du sida? – Have you ever met someone who has Aids?
- Indirect speech:
  Il nous a demandé si nous avions jamais rencontré quelqu'un qui souffrait du sida. – He asked us if we had ever met anyone who had Aids.

NOTE

Although 'that' may be omitted in English, *que* must always be included in French.

Inversion

The subject and verb should be inverted in the following circumstances:

- After direct speech:
  «Je ne peux pas supporter cette situation,» ai-je dit.
  «Ne t'en fais pas,» a-t-elle répondu.

- After question words (see also interrogative forms on page 125):
  De quelle façon t'a-t-on accueilli?
  If the subject is a noun, it is placed before the inverted verb + appropriate pronoun:
  Pourquoi les femmes ne sont-elles pas contentes de leur situation?

- After expressions such as *à peine*, *aussi* (meaning 'and so'), *en vain*, *peut-être* and *sans doute*:
  Elle avait besoin d'argent, aussi a-t-elle demandé des allocations supplémentaires.
  Sans doute devrons-nous utiliser d'autres sources d'énergie.
  Peut-être les autorités pourront-elles trouver une autre solution.

NOTES

1 In the case of *peut-être*, inversion may be avoided by the use of *que*:
Peut-être que les autorités pourront trouver une autre solution.
or by placing *peut-être* at the end of the sentence or clause:
Les autorités pourront trouver une autre solution, peut-être.
2 Inversion is not required after *jamais* and *non seulement* when they start a sentence, although it is needed in English:
Jamais je n'ai entendu parler d'une telle chose. – Never have I heard of such a thing.

Good French style requires inversion in the following types of sentence involving *ce que*, *que* and *où*:

Ils n'ont pas compris ce que disait le directeur.
Vous savez où se trouve la rue de la République?
Voilà le petit garçon que cherchaient ses parents.

Particular care must be taken in translating sentences of this last type, since *que* could be confused with *qui* and the meaning of the sentence changed.

Prepositions

Prepositions show the relation of a noun or pronoun to another word. They include such words as *à, de, dans, sur,* etc. It would be impossible to list all the uses of such words here, and the best advice is to consult a good dictionary and make a note of useful phrases as vocabulary items.

French use of prepositions sometimes differs from that of English. A few of the most important variations and meanings of well-known prepositions that are not mentioned elsewhere in this grammar section are listed below.

à – usually 'to' or 'at' but may mean 'in' (*à mon avis, à la main*), 'from' (*à ce que tu dis*), 'by' (*je l'ai reconnue à sa voix*), 'away' (*la maison est à 2 km*).

chez – usually 'at the house of'; may have the more general meaning of 'with' or 'among' groups of people or animals: *l'agression est-elle normale chez les humains?* and 'in the works of': *chez Anouilh, le héros a toujours un conflit à résoudre.*

dans – used for time at the end of which something happens: *je vous verrai dans deux jours* ('in two days' time').

de – usually 'of' or 'from', but may mean 'in'; *de nos jours, de cette façon, d'une voix faible.*

depuis – usually 'since' but may mean 'from': *depuis Lyon jusqu'à Marseille.* (See also present and imperfect tenses pages 126 and 127.)

devant – required in French after *passer* when the object being passed does not move (usually a building): *vous devez passer devant la mairie.*

en – usual meanings include 'in', 'to' (feminine countries), 'by' (methods of transport), 'into' (*traduisez en anglais*). Used for time taken: *j'y voyagerai en deux heures.* May also mean 'as': *en ami* – 'as a friend', *en tant que maire* – 'in his rôle as mayor'.

entre – usually 'between' or 'among'; may mean 'in': *entre les mains de la police.*

par – usually 'by'; may mean 'out of': *il l'a fait par pitié*, and 'per': *deux fois par an.* Note also *par ici* – 'this way', and *par un temps pareil* – 'in weather like this'.

pendant – usually 'during' or 'for', used with present or past tenses but not with the future. May sometimes be omitted without changing the meaning: *j'ai habité là (pendant) six mois.*

pour – 'for'; used with time in the future: *j'irai en France pour deux semaines. Pour* is not required with *payer* (for the item that has been bought: *tu as payé les réparations?*) or with *chercher: je l'ai cherché partout.* Note also: *vous en avez pour deux heures* – you have enough (to keep you occupied) for two hours.

sous – usually means 'under', but may mean 'in': *j'aime marcher sous la pluie/le neige* (logically, 'under' because the rain or snow is coming from overhead). Also *sous le règne de Louis XVI.*

sur – usually 'on' but may mean 'towards': *il a attiré l'attention sur lui*; 'by': *sur invitation, 5 mètres sur 4 mètres*; and 'out of': *neuf sur dix.*

vers – usually 'towards' but may mean 'about' with expressions of time: *vers trois heures.* 'Towards' linked with attitude is *envers: je ne peux pas supporter son attitude envers moi.*

NOTE

1 A preposition must be repeated before a second noun:
Il a dit bonjour à sa sœur et à ses parents.
2 When something is being taken away from somewhere, e.g. he picked the book up from the table – French uses the preposition for the place where the item originally was:
Il a pris le livre sur la table.
Je buvais du thé dans une grande tasse.

Conjunctions

Conjunctions are used to join sentences or clauses, or words within those sentences and clauses. At the simplest level words such as *et, mais, ou, car, quand* and *donc* are conjunctions; so are *comme, quand, si* and various prepositions used with *que* such as *pendant que, aussitôt que* and *après que*. Some of these have already been considered elsewhere in these pages; specific points concerning others are listed below:

car – 'for' in the sense of 'because/as'. It is used more than the English 'for' with this meaning, but less than 'because' as it is not usually an appropriate alternative to *parce que* in answering a question. Compare the following sentences:

Il est venu de bonne heure, car il voulait aider à préparer le repas.

Pourquoi est-il venu de bonne heure? Parce qu'il voulait aider à préparer le repas.

puisque – 'since' in the sense of 'because'. It must not be confused with *depuis* (see present and imperfect tenses on pages 126 and 127):

Puisque tu le veux, nous irons au café.

pendant que – this means 'while' when two actions are taking place at the same time, with no sense of contrast or conflict:

Il lisait pendant que je faisais la vaisselle.

tandis que – 'while', 'whilst' or 'whereas'; includes the idea of contrast:

Lui, il lisait tandis que moi, je faisais la vaisselle.

alors que – also means 'while', 'whilst' or 'whereas', but has a stronger sense than *tandis que*:

Alors que moi, je porte des bagages, toi tu restes là sans rien faire.

si – may mean 'whether'. In this case, the verb in French is in the same tense as in English:

Je me demandais s'il arriverait à temps.

When *si* means 'if', the tenses used are as follows:

- *si* + present tense – main verb in future tense:
  Si nous gagnons, nous serons contents.
- *si* + imperfect tense – main verb in conditional:
  Si nous gagnions, nous serions contents.
- *si* + pluperfect tense – main verb in conditional perfect:
  Si nous avions gagné, nous aurions été contents.

NOTES

When *avant que, bien que, comme, lorsque* and *quand* introduce two consecutive clauses, the second clause is introduced by *que*:

Avant que les enfants aillent au lit et que nos amis arrivent ...

Numbers

It is usually acceptable to write high numbers in figures rather than words. When it is necessary to write numbers in full, remember the following:

- *vingt* as part of *quatre-vingt* has *-s* only if it is exactly eighty:
  80 – *quatre-vingts*; 93 – *quatre-vingt-treize*
- *cent* is similar:
  300 – *trois cents*; 432 – *quatre cent trente-deux*

Approximate numbers are expressed as follows:

- By the use of *à peu près, vers* or *environ*:
  à peu près quinze; vers dix heures
- In the case of 10, 12, 20, 30, 40, 50, 60 and 100, by adding *-aine* and making the number into a noun (final *-e* is dropped first):
  une douzaine (de); des centaines (de)
- For larger numbers, by using the nouns *millier(s), million(s)* and *milliard(s).*

Ordinal numbers

'First' is *premier/première*; 'second' is *second* or *deuxième*; then add *-ième* to the cardinal number, making appropriate adjustments to spelling:

quatrième, cinquième, etc.

NOTES

'Twenty-first' is *vingt et unième*.

Fractions

un quart – a quarter
un tiers – a third
trois quarts – three quarters
demi – 'half' as an adjective:

midi et demi but *trois heures et demie* (*midi* is masculine, *heure* is feminine).

la moitié – 'half' as a noun

For other fractions, add *-ième* as with ordinal numbers:

trois cinquièmes, un huitième, etc.

Note that the definite article should be used before fractions:

J'ai déjà lu la moitié du livre.

Les trois quarts de son œuvre son bien connus.

Dimension

There are two ways of expressing length, breadth and height:

- *avoir* + dimension + *de* + masculine form of adjective:
  La pièce a cinq mètres de long.
- *être* + adjective (agrees) + *de* + dimension:
  La pièce est longue de cinq mètres.

Time

Note that the days of the week and months of the year are all masculine.

The definite article is used with the following expressions of time:

- To express a regular action:
  Je sors avec mes copains le samedi. – I go out with my friends on Saturdays.
  The definite article is omitted if the action is not regular:
  Je travaille samedi. – I'm working on Saturday.
- With times of the day:
  Elle a visité sa tante le matin. – She visited her aunt in the morning.
- With *prochain* or *dernier* (week, month, year):
  Je pars en Espagne l'année prochaine.
- With dates:
  C'est aujourd'hui samedi le six février. – It's Saturday the 6th of February today.

Note the translation of 'when' with the article:
- definite article + *où*:
  Le moment où je me suis rendu compte …
- indefinite article *que*:
  Un soir que je travaillais dans le jardin …

Note that *après-midi* may be masculine or feminine. It has no plural form.

an/année; jour/journée; matin/matinée; soir/soirée

The distinction between these is not always easy to grasp and has in any case become blurred over time. Theoretically the longer feminine forms are used when the whole of the time is being considered:

J'ai passé la matinée à faire du lèche-vitrines. – I spent the morning window-shopping.

The best advice is probably to learn certain expressions by heart:

cette année; ce jour-là; la veille au soir.

VERB TABLES

NOTE: Only the present tense (indicative and subjunctive) is given in full. For complete endings and formation of compound tenses (pluperfect, future perfect and conditional perfect), refer to page 128.

Regular verbs

Present	Perfect	Imperfect	Future	Conditional	Past historic	Present subjunctive	Present participle
***-er* group**							
je trouv**e**	j'ai trouvé	je trouvais	je trouverai	je trouverais	je trouvai	je trouve	trouvant
tu trouv**es**						tu trouves	
il trouv**e**						il trouve	
nous trouv**ons**						nous trouvions	
vous trouv**ez**						vous trouviez	
ils trouv**ent**						ils trouvent	
***-ir* group**							
je fin**is**	j'ai fini	je finissais	je finirai	je finirais	je finis	je finisse	finissant
tu fin**is**						tu finisses	
il fin**it**						il finisse	
nous fin**issons**						nous finissions	
vous fin**issez**						vous finissiez	
ils fin**issent**						ils finissent	
***-re* group**							
je vend**s**	j'ai vendu	je vendais	je vendrai	je vendrais	je vendis	je vende	vendant
tu vend**s**						tu vendes	
il vend						il vende	
nous vend**ons**						nous vendions	
vous vend**ez**						vous vendiez	
ils vend**ent**						ils vendent	

Regular verbs with spelling changes

Present	Perfect	Imperfect	Future	Conditional	Past historic	Present subjunctive	Present participle
***acheter* group** (includes *geler, lever, mener, peser, semer*) – grave accent before a silent syllable							
j'achète	j'ai acheté	j'achetais	j'achèterai	j'achèterais	j'achetai	j'achète	achetant
tu achètes						tu achètes	
il achète						il achète	
nous achetons						nous achetions	
vous achetez						vous achetiez	
ils achètent						ils achètent	
***appeler* group** (includes *épeler, jeter*) – double consonant before a silent syllable.							
j'appelle	j'ai appelé	j'appelais	j'appellerai	j'appellerais	j'appelai	j'appelle	appelant
tu appelles						tu appelles	
il appelle						il appelle	
nous appelons						nous appelions	
vous appelez						vous appeliez	
ils appellent						ils appèlent	
***nettoyer* group** (includes verbs ending in *-ayer* and *-uyer*) *-y* changes to *-i* before a silent syllable.							
je nettoie	j'ai nettoyé	je nettoyais	je nettoierai	je nettoierais	je nettoyai	je nettoie	nettoyant
tu nettoies						tu nettoies	
il nettoie						il nettoie	
nous nettoyons						nous nettoyions	
vous nettoyez						vous nettoyiez	
ils nettoient						ils nettoient	

NOTE Verbs in *-ayer* may have *y* instead of *i*.

Present	Perfect	Imperfect	Future	Conditional	Past historic	Present subjunctive	Present participle
***espérer* group** (includes *céder, préférer, régler, révéler*) – acute accent changes to grave accent before a silent syllable, but not in the future or conditional tenses.							
j'espère	j'ai espéré	j'espérais	j'espérerai	j'espérerais	j'espérai	j'espère	espérant
tu espères						tu espères	
il espère						il espère	
nous espérons						nous espérions	
vous espérez						vous espériez	
ils espèrent						ils espèrent	

NOTE Verbs ending in *-cer* and *-ger* require a slight modification before *a*, *o* and *u* for pronunciation purposes: *nous commençons, nous déménageons, elle lançait, il commença, j'aperçus.*

Reflexive verbs

Present	Perfect	Imperfect	Future	Conditional	Past historic	Present subjunctive	Present participle
se laver							
je me lave	je me suis lavé(e)	je me lavais	je me laverai	je me laverais	je me lavai	je me lave	(se) lavant
tu te laves						tu te laves	
il se lave						il se lave	
nous nous lavons						nous nous lavions	
vous vous lavez						vous vous laviez	
ils se lavent						ils se lavent	

Irregular verbs in frequent use

***aller* – to go**							
je vais	je suis allé(e)	j'allais	j'irai	j'irais	j'allai	j'aille	allant
tu vas						tu ailles	
il va						il aille	
nous allons						nous allions	
vous allez						vous alliez	
ils vont						ils aillent	

***avoir* – to have**							
j'ai	j'ai eu	j'avais	j'aurai	j'aurais	j'eus	j'aie	ayant
tu as						tu aies	
il a						il ait	
nous avons						nous ayons	
vous avez						vous ayez	
ils ont						ils aient	

***battre* – to beat**							
je bats	j'ai battu	je battais	je battrai	je battrais	je battis	je batte	battant
tu bats						tu battes	
il bat						il batte	
nous battons						nous battions	
vous battez						vous battiez	
ils battent						ils battent	

Present	Perfect	Imperfect	Future	Conditional	Past historic	Present subjunctive	Present participle

***boire* – to drink**							
je bois	j'ai bu	je buvais	je boirai	je boirais	je bus	je boive	buvant
tu bois						tu boives	
il boit						il boive	
nous buvons						nous buvions	
vous buvez						vous buviez	
ils boivent						ils boivent	

***conduire* – to drive**							
je conduis	j'ai conduit	je conduisais	je conduirai	je conduirais	je conduisis	je conduise	conduisant
tu conduis						tu conduises	
il conduit						il conduise	
nous conduisons						nous conduisions	
vous conduisez						vous conduisiez	
ils conduisent						ils conduisent	

NOTE Verbs such as *détruire* and *construire* are formed in the same way.

***connaître* – to know (a person or place)**							
je connais	j'ai connu	je connaissais	je connaîtrai	je connaîtrais	je connus	je connaisse	connaissant
tu connais						tu connaisses	
il connaît						il connaisse	
nous connaissons						nous connaissions	
vous connaissez						vous connaissiez	
ils connaissent						ils connaissent	

NOTE *apparaître* and *paraître* are formed in the same way.

***courir* – to run**							
je cours	j'ai couru	je courais	je courrai	je courrais	je courrus	je coure	courant
tu cours						tu coures	
il court						il coure	
nous courons						nous courions	
vous courez						vous couriez	
ils courent						ils courent	

Present	Perfect	Imperfect	Future	Conditional	Past historic	Present subjunctive	Present participle

craindre **– to fear**							
je crains	j'ai craint	je craignais	je craindrai	je craindrais	je craignis	je craigne	craignant
tu crains						tu craignes	
il craint						il craigne	
nous craignons						nous craignions	
vous craignez						vous craigniez	
ils craignent						ils craignent	

NOTE Verbs ending in -*eindre* and -*oindre* are formed in the same way.

croire **– to think, believe**							
je crois	j'ai cru	je croyais	je croirai	je croirais	je crus	je croie	croyant
tu crois						tu croies	
il croit						il croie	
nous croyons						nous croyions	
vous croyez						vous croyiez	
ils croient						ils croient	

devoir **– to have to (must)**							
je dois	j'ai dû	je devais	je devrai	je devrais	je dus	je doive	devant
tu dois						tu doives	
il doit						il doive	
nous devons						nous devions	
vous devez						vous deviez	
ils doivent						ils doivent	

dire **– to say, tell**							
je dis	j'ai dit	je disais	je dirai	je dirais	je dis	je dise	disant
tu dis						tu dises	
il dit						il dise	
nous disons						nous disions	
vous dites						vous disiez	
ils disent						ils disent	

dormir **– to sleep**							
je dors	j'ai dormi	je dormais	je dormirai	je dormirais	je dormis	je dorme	dormant
tu dors						tu dormes	
il dort						il dorme	
nous dormons						nous dormions	
vous dormez						vous dormiez	
ils dorment						ils dorment	

Present	Perfect	Imperfect	Future	Conditional	Past historic	Present subjunctive	Present participle
***écrire* – to write**							
j'écris	j'ai écrit	j'écrivais	j'écrirai	j'écrirais	j'écrivis	j'écrive	écrivant
tu écris						tu écrives	
il écrit						il écrive	
nous écrivons						nous écrivions	
vous écrivez						vous écriviez	
ils écrivent						ils écrivent	
***envoyer* – to send**							
j'envoie	j'ai envoyé	j'envoyais	j'enverrai	j'enverrais	j'envoyais	j'envoie	envoyant
tu envoies						tu envoies	
il envoie						il envoie	
nous envoyons						nous envoyions	
vous envoyez						vous envoyiez	
ils envoient						ils envoient	
***être* – to be**							
je suis	j'ai été	j'étais	je serai	je serais	je fus	je sois	étant
tu es						tu sois	
il est						il soit	
nous sommes						nous soyons	
vous êtes						vous soyez	
ils sont						ils soient	
***faire* – to do, to make**							
je fais	j'ai fait	je faisais	je ferai	je ferais	je fis	je fasse	faisant
tu fais						tu fasses	
il fait						il fasse	
nous faisons						nous fassions	
vous faites						vous fassiez	
ils font						ils fassent	
***falloir* – to be necessary (must)**							
il faut	il a fallu	il fallait	il faudra	il faudrait	il fallut	il faille	-

Present	Perfect	Imperfect	Future	Conditional	Past historic	Present subjunctive	Present participle
***lire* – to read**							
je lis	j'ai lu	je lisais	je lirai	je lirais	je lus	je lise	lisant
tu lis						tu lises	
il lit						il lise	
nous lisons						nous lisions	
vous lisez						vous lisiez	
ils lisent						ils lisent	
***mettre* – to put, put on**							
je mets	j'ai mis	je mettais	je mettrai	je mettrais	je mis	je mette	mettant
tu mets						tu mettes	
il met						il mette	
nous mettons						nous mettions	
vous mettez						vous mettiez	
ils mettent						ils mettent	
***mourir* – to die**							
je meurs	je suis mort(e)	je mourais	je mourrai	je mourrais	je mourus	je meure	mourant
tu meurs						tu meures	
il meurt						il meure	
nous mourons						nous mourions	
vous mourez						vous mouriez	
ils meurent						ils meurent	
***ouvrir* – to open**							
j'ouvre	j'ai ouvert	j'ouvrais	j'ouvrirai	j'ouvrirais	j'ouvris	j'ouvre	ouvrant
tu ouvres						tu ouvres	
il ouvre						il ouvre	
nous ouvrons						nous ouvrions	
vous ouvrez						vous ouvriez	
ils ouvrent						ils ouvrent	

NOTE *couvrir, découvrir, offrir* and *souffrir* are formed in a similar way.

Present	Perfect	Imperfect	Future	Conditional	Past historic	Present subjunctive	Present participle

partir							
je pars	je suis parti(e)	je partais	je partirai	je partirais	je partis	je parte	partant
tu pars						tu partes	
il part						il parte	
nous partons						nous partions	
vous partez						vous partiez	
ils partent						ils partent	

***pleuvoir* – to rain**							
il pleut	il a plu	il pleuvait	il pleuvra	il pleuvrait	il plut	il pleuve	pleuvant

***pouvoir* – to be able (can)**							
je peux	j'ai pu	je pouvais	je pourrai	je pourrais	je pus	je puisse	pouvant
tu peux						tu puisses	
il peut						il puisse	
nous pouvons						nous puissions	
vous pouvez						vous puissiez	
ils peuvent						ils puissent	

NOTE An alternative form of the first person singular (present tense) exists in the question form *Puis-je?*

***prendre* – to take**							
je prends	j'ai pris	je prenais	je prendrai	je prendrais	je pris	je prenne	prenant
tu prends						tu prennes	
il prend						il prenne	
nous prenons						nous prenions	
vous prenez						vous preniez	
ils prennent						ils prennent	

***recevoir* – to receive**							
je reçois	j'ai reçu	je recevais	je recevrai	je recevrais	je reçus	je reçoive	recevant
tu reçois						tu reçoives	
il reçoit						il reçoive	
nous recevons						nous recevions	
vous recevez						vous receviez	
ils reçoivent						ils reçoivent	

NOTE Other verbs ending in *-evoir*, such as *apercevoir*, are formed in the same way.

Present	Perfect	Imperfect	Future	Conditional	Past historic	Present subjunctive	Present participle

***rire* – to laugh**							
je ris	j'ai ri	je riais	je rirai	je rirais	je ris	je rie	riant
tu ris						tu ries	
il rit						il rie	
nous rions						nous riions	
vous riez						vous riiez	
ils rient						ils rient	

NOTE *Sourire* is formed in the same way.

***savoir* – to know (a fact), to know how to**							
je sais	j'ai su	je savais	je saurai	je saurais	je sus	je sache	sachant
tu sais						tu saches	
il sait						il sache	
nous savons						nous sachions	
vous savez						vous sachiez	
ils savent						ils sachent	

***sentir* – to feel, to smell**							
je sens	j'ai senti	je sentais	je sentirai	je sentirais	je sentis	je sente	sentant
tu sens						tu sentes	
il sent						il sente	
nous sentons						nous sentions	
vous sentez						vous sentiez	
ils sentent						ils sentent	

NOTE *servir* (*nous servons*, etc.) is formed in the same way.

***sortir* – to go out**							
je sors	je suis sorti(e)	je sortais	je sortirai	je sortirais	je sortis	je sorte	sortant
tu sors						tu sortes	
il sort						il sorte	
nous sortons						nous sortions	
vous sortez						vous sortiez	
ils sortent						ils sortent	

Present	Perfect	Imperfect	Future	Conditional	Past historic	Present subjunctive	Present participle

***suivre* – to follow**							
je suis	j'ai suivi	je suivais	je suivrai	je suivrais	je suivis	je suive	suivant
tu suis						tu suives	
il suit						il suive	
nous suivons						nous suivions	
vous suivez						vous suiviez	
ils suivent						ils suivent	

***tenir* – to hold**							
je tiens	j'ai tenu	je tenais	je tiendrai	je tiendrais	je tins	je tienne	tenant
tu tiens						tu tiennes	
il tient					il tint	il tienne	
nous tenons					nous tînmes	nous tenions	
vous tenez						vous teniez	
ils tiennent					ils tinrent	ils tiennent	

NOTE The same formation applies to verbs such as *appartenir, contenir* and *retenir*.

***venir* – to come**							
je viens	je suis venu(e)	je venais	je viendrai	je viendrais	je vins	je vienne	venant
tu viens						tu viennes	
il vient					il vint	il vienne	
nous venons					nous vînmes	nous venions	
vous venez						vous veniez	
ils viennent					ils vinrent	ils viennent	

***vivre* – to live**							
je vis	j'ai vécu	je vivais	je vivrai	je vivrais	je vécus	je vive	vivant
tu vis						tu vives	
il vit						il vive	
nous vivons						nous vivions	
vous vivez						vous viviez	
ils vivent						ils vivent	

***voir* – to see**							
je vois	j'ai vu	je voyais	je verrai	je verrais	je vis	je voie	voyant
tu vois						tu voies	
il voit						il voie	
nous voyons						nous voyions	
vous voyez						vous voyiez	
ils voient						ils voient	

Present	Perfect	Imperfect	Future	Conditional	Past historic	Present subjunctive	Present participle

***vouloir* – to want, be willing**							
je veux	j'ai voulu	je voulais	je voudrai	je voudrais	je voulu	je veuille	voulant
tu veux						tu veuilles	
il veut						il veuille	
nous voulons						nous voulions	
vous voulez						vous vouliez	
ils veulent						ils veuillent	

Less common irregular verbs

***acquérir* – to acquire**							
j'acquiers	j'ai acquis	j'acquérais	j'acquerrai	j'acquerrais	j'acquis	j'acquière	acquérant
tu acquiers						tu acquières	
il acquiert						il acquière	
nous acquérons						nous acquérions	
vous acquérez						vous acquériez	
ils acquièrent						ils acquièrent	

NOTE *conquérir* is formed in the same way.

***s'asseoir* – to sit down**							
je m'assieds	je me suis assis(s)	je m'asseyais	je m'assiérai OR je m'asseyerai	je m'assiérais OR je m'asseyerais	je m'assis	je m'asseye	(s')asseyant
tu t'assieds						tu t'asseyes	
il s'assied						il s'asseye	
nous nous asseyons						nous nous asseyions	
vous vous asseyez						vous vous asseyiez	
ils s'asseyent						ils s'asseyent	

NOTE Alternative forms with *o* (*je m'assois*, etc.) are also used.

***coudre* – to sew**							
je couds	j'ai cousu	je cousais	je coudrai	je coudrais	je cousis	je couse	cousant
tu couds						tu couses	
il coud						il couse	
nous cousons						nous cousions	
vous cousez						vous cousiez	
ils cousent						ils cousent	

Present	Perfect	Imperfect	Future	Conditional	Past historic	Present subjunctive	Present participle
***croître* – to grow, increase**							
je crois	j'ai crû	je croissais	je croîtrai	je croîtrais	je crûs	je croisse	croissant
tu crois						tu croisses	
il croit						il croisse	
nous croissons						nous croissions	
vous croissez						vous croissiez	
ils croissent						ils croissent	
***cueillir* – to pick, gather**							
je cueille	j'ai cueilli	je cueillais	je cueillerai	je cueillerais	je cueillis	je cueille	cueillant
tu cueilles						tu cueilles	
il cueille						il cueille	
nous cueillons						nous cueillions	
vous cueillez						vous cueilliez	
ils cueillent						ils cueillent	
***cuire* – to cook**							
je cuis	j'ai cuit	je cuisais	je cuirai	je cuirais	je cuisis	je cuise	cuisant
tu cuis						tu cuises	
il cuit						il cuise	
nous cuisons						nous cuisions	
vous cuisez						vous cuisiez	
ils cuisent						ils cuisent	
***fuir* – to flee**							
je fuis	j'ai fui	je fuyais	je fuirai	je fuirais	je fuis	je fuie	fuyant
tu fuis						tu fuies	
il fuit						il fuie	
nous fuyons						nous fuyions	
vous fuyez						vous fuyiez	
ils fuient						ils fuient	
***haïr* – to hate**							
je hais	j'ai haï	je haïssais	je haïrai	je haïrais	je haïs	je haïsse	haïssant
tu hais						tu haïsses	
il hait						il haïsse	
nous haïssons						nous haïssions	
vous haïssez						vous haïssiez	
ils haïssent						ils haïssent	

Present	Perfect	Imperfect	Future	Conditional	Past historic	Present subjunctive	Present participle
***inclure* – to include**							
j'inclus	j'ai inclus	j'incluais	j'inclurai	j'inclurais	j'inclus	j'inclue	incluant
tu inclus						tu inclues	
il inclut						il inclue	
nous incluons						nous incluions	
vous incluez						vous incluiez	
ils incluent						ils incluent	

NOTE *conclure* and *exclure* are formed in the same way except that their past participles are *conclu* and *exclu* respectively.

Present	Perfect	Imperfect	Future	Conditional	Past historic	Present subjunctive	Present participle
***mouvoir* – to move**							
je meus	j'ai mû	je mouvais	je mourrai	je mourrais	je mus	je meuve	mouvant
tu meus						tu meuves	
il meut						il meuve	
nous mouvons						nous mouvions	
vous mouvez						vous mouviez	
ils meuvent						ils meuvent	

Present	Perfect	Imperfect	Future	Conditional	Past historic	Present subjunctive	Present participle
***naître* – to be born**							
je nais	je suis né(e)	je naissais	je naîtrai	je naîtrais	je naquis	je naisse	naissant
tu nais						tu naisses	
il naît						il naisse	
nous naissons						nous naissions	
vous naissez						vous naissiez	
ils naissent						ils naissent	

Present	Perfect	Imperfect	Future	Conditional	Past historic	Present subjunctive	Present participle
***nuire* – to harm**							
je nuis	j'ai nui	je nuisais	je nuirai	je nuirais	je nuisis	je nuise	nuisant
tu nuis						tu nuises	
il nuit						il nuise	
nous nuisons						nous nuisions	
vous nuisez						vous nuisiez	
ils nuisent						ils nuisent	

NOTE *luire* is formed in the same way.

Present	Perfect	Imperfect	Future	Conditional	Past historic	Present subjunctive	Present participle
***plaire* – to please**							
je plais	j'ai plu	je plaisais	je plairai	je plairais	je plus	je plaise	plaisant
tu plais						tu plaises	
il plaît						il plaise	
nous plaisons						nous plaisions	
vous plaisez						vous plaisiez	
ils plaisent						ils plaisent	
***résoudre* – to solve**							
je résous	j'ai résolu	je résolvais	je résoudrai	je résoudrais	je résolus	je résolve	résolvant
tu résous						tu résolves	
il résout						il résolve	
nous résolvons						nous résolvions	
vous résolvez						vous résolviez	
ils résolvent						ils résolvent	
***rompre* – to break**							
je romps	j'ai rompu	je rompais	je romprai	je romprais	je rompis	je rompe	rompant
tu romps						tu rompes	
il rompt						il rompe	
nous rompons						nous rompions	
vous rompez						vous rompiez	
ils rompent						ils rompent	
***suffire* – to be sufficient**							
je suffis	j'ai suffi	je suffisais	je suffirai	je suffirais	je suffis	je suffise	suffisant
tu suffis						tu suffises	
il suffit						il suffise	
nous suffisons						nous suffisions	
vous suffisez						vous suffisiez	
ils suffisent						ils suffisent	

Present	Perfect	Imperfect	Future	Conditional	Past historic	Present subjunctive	Present participle
***se taire* – to be silent**							
je me tais	je me suis tut(e)	je me taisais	je me tairai	je me tairais	je me tus	je me taise	(se) taisant
tu te tais						tu te taises	
il se tait						il se taise	
nous nous taisons						nous nous taisions	
vous vous taisez						vous vous taisiez	
ils se taisent						ils se taisent	

Present	Perfect	Imperfect	Future	Conditional	Past historic	Present subjunctive	Present participle
***vaincre* – to conquer**							
je vaincs	j'ai vaincu	je vainquais	je vaincrai	je vaincrais	je vainquis	je vainque	vainquant
tu vaincs						tu vainques	
il vainc						il vainque	
nous vainquons						nous vainquions	
vous vainquez						vous vainquiez	
ils vainquent						ils vainquent	

Present	Perfect	Imperfect	Future	Conditional	Past historic	Present subjunctive	Present participle
***valoir* – to be worth**							
je vaux	j'ai valu	je valais	je vaudrai	je vaudrais	je valus	je vaille	valant
tu vaux						tu vailles	
il vaut						il vaille	
nous valons						nous valions	
vous valez						vous valiez	
ils valent						ils vaillent	

Expressions utiles

Fréquence *Frequency*

(pratiquement) tout le temps	*(almost) all the time*	parfois	*sometimes*
tous les jours	*every day*	pas beaucoup	*not a lot*
souvent	*often*	relativement peu	*relatively rarely*
régulièrement	*regularly*	deux fois par semaine	*twice a week*
beaucoup	*a lot*	une fois par semaine	*once a week*
pas mal de	*quite a lot of*		

Degré et quantité *Degree and quantity*

un peu	*a little*	peu	*a little*
plutôt	*rather*	près de	*nearly*
très	*very*	pas moins de	*not less than*
tout à fait	*completely*	environ	*about*
vraiment	*really*	pas plus de	*not more than*
trop	*too much*	à peu près	*approximatively*

Passé et présent *Past and present*

autrefois	*in the old days*	lors de	*during, as part of*
avant/auparavant	*before/earlier*	aujourd'hui	*today*
à cette époque	*at that time*	de nos jours	*nowadays*
dès (son enfance)	*from (his/her childhood) onwards*	maintenant	*now*
		Dans le passé, … , tandis qu'aujourd'hui	*In the past, … , whereas today*
suite à	*following*		

Comparer *Comparing*

plus … que	*more … than*	le meilleur/la meilleure	*the best*
aussi … que	*as … as*	la/la pire	*the worst*
moins … que	*less … than*	sans rapport avec	*unrelated to*
le moins/le plus	*the least/the most*	contrairement à	*contrary to*

Raconter une histoire *Telling a story*

On a vu	*We saw*	J'ai (vraiment) aimé	*I (really) enjoyed*
On a fait	*We did*	C'était génial de	*It was great to*
Je me souviens (très bien) de la fois où	*I remember (well) the time when*	J'ai même	*I even*

Expliquer des statistiques *Explaining statistics*

Selon/D'après certains chiffres,	*According to some figures,*
Les études/analyses montrent que	*Studies/Analysis shows (that)*
La destination la plus/moins populaire est	*The most/least popular destination is*
Plus de/Moins de Français vont à X qu'à Y.	*More/Fewer French people go to X than to Y.*
Autant de Français vont à X qu'à Y.	*As many French people go to X as to Y.*
Vingt pour cent vont à X tandis que 15% vont à Y.	*Twenty percent go to X while 15% go to Y.*
La plupart/La majorité des Français vont à	*Most/A majority of French people go to*
Les pourcentages de … atteignent	*The proportion of … reaches*
Le nombre de X augmente/est en hausse.	*The number of X is increasing.*
Le nombre de X est en progression.	*The number of X is increasing.*
Le nombre de X diminue/est en baisse.	*The number of X is decreasing.*
Le nombre de X chute.	*The number of X is falling.*
Le nombre de X devance largement Y.	*The number of X is well ahead of Y.*
On peut parler d'une augmentation significative.	*We can talk about a significant increase.*
On compte plus de X entre … et …	*There are more X between … and …*
en moyenne	*on average*

Décrire une perspective d'avenir *Describing a future prospect*

Il y aura plus de/moins de	*there will be more/less/fewer*
ce qui améliorera/créera/causera	*which will improve/create/cause*
des problèmes comme/tels que	*problems such as*
aller de mieux en mieux/de pire en pire	*to get better and better/worse and worse*
au lieu de	*instead of*
sinon,	*if not,*

Discuter d'un texte *Discussing a text*

Le thème majeur de ce texte, c'est	*The main theme of this text is*
Dans ce texte, il s'agit de	*This text is about*
Selon ce texte, il y a de plus en plus de	*According to this text, there is/are more and more*

Exprimer ses goûts *Expressing appreciation*

Personnellement,	*Personally,*
Je dois dire que	*I must say (that)*
Il faut avouer que	*I must admit (that)*
On ne peut pas nier que [+subj]	*I can't deny (that)*
J'apprécie beaucoup (ce genre/style de)	*I really like (this type/style of)*
Je ne supporte pas	*I can't stand*
J'ai horreur de	*I hate*
(Ce genre/style de) me plaît beaucoup.	*I really enjoy (this type/style of)*
(Ce genre/style de) me paraît tout à fait/plutôt/un peu trop	*I find (this type/style of …) quite/rather/a little too*
Je n'ai pas l'habitude de lire/regarder/écouter (ce genre de)	*I don't normally read/watch/listen to (this type of)*
Je trouve (ce genre/ce film/ce livre/cette chanson)	*I find (this type/this film/this book/this song)*

Présenter l'information *Presenting facts and information*

En ce qui concerne X,	*As far as X is concerned,*
Dans le domaine de	*In the field of*
En premier/deuxième lieu,	*First of all/Secondly,*
Selon les statistiques, …	*According to statistics, …*
Beaucoup de/Trop de/Cinquante pour cent de …	*A lot of/Too many/Fifty percent of …*
On pourrait penser/croire que	*You might think/believe that*
De plus/D'ailleurs,	*Moreover/What's more,*

Expressions utiles

Organiser les idées *Organising ideas*

Premièrement,	*First of all,*
Dans un premier temps/ En premier lieu,	*To start with,*
Deuxièmement/ Dans un deuxième temps,	*Secondly,*
Alors,	*So,*
Finalement/Enfin,	*Finally,*
Pour résumer/En résumé,	*To sum up,*
En un mot/En bref,	*In a word,*
En (guise de) conclusion/ Pour conclure,	*To conclude,*
En dernier lieu,	*To finish,*
En somme,	*To sum up,*
En définitive,	*In the final analysis,*
Tout bien considéré,	*When all is said and done,*
J'aimerais conclure en disant que	*I'd like to conclude by saying*
On ne peut arriver qu'à une conclusion logique	*There is only one logical conclusion*
D'ailleurs/De plus,	*Besides/Moreover,*
Ajoutons que	*Let's add that*
Quant à	*As for*
Cependant/Pourtant/Néanmoins,	*However/Nevertheless,*
Par contre/En revanche,	*On the other hand,*
Quoi qu'il en soit,	*Whatever the case,*
Alors que/Tandis que	*Whereas*

Décrire un problème *Describing a problem*

Un des (plus grands) problèmes, c'est	*One of the main problems is*
Il est évident/clair/manifeste que	*It is obvious/clear (that)*
Il apparaît que	*It would seem (that)*
C'est à la fois choquant et inquiétant.	*It's both shocking and worrying.*
Une autre difficulté est le fait que	*Another difficulty is the fact that*

Proposer des solutions à un problème *Suggesting solutions to a problem*

Comment adresser/résoudre le problème?	*How can the problem be tackled/solved?*
Des mesures d'urgence s'imposent.	*Urgent action is needed.*
Il s'agit de	*It is necessary to*
Il faut/faudrait [+inf]/Il faut/ faudrait que [+subj]	*We must/should*
Il suffit de	*All there is to do is*
Il ne suffit pas de	*It isn't enough to*
Il est important/essentiel/ capital de [+inf]/que [+subj]	*It is important/essential/ capital to*
Il est urgent de [+inf]/que [+subj]	*It is urgent to*
On pourrait/On devrait/Il faudrait	*We could/We should*
Ce qui compte par-dessus tout, c'est que [+subj]	*What matters most is that*

Persuader *Persuading*

Pourquoi (donc) ne pas [+inf]?	*(So) why not … ?*
Ne serait-il pas mieux/préférable/ plus facile/plus efficace de [+ inf]?	*Wouldn't it be better/ preferable/easier/more effective to … ?*
La meilleure solution ne serait-elle pas de [+inf]?	*Wouldn't the best solution be to … ?*
Comment nier le fait que … ?	*How can you deny the fact that … ?*
Faisons face à la réalité/à la vérité/aux faits.	*Let's face reality/the truth/ the facts.*
Soyons réalistes/positifs/ pratiques.	*Let's be realistic/positive/ practical.*
Cherchons une autre/meilleure solution.	*Let's find another/better solution.*
avant qu'il ne soit trop tard	*before it's too late*
si on ne veut pas finir par	*if we don't want to end up*

Faire des suggestions *Making suggestions*

Il y a plusieurs/maintes possibilités.	*There are several/many possibilities.*	Tu pourrais devenir	*You could become*
Tu pourrais envisager de [+inf]	*You could envisage*	Tu devrais considérer (le métier de)	*You should consider (a job like)*

Exprimer un point de vue *Expressing a viewpoint*

Je crois que	*I believe (that)*	Je pense qu'on peut/qu'on ne peut pas [+inf]	*I think we can/can't*
J'estime/Je considère que	*I consider (that)*	Je ne pense pas qu'il soit possible de [+inf]	*I don't think it is possible to*
Je suis certain(e)/convaincu(e) que	*I'm sure/convinced (that)*	Il vaut/vaudrait mieux [+inf]/ Il vaut/vaudrait mieux que [+subj]	*It would be better to*
Je suis persuadé(e) que	*I'm certain (that)*	À mon avis/Selon moi/D'après moi, il faut [+inf]	*I think we should*
Je trouve inadmissible que	*I find it unacceptable (that)*	Pour ma part, je pense	*As for me, I think*
Cela me choque que	*I'm shocked (that)*	Moi personnellement,	*Personally,*
On exagère quand on affirme	*It is an exaggeration to state*	Comme je l'ai déjà dit,	*As I've already said,*
On a tort/raison de croire	*It is wrong/right to believe*		
Il me semble que	*It seems to me (that)*		

Justifier un point de vue *Justifying a viewpoint*

à cause de/en raison de	*because of*	N'oublions pas que	*Let's not forget (that)*
parce que/puisque/car	*because*	Prenons l'exemple de	*Take the example of*
faute de	*for the lack of*	Considérons le cas de	*Consider the case of*
grâce à	*thanks to*	Il faut attirer l'attention sur (le fait que)	*We should draw attention to (the fact that)*
comme	*as*		
(L'augmentation) est due au fait qu'il y a	*(The increase) is due to the fact that there is*		

Nuancer une opinion *Qualifiying an opinion*

malgré le fait que	*in spite of the fact (that)*	Certes, il est vrai que ..., mais	*Although it is a fact that ...,*
à condition que	*on the condition (that)*	Je doute que [+subj]	*I doubt (that)*
même si	*even though*	Il est possible que [+subj]	*it is possible (that)*
sauf	*except that*		

Présenter des arguments par écrit *Presenting arguments in writing*

Certes, il est indéniable que	*True, it can't be denied that*	Il faut attirer l'attention sur le fait que	*It's important to draw attention to the fact that*
Sans doute,	*It is true that*	Il faut déterminer les causes (de)	*We must identify the causes (of)*
Toutefois,	*However,*	Il me semble injuste de (dire)	*It seems to me unfair to (say)*
Soulignons que/Notons que	*Let me point out that*	Considérons l'exemple de	*Let's take the example of*
Il faut tenir compte de	*You have to take into account*		

Émettre une hypothèse *Formulating a hypothesis*

Je présume que	*I assume (that)*
Je suppose que	*I suppose (that)*
J'imagine que	*I imagine (that)*

Évaluer les avantages et les inconvénients *Evaluating advantages and disadvantages*

Un avantage/inconvénient, c'est que	*One advantage/ disadvantage is that*
D'un côté, … , de l'autre côté/ d'un autre côté	*On the one hand, … , on the other hand*
D'une part, … , d'autre part	*On the one hand, … , on the other hand*
En revanche/Par contre,	*On the other hand,*
Le revers de la médaille, c'est que	*The downside is that*
Certes, mais	*True, but*
Peut-être, mais	*Maybe, but*
Oui, c'est vrai, mais	*Yes, that's true, but*
C'est exact, mais	*That's true, but*

Exprimer son accord *Agreeing*

Tu as/Vous avez/[Nom] a bien raison.	*You're/[Name] is quite right.*
Je suis tout à fait/complètement/ totalement d'accord avec	*I totally agree with*
Je suis en partie/partiellement/ plus ou moins d'accord avec	*I partly/more or less agree with*
Je partage ton avis/ ton opinion.	*I share your view/your opinion.*
Je partage l'opinion/ l'optimisme/les inquiétudes de	*I share the opinion/ optimism/concerns of*

Exprimer son désaccord/Contredire *Disagreeing/Contradicting*

Au contraire,	*On the contrary,*
Tu as/Vous avez/[Nom] a complètement tort.	*You're/[Name] is completely wrong.*
Je ne suis pas (du tout) d'accord avec	*I don't agree (at all) with*
Je ne suis pas entièrement/ tellement/vraiment d'accord avec toi/[Nom].	*I'm not entirely/really in agreement with you/ [name].*
Tu oublies/Vous oubliez que	*You're forgetting (that)*
Tu vas/[Nom] va trop loin quand tu dis/quand il/elle dit	*You are going too far when you say/[Name] is going too far when he/she says*
Je refuse d'accepter ça.	*I refuse to accept that.*
Mais c'est une absurdité/ n'importe quoi!	*But it's absurd/complete nonsense!*
C'est un argument ridicule.	*It's a ridiculous argument.*
C'est absurde de dire que	*It's absurd to say (that)*
Je suis désolé(e), mais tu oublies/vous oubliez que	*I'm sorry, but you're forgetting that*
Tu ne tiens/Vous ne tenez pas compte de …	*You're not taking … into account …*
Peut-être, mais	*Maybe, but*
Toutefois,	*However,*
Cela dit, on doit admettre que	*Having said that, you must admit (that)*
Que X soit … , c'est exact, mais	*It is a fact that X is … , but*

Décrire le point de vue des autres *Describing others' point of view*

Beaucoup de gens disent que	*A lot of people say (that)*
Certains croient que	*Some believe (that)*
Certaines personnes trouvent que	*Some people find (that)*
D'autres déclarent/maintiennent	*Others declare/maintain*
Une majorité de personnes pensent que	*Most people think (that)*
Une minorité considère que	*A few people consider (that)*
On estime que	*It is thought (that)*
affirmer/soutenir/ révéler/ expliquer/ préciser/rapporter/ répondre/se plaindre/ avouer que	*to assert/to insist/ to reveal/to explain/ to specify/to report/ to answer/to complain/ to admit (that)*
D'après certains,	*According to some,*
Selon d'autres,	*According to others,*
Les uns/Les autres	*Some/Others*

ACKNOWLEDGEMENTS

Anneli McLachlan would like to thank: Joanne and Didier Facchin, Alex Harvey, Julian Harvey, Alastair White, Mathilde Yang and Dinah Nuttall.

The publishers would like to thank:
Richard Marsden, Malcom Johnson, Charonne Prosser, Isabelle Retailleau, Sabine Tartarin, Colette Thomson, Andrew Garratt, Lisa Probert, Helen Ryder at The Becket school Nottingham, Young Digital Planet.

The authors and publishers would like to thank the following individuals and organisations for permission to reproduce material in this book. In some sources, the wording has been adapted.

Page 10: Zoom Actu, Encyclopédie Contributive Larousse. fr © Larousse 2008; © Ça m'intéresse, Prisma Presse 2008; © Témoignage de Bernard Vidal sur www.civismemoria.fr; **Page 14:** © Julie de La Patellière pour Evene.fr, Octobre 2007; **Pages 16–17:** Annie Ernaux, *La Place* © Éditions Gallimard; **Page 17:** © Christine Ferniot/Lire/2005; **Pages 18–19:** Eugène Ionesco, *Rhinocéros* © Éditions Gallimard; **Page 18:** © www.alalettre.com; © Denis C. Meyer University of Hong Kong; **Page 20:** © Centre Pompidou www.centrepompidou.fr/education, Extrait du dossier "Grandes figures de l'art moderne, Marcel Duchamp dans les collections du Musée national d'art moderne". Auteur: Vanessa Morisset; Noélie Viallet et Jean-Yves Dana, Okapi, 1/12/07, Bayard Presse; **Page 22:** Isabelle Desprez, www.lesclesjunior.com 10/12/07; [illegible] www.texti.net/intersoie/etapes; **Page 24:** www.batiweb.com; www.villes-en-france.org; **Page 25:** Citations de Jean Nouvel, www.imaginetonfutur.com/AFP; **Page 37:** © Anne de Kinkelin; **Page 38:** Macadam journal; © Gérard Mermet, Francoscopie 2007 @ Larousse 2006; **Page 39:** www.M6info.fr, Charlotte Pascal; **Page 40:** © Ça m'intéresse, January 2007 p28/29, Prisma Presse 2008; **Page 42:** © Hélie Dehecq, www.lepoint.fr, 27/11/2007; **Page 43:** Frédérique Roland, www.lyongratuit.com site web d'actualité, 22/01/08; www.lemonde.fr, 24/01/08; **Page 44:** © 2007 La Case, www.lacaseauxenfants.org; www.mrap.fr, 01/10/07; **Page 45:** Frédéric Fontaine, www.lesclesjunior.com, 19/04/08; www.lesclesjunior.com, 05/12/06; **Page 46:** © Le Racisme expliqué à ma fille, Tahar Ben Jelloun © Éditions du Seuil, 1998, 2004; **Page 47:** Les Clés de l'Actualité Junior, numéro 601, 19–25 March 2008; **Page 49:** Assmaâ Rakho Mom, www.saphirnews.com, 18/06/07; **Page 50:** *Adolescence*, 1996, Marie-Jose AUDERSET et Jean-Blaise HELD, De La Martinière Jeunesse, 1996; **Page 52:** *Gamma Ecole*, Unit 5,p24/25, Gamma éditions; **Page 53:** © JM. Decugis, Ch. Labbé et O. Recasens, *Le Point* numéro 1837; **Page 64:**n www.lesclesjunior.com, 27/04/07; **Page 66:** www.generationcapote.com; Antoine Gazeau (Marchés Tropicaux), www.afrik.com, 27/06/05; La Nation, www.lanation.dj; Médecins sans Frontières, www.msf.fr; **Page 67:** *On ne badine pas avec la Mort*, FFF, album *Fff*, Sony BMG, 1996; **Pages 69:** Michel Pierre et Claude Quétel, *1940-1950. De fer et de feu* © Éditions Gallimard; **Pages 68-69:** F.Segretain, *La seconde guerre mondiale*, coll. *Voir l'Histoire* © Fleurus 2005; **Page 70:** Joannick Desclercs – FilmdeCulte, Cité de la bande dessinée et de l'image (www.cnbdi.fr); **Page 72:** www.creerlapaix.com; **Pages 72-73:** Roméo Dallaire, *J'ai serré la main du diable, la faillite de l'humanité du Rwanda*, Montréal, Éditions Libre expression, 2004, p.620 623; **Page 73:** © VSD 16–22 April 2008, Prisma Presse 2008; **Page 75:** Brigitte Lestrade, www.u-cergy.fr; **Page 76:** www.plusnews.fr; **Page 77:** Gérald MATHIEU/Eurosport (from yahoo); Thomas Huguenin , Sportvox www.sportvox.fr, 19/11/07; **Page 78:** © Ça m'intéresse, December 2006, Prisma Presse 2008; Igor Davin, www.lesclesjunior.com 24/11/07; **Page 79:** © Marion Renard (PCINpact.com), www.inpactvirtuel.com; **Page 90:** *La sécurité alimentaire, Gamma. Ecole active*, 2002 Andrea Smith et Claire Harte p22/3/4, Éditions Gamma; www.lesclesjunior.com, 03/08/06; **Page 92:** www.fao.org, © FAO, 2003; **Page 93:** www.evene.fr; **Page 94:** Alexandre Fache, www.humanite.fr, L'Humanité 14/03/08; **Page 95:** Chanson Plus Bifluorée, *L'Imparfait du Subjonctif*, paroles de Claude Steiner; **Page 96:** Éditorial de JL Servan-Schreiber, paru dans Psychologies magazine, July/Aug 2007, page 8; **Page 97:** Jacques Hamon, culture.france2.fr, 11/06/08; Emmanuelle Dalyac-Rémond, Okapi 15/12/07, Bayard Presse; Myrtle Langley, *Les Religions du monde*, Dorling Kindersley, traduction de Dominique Barrios-Delgado, Michelle Esclapez et Pascal Houssin © Éditions Gallimard; **Page 99:** Céline Turroques, www.rfi.fr, 16/06/06; **Page 100:** Clémentine Autain, Les droits des femmes: l'inégalité en question, Éditions Milan; www.niputesnisoumises.com; **Page 101:** Zahra Hali, Collectif Les Mots sont importants, www.lmsi.net, January 2004; **Page 102:** © www.lasemaine.org; Charlotte Duperray, Okapi Novembre 2007, Bayard Presse; **Page 103:** Jeanne SIMON, Okapi Novembre 2007, Bayard Presse; **Page 104:** Okapi, 01/01/07, Bayard Presse.

The authors and publishers would like to thank the following individuals and organisations for permission to reproduce photographs:

AFP/Getty Images p.10; Alain Nogues Sygma/Corbis UK Ltd. p.5; Alexander Joe/AFP/Getty Images p.109; Andre Jenny/Alamy p.24; Andrew Chin/Shutterstock p.104; andrzej80/Shutterstock p.104; Antonio Scorza/AFP/Getty Images p.5; architects Michel Targe and Jean Michel Wilmotte/artist Daniel Bure/photo André Morin/ Lyon Parc Auto des Célestins p.24; ARTEKI/Shutterstock p.104; Bildarchiv Monheim GmbH/Alamy p.24; Bogdan Cristel/Reuters/ Corbis UK Ltd. p.49; Christine Strover/Alamy p.24; Collection cinema/www.Photo12.com p.14; constructionphotography.com/ David Potter p.59; Cristina Ciochina/Shutterstock p.24; Denis Charlet/ AFP/Getty Images p.5; Digital Vision p.59; Directphoto. org/Alamy p.98; DreamPictures/Getty Images p.98; Émergences: www2.no-discrim.fr p.45; Eric Cabanis/AFP/Getty Images p.93; Eva-Lotta Jansson/Corbis UK Ltd. p.101; Getty Images/ Photodisc p.58; Gideon Mendel/Corbis UK Ltd. pp.66, 48; Gilles Fonlupt/Corbis UK Ltd. p.35; Giry Daniel Sygma/Corbis UK Ltd. p.89; Hassan Ammar/AFP/Getty Images p.73; Hemis / Alamy p.24; Horacio Villalobos/Epa/Corbis UK Ltd. p.5; Hulton Archive/Getty Images p.69; Image Source pp.41, 44; iStockphoto p.101; iStockphot/Jacques Croizer p.24; iStockphoto/Dan Talson p.24; iStockphoto/Josh Webb p.65; iStockphoto/Pidjoe p.96; iStockphoto/Scott Griessel p.96; Jack Picone/Alamy p.36; James McCauley/Rex Features p.99; Jamie Simpson/Alamy p.52; Judy Allan/iStockphoto p.20; keellla/Shutterstock p.104; Les Films Séville/Seville Pictures p.72; Les Ladbury/Alamy p.98; Lordprice Collection/Alamy p.4; Mark Boulton/Alamy p.98; Médecins Sans Frontières p.64; Museum of Modern Art/Photo Scala, Florence p.20; PA Photos p.65; Pascal Broze/Getty Images p.98; Pascal Pavani/AFP/Getty Images p.92; Patrick Kovarik/AFP/Getty Images p.5, p.75; Paul Cooper/Rex Features p.37; Paula Bronstein/ Getty Images p.63; Pearson Education Ltd/Jules Selmes p.38, p.61, p.85; Philippe Huguen/AFP/Getty Images p.75; Photodisc p.20, p.30, p.59, p.96, p.98, p.110; Photos 12/Alamy p.13, p.14; Pitchal Frederic/Sygma/Corbis UK Ltd. P.38; RA/Lebrecht Music and Arts p.11, p.14, p.70; Reg Lancaster/Express/Hulton Archive/ Getty Images pp.5, 10, 32, 105; Reuters/Corbis UK Ltd. p.79; Rex Features p.52; Rick Rhay/iStockphoto p.53; p.4, p.11, p.18, p.68; Ronald Grant Archive p.11; Sean Prior/ Shutterstock p.104; Sipa Press/Rex Features p.42, p.52, p.92; SOS Racisme p.46; Susanne Walstrom/Getty Images p.98; Tadrart Films/Tessalit Productions p.46; The Art Archive/Musée Carnavalet Paris/Alfredo Dagli Orti p.21; The Art Archive/Museum of Modern Art New York/Gianni Dagli Orti p.21; The Israel Museum, Jerusalem, Israel/DACS/Vera & Arturo Schwarz Collection of Dada and Surrealist Art/Bridgeman Art Library p.20; TopFoto p.4; Ullstein Bild/akg-images p.5; Ville en 3D/Pages Jaunes p.22; Vincent Callebaut Architectures: www.vincent.callebaut.org p.24; Voisin/Phanie/Rex Features p.94; Wendy Kay/Alamy p.7; Wessel du Plooy/Shutterstock p.50.

The authors and publishers would like to thank the following individuals for permission to reproduce illustrations:

Page 14: Gotlib – Gotlib 10 – Rubrique-à-Brac T2 © DARGAUD 1991, by Gotlib www.dargaud.com, *All rights reserved.*
Page 16: Annie Ernaux, *La Place* © Éditions Gallimard. Collection "Folio". Couverture: photo © Loeïza Jacq.
Page 73: *Dove and Cover* © Mark Harfield.
Page 90: *Gaspard, Stan, Alphone et le clonage thérapeutique* © Ray Clid. **Page 97:** *Chats* © André Bouchard.

Audio material:
Produced by Colette Thomson at Footstep Productions
Engineer: Andrew Garratt
Recorded at Air-Edel studios, London

Songs, page 11:
Extract 1: *Fire Fight*, Jan Cyrka/Toby Bricheno, KPM, KPMMUSICHOUSE
Extract 2: *Le Dédé*, Laurent Dury, Carlin, Carlin Production Music
Extract 3: *Suite für Mixtur-Trautonium und elektronisches Slagwerk (a)*, Oskar Sala, Selected Sound, KPMMUSICHOUSE
Extract 4: *Tough Girls Don't Cry*, Jez Miller, Twisted Nerves (SQ003), Sonic Silver

Published by Pearson Education Limited, a company incorporated in England and Wales, having its registered office at Edinburgh Gate, Harlow, Essex, CM20 2JE. Registered company number: 872828

www.heinemann.co.uk

Heinemann is a registered trade mark of Pearson Education Limited
Edexcel is a registered trade mark of Edexcel Limited

First published 2009

12 11
10 9 8 7 6 5 4

British Library Cataloguing in Publication Data
A catalogue record for this book is available from the British Library

ISBN 978 0 43596 20 6

Produced by Ken Vail Graphic Design
Illustrated by The Bright Agency (Ned Woodman) and Ken Laidlaw apart from:
Page 14: © DARGAUD 1991; Page 73: © Mark Harfield; Page 90: © Ray Clid;
Page 97: © André Bouchard.
Cover design by Jonathan Williams
Picture research by Cristina Lombardo at Zooid
Cover photo/illustration: Gavin Hellier/Robert Harding
Printed in Malaysia, CTP-VVP

Interactive CD-ROM developed by Young Digital Planet

Websites
The websites used in this book were correct and up to date at the time of publication. It is essential for tutors to preview each website before using it in class so as to ensure that the URL is still accurate, relevant and appropriate. We suggest that tutors bookmark useful websites and consider enabling students to access them through the school/college intranet.